CAROLINE OLIVEIRA
20/06/2012
" quem me dera ao menos uma vez que o mais simples fosse visto como mais importante... "

Kariny Araujo
08/04/2021
"Mas nos deram espelhos e vimos um mundo doente..."

DIGNIDADE!

DIGNIDADE!

Nove escritores vivenciam situações-limite e relatam o comovente trabalho da organização Médicos Sem Fronteiras

Mario Vargas Llosa
Eliane Brum
Paolo Giordano
Catherine Dunne
Alicia Giménez Bartlett
James A. Levine
Esmahan Aykol
Tishani Doshi
Wilfried N'Sondé

LeYa

First published as *Dignità!* in October 2011 by Giangiacomo Feltrinelli Editore, Milan, Italy

Khayelitsha, Cape Town

Diretor editorial Pascoal Soto
Editora Tainã Bispo
Produção editorial Fernanda Satie Ohosaku
Assistente editorial Arthur Higasi
Indicação editorial Eliane Brum

Preparação de texto Ana Maria Alvares
Revisão de texto Débora Tamayose Lopes
Projeto gráfico Kiko Farkas e Mateus Valadares/ Máquina Estúdio
Diagramação Denise Matsumoto/ Máquina Estúdio
Tratamento de imagens PixArt
Fotos Acervo da Médicos Sem Fronteiras

Dados Internacionais de Catalogação na Publicação(CIP)
(Câmara Brasileira do Livro, SP, Brasil)

Dignidade! : Nove escritores vivenciam situações-
-limite e relatam o comovente trabalho da organização
Médicos Sem Fronteiras – São Paulo: Leya, 2012.

Título original: Dignità!
Vários autores.
Vários tradutores.

978-85-8044-539-8

1. Jornalismo 2. Relações internacionais
3. Equipes de cuidados de saúde

12-05777 CDD-362.10425

Índices para catálogo sistemático:
1. Cuidados de saúde da comunidade : Médicos
Sem Fronteiras : Bem-estar social 362.10425
2. Médicos Sem Fronteiras : Cuidados de
saúde da comunidade : Bem-estar social 362.10425

2012

TEXTO EDITORES LTDA.
[Uma editora do grupo Leya]
Rua Desembargador Paulo Passaláqua, 86
01248-010 - Pacaembu - São Paulo, SP - Brasil
www.leya.com.br

SUMÁRIO

PREFÁCIO
Drauzio Varella

A AÇÃO DA ORGANIZAÇÃO MÉDICOS SEM FRONTEIRAS (MSF) é única na história da medicina. Nem tanto por respeitar os princípios tradicionais da assistência médica, que recomendam prestá-la indistintamente, sem restrição de credos, raças ou convicções políticas – outras organizações e profissionais da saúde também o fazem –, mas por conduzi-la em escala internacional tão abrangente.

Em 40 anos de existência estiveram nos lugares mais inóspitos, empobrecidos e violentos dos cinco continentes, com o objetivo de assistir, tratar e levar conforto às populações atingidas por desastres naturais, guerras, perseguições, deslocamentos humanos, crises na agricultura e epidemias de doenças transmissíveis.

Ao contrário da ajuda humanitária do passado, tantas vezes limitada a socorrer com alimentos e agasalhos as vítimas de tragédias suficientemente chocantes para sensibilizar o anestesiado mundo desenvolvido, a MSF adotou condutas profissionais baseadas no envolvimento da população local, desenvolveu tecnologias próprias e adaptou procedimentos de modo a levar as aquisições da medicina moderna aos que vivem nas condições sociais mais humilhantes.

Sua presença em regiões conflagradas, distantes dos jornais e das telas da TV dos grandes centros urbanos, nas quais a violência impune é praticada de forma sistemática contra cidadãos indefesos, fez de seus membros testemunhas insuspeitas para trazer à luz os crimes cometidos nas sombras por ditadores sanguinários, grupos raciais, exércitos e facções de facínoras travestidos de defensores da vontade popular. Assim aconteceu quando denunciaram o genocídio de Ruanda, os estupros em massa no Congo e os massacres de Srebrenica, entre outros.

Em reconhecimento pelo trabalho realizado em 28 anos de atividade, a MSF recebeu o Prêmio Nobel da Paz em 1999, honraria que a tornou mais conhecida e a ajudou a conseguir mais recursos e meios práticos para ousar voos ainda mais ambiciosos, no atendimento aos mais necessitados, estejam onde estiverem.

Neste livro, Mario Vargas Llosa descreve a visita que fez ao acampamento de Bulengo, no Congo, a convite da MSF:

> Bulengo foi, em 1994, o acampamento do exército ruandês hútu que invadiu o Congo depois de perpetrar a matança de milhares de tútsis no país vizinho. É agora o eixo de um complexo de dezesseis campos de desalojados e refugiados que com a ajuda da União Europeia e das organizações humanitárias dá refúgio a cerca de 13 mil pessoas.

Essa passagem do capítulo "Viagem ao coração das trevas" ilustra a complexidade das situações em que é realizado o trabalho da MSF: prestaram assistência aos tútsis e foram os primeiros a chamar a atenção do mundo para os massacres sofridos por eles nas mãos dos hútus. Agora seriam responsáveis pelo atendimento médico dos hútus que cruzaram a fronteira para refugiar-se no Congo?

Quando ficou claro que havia hútus que estavam nos campos de refugiados para reagrupar-se, com a finalidade de retornar a Ruanda para completar o genocídio, os membros da organização ficaram divididos: estariam contribuindo para fortalecê-los? Ou deveriam prestar assistência aos refugiados hútus acantonados em Bulengo e outros campos, em defesa do princípio de que não cabe ao médico julgar os valores morais dos pacientes atendidos por ele?

Este livro, que comemora o 40° aniversário da organização, é de autoria de nove escritores convidados a visitar postos avançados da MSF: em zonas remotas da Bolívia, onde os camponeses vivem em casas infestadas pelo inseto que transmite a doença de Chagas; em campos de refugiados na República Democrática do Congo; entre os órfãos da aids no interior do Maláui, país paupérrimo que conta com os serviços da MSF desde 1986; em Mymensingh, Bangladesh, para acompanhar o combate à leishmaniose visceral; entre os imigrantes ilegais afegãos, norte-africanos, paquistaneses e georgianos aprisionados na Grécia como se fossem bandidos, para impedir que entrem nos países da Comunidade Europeia; em Khayelitsha, amontoado gigantesco de casas ao longo da Cidade do Cabo, assolado pela tuberculose endêmica; ou no hospital de Mon, no nordeste da Índia, sem água corrente e com cortes frequentes de eletricidade.

Nos relatos resultantes do contato desses escritores com a realidade brutal e impiedosa em que vivem os habitantes dessas regiões, a tragédia coletiva e impessoal adquire sua face humana. O drama de passar os dias na pobreza extrema, sob a ameaça permanente de enfermidades graves e da bestialidade dos homens, é descrito com sensibilidade e delicadeza por pessoas que se comoveram com os personagens retratados em seus textos, quase sempre mulheres e crianças, os elos mais frágeis da cadeia hierárquica.

O resultado é um livro que prende a atenção da primeira à última página, porque nos permite entrar em contato com povos de culturas e costumes distintos, acontecimentos surpreendentes e realidades inimagináveis, nas quais o sofrimento é parte intrínseca do cotidiano, carga aceita com o ar de fatalidade desesperançada do boi diante do arado; e, ao mesmo tempo, admirar a generosidade, a cooperação mútua, o desprendimento e o altruísmo recíproco que não abandonam os seres humanos ainda que nas condições mais desfavoráveis.

Campo de refugiados
em Bulengo, República
Democrática do Congo

Mario Vargas Llosa

Viagem ao coração das trevas

I. O médico

"O PROBLEMA NÚMERO UM DO CONGO SÃO os estupros", disse o dr. Tharcisse. "Matam mais mulheres que a cólera, a febre amarela e a malária. Cada bando, facção, grupo rebelde, inclusive o exército, onde encontra uma mulher procedente do *inimigo*, a estupra. Ou melhor, a estupram. Dois, cinco, dez, quantos sejam. Aqui, o sexo nada tem a ver com o prazer, só com o ódio. É uma maneira de humilhar e desmoralizar o adversário. Embora às vezes haja violação de crianças, 99% das vítimas de abuso sexual são mulheres. Quanto às crianças, preferem raptá-las para lhes ensinar a matar. Há muitos milhares de crianças soldados em todo o Congo."

Estamos no hospital de Minova, uma aldeia na margem ocidental do lago Kivu, um recanto de grande beleza natural – havia nenúfares de flores malvas na prainha em que desembarcamos – e de indescritíveis horrores humanos. Segundo o dr. Tharcisse, diretor do centro, o terror que as violações inoculara nas mulheres explica os deslocamentos frenéticos de populações em todo o Congo oriental. "Mal ouvem um tiro ou veem homens armados saem apavoradas, os filhos às costas, abandonando casas, animais, plantios." O doutor conhece bem o tema, pois Minova está cercada por campos que abrigam dezenas de milhares de refugiados. "As violações são ainda piores do que a palavra sugere", diz baixando a voz. "Todos os dias chegam neste consultório mulheres, meninas, violadas com bastões, ramos, facas, baionetas. O terror coletivo é perfeitamente explicável."

Exemplos recentes. O mais notável, uma mulher de 87 anos, violada por dez homens. Sobreviveu. Outra, de 69, estuprada por três militares, tinha na vagina um pedaço de sabre. Está sendo cuidada há dois meses e suas feridas ainda não cicatrizaram. Quase perde a voz quando me conta que uma menina de 15 anos, raptada por cinco "*interahamwe*" (milícia hútu que perpetrou o genocídio dos tútsis em Ruanda, em 1994, e logo fugiu para o Congo, onde agora apoia o exército do governo do presidente Kabila), foi mantida na mata por cinco meses como mulher e escrava. Quando a viram grávida, expulsaram-na. Ela voltou para a família, que também a expulsou porque não queria que nascesse em sua casa um "inimigo". Desde então vive num refúgio de mulheres e recusou a proposta de um parente para que matasse o futuro filho a fim de que a família pudesse recebê-la. A ladainha das histórias do dr. Tharcisse me causa vertigens quando se refere ao caso da mãe e suas duas filhas violadas poucos dias antes na mesma aldeia por um punhado de milicianos. A mais velha, de 10 anos, morreu. A menor, de 5, sobreviveu, mas teve os quadris esmagados pelo peso de seus violentadores. O dr. Tharcisse rompe a chorar.

É um homem ainda jovem, de família humilde, que custeou os próprios estudos de medicina trabalhando como ajudante de um pesqueiro e num escritório comercial em Kitangani. Há dois anos não vê a família, a milhares de quilômetros, em Kinshasa. O hospital, com 50 leitos e oito enfermeiras, moderno e bem equipado, recebe medicamentos da Médicos Sem Fronteiras, da Cruz Vermelha e de outras organizações humanitárias, mas eles são insuficientes para a esmagadora demanda que mantém o dr. Tharcisse e seus auxiliares trabalhando 12 e até 14 horas diárias, sete dias por semana. O hospital foi construído pela Cáritas. Para que fizesse parte da saúde pública, a Igreja católica chegou a um acordo com o governo. Não se aceitam polígamos, nem homossexuais, nem se praticam abortos. O salário do dr. Tharcisse é de 400 dólares por mês, o que ganha um médico inscrito na saúde pública. Mas, como o governo carece de meios para pagar os médicos, a medicina pública foi discretamente sendo privatizada no Congo, e hospitais, consultórios e centros de saúde públicos na verdade não o são; seus médicos, enfermeiros e administradores cobram dos pacientes. Desse modo, violam a lei, mas, se não o fizessem, morreriam de fome. O mesmo ocorre com professores, funcionários, policiais, soldados e, em geral, com todos os que dependem do Orçamento Nacional, uma enteléquia que existe só em teoria, não no mundo real.

Quando o dr. Tharcisse se recompõe, me explica que, depois das violações, a malária é a causa principal da mortalidade. Muitos desalojados vêm das terras altas onde não há mosquitos. Quando chegam a estas terras, seu organismo, que não gerou anticorpos, é vítima das picadas, e as febres palúdicas os dizimam. Também a cólera, a febre amarela, as infecções. "São organismos débeis, desnutridos, sem defesas." Viver dia e noite no coração do horror não ressecou o coração desse congolês. É sensível, generoso e sofre com o abismo de desespero que o rodeia. Da pequena esplanada dos arredores do hospital, divisamos o horizonte de palhoças onde se apinham dezenas de milhares de refugiados condenados a uma morte lenta. "O remédio que o Congo inteiro precisa tomar é a tolerância", murmura. Estende-me a mão. Não pode perder mais tempo. A luta contra a barbárie não lhe dá trégua.

II. Os pigmeus

DEVO AOS PIGMEUS DE KIVU NORTE terem me livrado de cair nas mãos das milícias rebeldes tútsis do general Laurent Nkunda na noite de

25 de outubro de 2008. Eu chegara no dia anterior a Goma, capital de Kivu Norte, e os meus amigos da Médicos Sem Fronteiras, graças aos quais eu pude fazer essa viagem, haviam organizado para mim uma ida a Rutshuru (a três ou quatro horas dali) para visitar um hospital construído e administrado pela organização, que presta serviços a uma grande concentração de desalojados e vítimas de toda a região. Na véspera da partida, meu filho Gonzalo, que trabalha no Alto Comissariado das Nações Unidas para Refugiados (Acnur), me telefonou de Nova York para dizer que seus colegas no Congo tinham programado para mim uma visita, no dia seguinte, a um campo de pigmeus deslocados dos arredores de Goma. Adiei minha viagem a Rutshuru e, por culpa do general Nkunda, que naquela noite ocupou esse lugar, não pude fazê-la.

Os pigmeus, apesar de serem a mais antiga etnia congolesa, são os primos pobres de todas as demais. Discriminados e maltratados por uns e outros. Fiéis ao preconceito tradicional contra o *outro*, o que é distinto, lendas e intrigas malévolas lhes atribuem vícios, crueldades, perversões, como aos ciganos em muitos países da Europa. Por isso, numa sociedade sem lei, corroída por violência, lutas cainitas, invasões, corrupção e matanças, os pigmeus são as vítimas das vítimas, os que mais sofrem. Basta lançar-lhes um olhar para compreender.

O campo em Hewa Bora (Ar Bonito), a uma dezena de quilômetros de Goma, acaba de se formar. Fica num solo pedregoso e vulcânico, de terra negra, e parece incrível que num lugar tão inóspito 675 pessoas que ali chegaram, há um par de meses, vindas de Mushaki, fugidas das milícias de Laurent Nkunda, tenham conseguido fazer alguns cultivos, de mandioca e alfarrobeiras. Recebem-nos cantando e dançando à guisa de boas-vindas: pequeninos, enfermiços, enrugados, cobertos de farrapos, muitos deles descalços, com filhos que são puro olhos e ossos e as grandes barrigas em que se desenvolvem parasitas. Seu canto, sua dança, tão tristes quanto seus rostos, recordam as canções dos Andes com que se despedem os mortos. Embora com certa dificuldade, vários dos dirigentes falam francês. (É uma das poucas consequências positivas da colonização: uma língua geral que permite a comunicação entre a maioria dos congoleses, num país em que idiomas e dialetos regionais se contam às dezenas.)

Escaparam de Mushaki quando as milícias rebeldes atacaram a aldeia matando vários habitantes. Pedem plásticos, pois as choças que levantaram sobre o solo nu com estacas flexíveis de bambu, atadas com cipós, de um metro de altura mais ou menos, e cobertas de folhas, ficam inundadas com as chuvas, que acabam de começar. Pedem medicamentos, pedem uma escola, pedem comida, pedem trabalho, pedem segurança, pedem – mais que tudo – água. A água é muito cara, não têm dinheiro para pagar o que custam os bujões dos aguadeiros. É uma queixa que ouvirei sem cessar em todos os campos de refugiados do Congo em que porei os pés: não há água, custa uma fortuna, rios e lagos estão contaminados, e os que neles bebem ficam doentes. As pessoas que me acompanham, do ACNUR e da Médicos Sem Fronteiras, tomam notas, pedem detalhes, fazem cálculos. Depois, conversando com eles, comprovarei a sensação de impotência que às vezes os embarga. O que fazer diante das necessidades elementares dessa multidão de vítimas? Quantos mais vão morrer de inanição? A crise financeira que sacode o planeta fez encolher ainda mais os magros recursos com que contam.

No campo de Bulengo, que visito em seguida ao de Hewa Bora, vejo as rações de alimentos, mínimas, que distribuem aos refugiados. Um voluntário da Unicef me diz, com a voz embargada: "No passo em que vão as coisas com a crise, teremos ainda que as diminuir". Médicos, enfermeiros e auxiliares das organizações humanitárias são pessoas jovens, idealistas, que fazem um trabalho difícil em condições intoleráveis, esmagadas pela magnitude da tragédia que tratam momentaneamente de aliviar. O que mais os entristece é a indiferença quase geral, no mundo de onde vêm, dos países mais ricos e poderosos da Terra, pela sorte do Congo. Ninguém o diz, mas muitos no Ocidente chegaram, com efeito, à conclusão de que os males do Congo não têm remédio.

Bulengo foi, em 1994, o acampamento do exército ruandês hútu que invadiu o Congo depois de perpetrar a matança de milhares de tútsis no país vizinho. É agora o eixo de um complexo de 16 campos de desalojados e refugiados que com a ajuda da União Europeia e das organizações humanitárias dá refúgio a cerca de 13 mil pessoas. Estas pertencem a diferentes grupos étnicos que convivem ali sem atritos. Embora Bulengo esteja muito mais assentado e organizado que Hewa Bora, a qualidade de vida é ínfima. As choças e terrenos, muito precários, estão lotados, e por todo lado se percebe a desnutrição, a miséria, a sujeira, o desânimo. Um sinal de vida surge de um bando de crianças que brincam de correr. Várias são mutiladas. Converso com um menininho de uns 10 ou 12 anos que, apesar de ter só uma perna, pula e brinca com muita agilidade. Conta que os soldados entraram à noite em sua aldeia, disparando, e que uma bala o alcançou quando fugia. A ferida na perna gangrenou por falta de cuidados, e quando a mãe o levou à Assistência Pública, em Goma, tiveram que amputá-la.

Em Bulengo há 48 famílias de pigmeus que, além das reclamações que já ouvimos em Hewa Bora, queixam-se de que a escola é muito cara: cobram 500 francos congoleses mensais por aluno. A educação pública é, teoricamente, gratuita, mas, como os professores não recebem salários, privatizaram o ensino, medida tacitamente aceita pelo governo em todo o país. Em muitos lugares são os pais de família que mantêm o ensino – constroem, limpam, protegem as escolas e asseguram um salário aos professores, mas aqui, nos campos de refugiados, todos são insolventes, de modo que, se forem obrigados a pagar pelos estudos, seus filhos deixarão de ir à escola ou esta ficará sem professores.

No campo há muitos desertores das milícias rebeldes. Um deles me conta sua história. Foi sequestrado em sua aldeia com vários outros jovens de sua idade quando os homens de Laurent Nkunda a ocuparam. Deram-lhes instrução militar, um uniforme e uma arma. A disciplina era feroz. Entre os castigos figuravam as chibatadas, as mutilações de membros (mãos, pés) e, em caso de delação ou tentativa de fuga, a morte a machetadas. Assegurou-me de que muitos soldados do exército congolês vendiam suas armas aos rebeldes. Fugiu uma noite, cansado de viver com tanto medo, e passou uma semana na selva, alimentando-se de ervas, até chegar aqui. Em sua aldeia, onde era camponês, tinha mulher e quatro filhos, dos quais não soube mais nada porque a aldeia já não existe. Todos os vizinhos fugiram ou morreram. Pergunto-lhe o que gostaria de fazer na vida se as coisas melhorarem no Congo, e ele me responde, depois de matutar um tempo: "Não sei". Não é de estranhar. Em Bulango, como em Hewa Bora e nos campos de desalojados de Minova, a atitude mais frequente dos que estão ali confinados – e passam as horas do dia encurvados, no chão, quase sem se mover pela debilidade ou pela desesperança – é a apatia, a perda do instinto vital. Já não esperam nada, vegetam, repetindo de maneira mecânica suas queixas: plásticos, remédios, água, escolas, quando chegam visitantes, sabendo muito bem que isso também não servirá para nada. Muitíssimos deles já estão mais mortos do que vivos, e, o pior, sabem disso. Os campos são indispensáveis, sem dúvida, só se funcionarem como uma passagem para a reincorporação à vida ativa, com oportunidades e trabalho. Se não, os que os povoam estão condenados a uma existência atroz, parasitária, que os desmoraliza e anula. E este talvez seja o mais terrível espetáculo que oferece o Congo oriental: o de dezenas de milhares de homens e mulheres reduzidos pela miséria e pela violência a pouco menos que a condição de zumbis.

III. O aranzel congolês

E, NO ENTANTO, TRATA-SE DE UM PAÍS MUITO RICO, com minas de zinco, cobre, prata, ouro e do agora cobiçado coltan,[1] com enorme potencial agrícola, pecuário e agroindustrial. Que lhe falta para aproveitar seus incontáveis recursos? Coisas por ora muito difíceis de alcançar: paz, ordem, legalidade, instituições, liberdade. Nada disso existe nem existirá no Congo por um bom tempo. As guerras que o agitam deixaram há muito de ser ideológicas (se o foram alguma vez) e só se explicam

1 N. do E: mineral metálico do qual se extraem o nióbio e a tantalita, metais utilizados na fabricação de componentes de produtos eletrônicos, como celulares e computadores.

pelas rivalidades étnicas e pela cobiça do poder de caudilhos e chefetes regionais ou pela avidez dos países vizinhos (Ruanda, Uganda, Angola, Burundi, Zâmbia) que querem se apoderar das riquezas minerais congolesas. Mas nem mesmo os grupos étnicos constituem formações sólidas, muitos se dividiram e subdividiram em facções, boa parte das quais não são mais que bandos armados de foragidos que matam e sequestram para roubar.

Muitas minas estão agora nas mãos desses bandos, milícias ou do próprio exército do Congo. Os minerais são extraídos com o trabalho escravo de prisioneiros que não recebem salários e vivem em condições inumanas. Minerais esses que são levados por traficantes estrangeiros em avionetas ou aviões clandestinos. Um funcionário da Organização das Nações Unidas (ONU) que conheci em Goma me assegurou: "Você se equivoca se pensa que o caos do Congo está na terra. O que ocorre no ar é ainda pior". Porque nas alturas também não há lei ou regulamento que seja respeitado. Como a maioria dos voos é ilegal, o número de acidentes aéreos é o mais alto do mundo, chega a ser aterrorizante: 56, entre julho de 2007 e julho de 2008. Por essa razão, nenhuma companhia aérea congolesa é admitida nos aeroportos europeus.

Como o principal recurso do país, o minério, é repartido entre os traficantes e os militares, o Estado congolês carece de recursos, e isso generaliza a corrupção. Os funcionários se valem de toda classe de tráficos para sobreviver. Militares e policiais atravessam árvores nas estradas para cobrar imaginários pedágios. Cada vez que Juan Carlos Tomasi, o fotógrafo que nos acompanha, tira uma de suas câmeras alguém aparece com a mão estirada, cobrando-lhe um fantástico "direito de imagem". (Mas ele é esperto nessas disputas, discute, argumenta, sem se deixar chantagear). Para viajar de Kinshasa a Goma, antes de subir no avião, tivemos de desfilar por cinco mesas, alinhadas uma ao lado da outra, onde se expedem os vistos para se viajar dentro do país!

Não é verdade que a comunidade internacional não tenha intervindo no Congo. A Missão das Nações Unidas no Congo (Monuc) é a operação mais importante que já foi empreendida por essa organização internacional. A força de paz da ONU no Congo conta com 17 mil soldados, de um leque de nacionalidades, e cerca de 1 500 civis. Só em Goma há militares do Uruguai, da Índia, da África do Sul e do Maláui. Visitei o acampamento do batalhão uruguaio e conversei com seu chefe, o amável coronel Gaspar Barrabino, e com vários oficiais de seu estado-maior. Todos eles tinham um conhecimento sério da enredada problemática do país. A inoperância de que são acusados se deve, na realidade, às limitações, à primeira vista incompreensíveis, que as próprias Nações Unidas impuseram ao seu trabalho.

As milícias de Laurent Nkunda, após capturarem Rutshuru, começaram a avançar em direção a Goma, com o exército congolês fugindo em debandada. A população da capital de Kivu Norte, então enfurecida, foi apedrejar os acampamentos da força de paz da ONU (e, de passagem, os locais e os veículos das organizações humanitárias), acusando-os de cruzar os braços e deixar indefesa a população civil diante dos milicianos.

Mas o coronel Barrabino me explicou que a força de paz, criada em 1999, segundo prescrições estritas do Conselho de Segurança, está no Congo para vigiar o cumprimento dos acordos firmados em Lusaka pondo fim às hostilidades entre as diversas forças rivais, e com proibição expressa de intervir no que consideram lutas internas congolesas. Essa disposição condena à impotência as forças militares da ONU, salvo no caso de serem atacadas. Seria muito diverso se o tratado recebido pela força de paz consistisse em assegurar o cumprimento daqueles acordos utilizando, em casos extremos, a própria força contra aqueles que não os cumprem. Mas, por motivos não de todo incompreensíveis, o Conselho de Segurança optou por essa fórmula bizantina, um modo diplomático de não tomar partido em semelhante conflito, um aranzel, na verdade, no qual é difícil, para dizer o mínimo, estabelecer claramente a quem assiste a justiça e a razão e a quem não. Não tenho a menor simpatia pelo rebelde Laurent Nkunda, e provavelmente é falso que a razão de ser de sua rebeldia seja apenas a defesa dos tútsis congoleses, para os quais os hútus ruandenses, armados e associados ao governo, constituem uma ameaça potencial. Mas as Forças Armadas do presidente Kabila representam realmente uma alternativa mais respeitável? As pessoas comuns do povo têm tanto ou mais medo deles do que dos bandos de milicianos e de rebeldes, porque os soldados do governo as atacam, violam, sequestram e matam, da mesma forma que as facções rebeldes e os invasores estrangeiros. Tomar o partido de qualquer desses adversários é privilegiar uma injustiça sobre outra. E o mesmo se poderia dizer de quase todas as oposições, rivalidades ou facções pelas quais se *entrematam* os congoleses. É difícil, quando se visita o Congo, não recordar a tremenda exclamação de Kurz, o personagem de Conrad em *O coração das trevas*: "Ah! o horror! O horror!".

IV. Os poetas

E, NO ENTANTO, APESAR DESSE CONTEXTO, conheci muitos congoleses que, sem se deixar abater por circunstâncias tão adversas, resistiam ao horror, como o dr. Tharcisse, em Minova. Placide Clement Mananga, em Goma, que recolhe e guarda todos os papéis e documentos velhos que encontra para que a amnésia histórica não se apodere de sua cidade natal (ele sabe que o esquecimento pode ser uma forma de barbárie); ou Émile Zola, diretor do Museu de Kinshasa, combatendo os cupins para que não devorem o patrimônio etnológico ali reunido. A essa estirpe de congoleses valorosos, que lutam por um Congo civilizado e moderno, pertencem os Poètes du Renouveau (Poetas da Renovação), de Lwemba, um distrito popular de Kinshasa. São cerca de uma trintena, contando-se uma mulher entre eles, e, embora todos escrevam poesia, alguns são também dramaturgos, contistas e jornalistas.

Além do francês, a colonização belga deixou também a religião católica aos congoleses. No país há ainda protestantes – vi igrejas evangélicas de todas as denominações –, muçulmanos – na região oriental – e várias religiões autóctones, a maior das quais é o kimbanguismo, assim chamada por seu fundador, Simon Kimbangu, enraizada sobretudo no Baixo Congo. Mas, apesar da hostilidade que desencadeou contra ela o ditador Mobutu, a quem fez oposição, a católica parece, de longe, a mais difundida e influente. Igrejas e centros católicos são os focos principais da vida cultural do país.

Os Poètes du Renouveau se reúnem na igreja de Santo Agostinho, onde têm uma pequena biblioteca, uma impressora e uma ampla sala para recitais e palestras. Publicam já há alguns anos umas edições populares de poesia que vendem a preço de custo e às vezes presenteiam. Empenhados em que a poesia chegue a todo mundo, deslocam-se não raro para dar recitais e conferências literárias por toda a região. Assisto a um interessante encontro, de várias horas, no qual se discutem temas literários e políticos. O francês que os congoleses falam e escrevem é cálido, cadenciado, lento e, às vezes, tropical. Bancando o advogado do diabo, provoco uma discussão sobre a colonização belga: o que ela deixou de bom ou de mau? Para minha surpresa, em vez da acirrada (e merecida) condenação que esperava ouvir, todos os que falam, menos um, embora sem esquecer as terríveis crueldades, a exploração e o saque das riquezas, a discriminação e os preconceitos de que foram vítimas os nativos, fazem análises moderadas, situando todo o negativo num contexto de época que, se não escusa, pelo menos explica os crimes e os excessos. Um deles afirma: "O colonialismo é uma etapa histórica pela qual passaram quase todos os países do mundo". Outro o refuta, lançando um duríssimo requisitório contra o que ocorreu no Congo durante quase um século e meio de domínio belga. Responde-lhe um jovem que se apresenta como "teólogo e poeta" com uma única pergunta: "E o que fizemos nós, os congoleses, com o nosso país desde 1960, quando ficamos independentes dos belgas?".

TRADUÇÃO DE IVO BARROSO

•

República Democrática do Congo

Segundo dados da Organização Mundial da Saúde (OMS), a expectativa de vida na República Democrática do Congo está entre as mais baixas do mundo.

A intensificação dos conflitos e a falta de infraestrutura tornam ainda mais difícil o acesso a regiões isoladas. Próximo à cidade de Pinga, na província de Kivu Norte, as comunidades estão constantemente sob domínio dos combatentes, e as equipes de MSF têm de usar motos para conseguir fornecer gratuitamente cuidados básicos, remédios e suprimentos médicos. Em Negli Hauts Plateaux, uma região remota e montanhosa do Kivu Sul, as equipes têm de caminhar por seis horas antes de chegar à comunidade mais isolada e já fizeram quase 13 800 visitas médicas. Na zona de Shabunda, os suprimentos somente podem ser entregues por via aérea, e as equipes de MSF têm utilizado motos e bicicletas para levar assistência médica aos 22 mil refugiados.

Os funcionários de clínicas móveis, centros de saúde e hospitais em Bunia, Kivu Norte e Sul, têm dado assistência médica e psicológica a cerca de 6 mil vítimas de agressão sexual. Em Kivu Norte, onde é difícil chegar aos assentamentos mais isolados, a MSF montou uma rede de consultórios para auxiliar mulheres vítimas de violência sexual e, se necessário, encaminhar os pacientes a hospitais para tratamento.

A MSF atua na República Democrática do Congo desde 1981.

Sonia Cotrina Veizaga,
11 anos, na janela
de sua casa de adobe.
Quase todos os membros
da família de Sonia
têm a doença de Chagas,
inclusive ela
© Vânia Alves

Eliane Brum

Os vampiros da realidade só matam pobres

Para Nilce Mendoza Claure[1]

— *Por favor, não me deixe morrer.*

A menina me agarra pelos dois braços. Tem apenas 11 anos. Seus olhos, porém, são tão velhos quanto os meus. Ou mais. Sonia é o seu nome. Naquele instante em que ela me pede para mudar o mundo, eu afundo na impotência. "Eu vou contar a sua história", respondo. Mas eu e ela conhecemos o mundo o suficiente para saber que dificilmente ela será salva. Sonia e eu sabemos que o mundo não se importa, nem com ela, nem com os seus. Que o mundo nem sequer a vê.

Eu a vejo. Estamos no povoado boliviano de Novillero, onde ela vive com a família. Estou lá para contar uma história que a arranque da zona de invisibilidade. Mas Sonia tem urgência. A vida dela não espera. Sonia precisa que eu a veja, a ela, e a salve. E por isso me agarra pelos braços e me obriga a olhar para além da personagem. Ela se chama Sonia Cotrina Veizaga e pode morrer.

Quero contar como é a voz de Sonia nesse instante em que ambas mergulhamos na fenda das palavras. Sonia me ensina que é possível implorar sem suplicar.

1 A boliviana Nilce Mendoza Claure, agente da Médicos Sem Fronteiras, na cidade de Aiquile, em 2011, foi minha tradutora de quéchua e minha guia pelos caminhos objetivos e subjetivos da Vinchuca na Bolívia. Esta história não poderia ter sido contada sem a dedicação dessa mulher de sensibilidade extraordinária.

E seu sussurro é um grito que me atravessa os tímpanos. Sonia adivinha que eu não tenho resposta quando meu olhar bate a esmo pelas paredes esburacadas de sua casa antes de ter a coragem de encará-la. Eu sou mais uma que vai embora com a sua alma enquanto seu corpo é roído pelo bicho que mora dentro dela. Eu parto. E ela fica. Desde então, seus olhos de criança velha me perseguem. Dormindo ou acordada, Sonia está lá. Implorando que não a deixe morrer.

Este é o meu pesadelo. E agora, espero, também será o seu.

No princípio, era apenas um rufar de asas

A VINCHUCA SEMPRE ESTEVE LÁ. Cada homem ou mulher dos vales e morros da Bolívia perguntou aos que vieram antes e obteve a garantia de que ela sempre esteve lá. Não há notícia de um mundo sem Vinchuca. As marcas de sua onipresença foram encontradas em múmias e esqueletos que viveram séculos antes da chegada do espanhol Francisco Pizarro e sua horda de invasores. A Vinchuca existia, portanto, antes do inferno.

Desde cedo as crianças aprendem a reconhecer o arranhar de suas asas e patas nas paredes de barro antes de atacar. "Soa como as folhas secas do milho ao vento", comparam Cristina Salazar López e Maria Rodríguez Barrios. "Escutamos e então sabemos que elas estão lá. No escuro. Sobre nossas cabeças. Esperando para cair sobre nossos corpos."

Cristina e Maria eram mais jovens do que Sonia quando ouviram a Vinchuca pela primeira vez e souberam, por intuição, que seria o som da sua vida. Na porção rica do mundo, a parte à qual elas não pertencem, os vampiros da ficção movimentam milhões de dólares na indústria do entretenimento. Ali, nos vales da Bolívia, eles existem. E milhões é a ordem de grandeza que mede o número de suas vítimas na América Latina. São muitos os seus nomes. Barbeiro, chupão, bicho-de-parede, cascudo ou fincão. Mas Vinchuca é seu nome em quéchua, a língua falada desde antes dos incas. Idioma que persiste até hoje como ato de resistência de um povo, mantido vivo por 13 milhões de falantes na Bolívia, no Peru e no Equador.

Vinchuca significa "deixar-se cair". A cada noite centenas desses insetos de seis patas e até três centímetros de comprimento se alinham sobre o teto de palha e as paredes de barro das casas dos camponeses. Apenas esperam, à espreita e cada vez mais famintos. Quando homens, mulheres e crianças adormecem, despregam-se. Aterrissam sobre eles. Enfiam seu ferrão e sugam até seu corpo inchar. Empanturrados de sangue, defecam.

Quando suas vítimas se coçam, em um sono agitado pela dor das picadas, o parasita letal que habita suas fezes invade o corpo. Ou as contamina pela boca e pelos olhos. É o *Trypanosoma cruzi*, identificado pelo sanitarista brasileiro Carlos Chagas na primeira década do século XX. De cada cem infectados, 50 desenvolvem a doença. Nestes, lenta e silenciosamente o protozoário vai levando seu hospedeiro ao fim, ao minar coração, esôfago, intestinos e sistema nervoso central. Mais de 10 milhões de pessoas estão infectadas no mundo. E, a cada ano, surgem 40 mil novos casos e cerca de 14 mil doentes morrem.

Sonia, Cristina, Maria e milhares de camponeses da região de Narciso Campero, província fincada ao sul do departamento de Cochabamba, na Bolívia, vivem noite após noite um filme de terror com bem mais de duas horas de duração. Que por ser real – e não fantasia – o mundo prefere não ver. O mal de Chagas é talvez a mais invisível entre as doenças negligenciadas do planeta. E a Bolívia é um dos lugares mais atingidos. Mulheres das regiões campesinas dão à luz gritando não por causa das dores do parto, mas por pavor de que seu bebê seja soropositivo. Em alguns povoados rurais, 70% da população tem Chagas. E de Chagas vão morrer se não tiverem ajuda.

As corporações farmacêuticas não têm interesse em investir na pesquisa de vacina e tratamento para uma patologia que mata somente os mais pobres, aqueles despossuídos de recursos até mesmo para construir uma casa sem buracos. E, no caso da Bolívia, os camponeses de origem indígena, discriminados pela elite do seu próprio país. Apenas as equipes da Médicos Sem Fronteiras, os alcançam com assistência. O principal medicamento contra Chagas, o Benzonidazol, data de 1960. O remédio pode causar reações adversas e é produzido apenas no Brasil.

Enquanto o mundo ignora o horror, cada fêmea de Vinchuca coloca de 100 a 300 ovos em um ano de vida, dentro das casas e nos morros ao redor. Que em seis meses serão adultos prontos para se reproduzir e saltar sobre suas vítimas. Essa história de vampiros não é uma ficção. Suas vítimas têm rosto, nome e sobrenome. E, como Sonia, pedem – possivelmente em vão – que não as deixemos morrer.

Como Maria e Cristina se uniram pelo coração

OS PÉS DE MARIA RODRÍGUEZ BARRIOS HESITAVAM ao entrar no ônibus para Cochabamba. Um avançava, o outro recuava. Ela era quase empurrada. Vestia sua melhor *pollera*, a saia rodada das *cholas*, a tradicional blusa de botões, uma trança negra de cada lado da cabeça e o chapéu coco. No peito, as folhas de coca para proteção. As batidas do coração de Maria eram como os cascos de ovelhas perdidas por um pastor bêbado nos morros de sua aldeia. "Eu não vou", anunciou à agente da Médicos Sem Fronteiras, que a levou até o ônibus. "Você precisa ir. É a sua chance de botar o marca-passo e salvar a sua vida. Ver seus filhos crescerem. Você não quer ver seus filhos crescerem?" Maria queria. Mas o medo a fazia retroceder.

Maria chorava tanto que o peito de sua melhor blusa agora era salgado. Seu coração cada vez maior, engrandecido não por afeto, mas por Chagas, parecia entalado na garganta. Maria tinha pavor de que seu coração parasse de repente, aos 38 anos. Morte súbita como a de seu pai e de sua mãe e de quase todos que conhecia. Mas Maria tinha mais medo da cidade. E do que os homens e mulheres brancos da cidade poderiam fazer com ela. Não por vê-la, mas por ignorá-la.

Em segredo, Maria armou um plano. Assim que o ônibus partisse, ela pediria ao motorista para parar na próxima esquina e voltaria para sua aldeia. A Médicos Sem Fronteiras só saberiam tarde demais que ela jogara fora a chance de botar um marca-passo. Maria morreria, mas não seria humilhada na cidade. Segura de sua escolha, ela virou a cabeça bonita para espiar a derradeira passageira que subia as escadas empoeiradas do ônibus, com sua *pollera* de veludo e um ar de grande dama.

Os olhos líquidos de Maria encontraram a rocha dos olhos de Cristina Salazar López. Mas seus ouvidos treinados de camponesa puderam adivinhar que o coração de Cristina, aos 47 anos, era doente como o seu. E também queria escapar pelo peito rendado da blusa apesar do rosto impassível. Cristina ajeitou as dobras da saia ampla no banco ao lado de Maria. E disse, em quéchua: "Você não quer viver? Estaremos juntas. E cuidaremos uma da outra".

E foi assim que essa história de amor entre duas camponesas da Bolívia começou. Ambas temiam a viagem – e mais ainda o que viria depois. Mas, pela primeira vez, tinham um tempo só delas. Maria não estava pastoreando, nem arrancando ervas, nem cozinhando, nem lavando, nem chamando a atenção do filho mais novo, nem respondendo ao marido. E Cristina não estava costurando, nem lavando, nem cozinhando, nem sofrendo pelos filhos, nem temendo pelo marido que não conseguia emprego na cidade. Eram apenas duas mulheres tentando salvar o próprio coração.

"Por que você tem tanto medo?", perguntou Cristina. "Porque os da cidade não nos enxergam. Eu vou descer do ônibus em Cochabamba e não tenho para onde ir nem tenho dinheiro. Porque nós, que somos do campo, só trocamos as coisas. E eu não entendo o castelhano, e eles não entendem o quéchua. Nós somos humilhadas na cidade, e aonde formos, se os da cidade tiverem de nos enxergar, vão nos tratar mal. Somos *cholas*. E eles nos desprezam."

Cristina guardava a memória desse desprezo nas papilas da língua. Não como o amargor cicatrizante da folha de coca, mas como ácido. Foi com ele que esculpiu seu rosto de bronze com uma dignidade altiva e uns olhos de pedra viva que não recuavam diante de ninguém. "Escuta. Eu sou *chola* também. E como *chola* fui vereadora. E cheguei a ser prefeita de Aiquile por três meses. Eu, uma *chola*. E falaram, e conspiraram, e tentaram me derrubar. E toda vez que tinha sessão me escolhiam para ler porque eu não sabia. Então eu fui para a escola depois de velha para aprender a ler e fui estudar as leis com um advogado para que não me enganassem. E descobri as fraudes deles e os denunciei. Com as minhas *polleras*, as minhas tranças e falando apenas quéchua. Esta é a segunda vez que coloco marca-passo. O primeiro coloquei com dinheiro emprestado e ainda estou pagando. Sou pobre e só consigo comprar meus remédios porque as pessoas conhecem o meu sofrimento e me dão dinheiro no ônibus."

E Cristina também começou a chorar, porque receber esmolas a aviltava. Mas seus olhos naufragaram sem perder uma dureza que só quem chega bem perto consegue perceber por trás da pupila escura. E Maria enxergou, porque nesse momento tinham os rostos quase colados. Cristina continuou a falar e agora tinha uma secura na garganta. "Nós temos uma chance de botar o marca-passo de graça e é isso que nós vamos fazer. Salvar a nossa vida. E seguir vestindo as nossas *polleras* e falando a língua dos nossos antepassados."

Cristina terminou seu discurso num soluço, mas Maria perdeu a vontade de fugir. Ela agora queria ficar. Suas mãos buscaram-se no banco encardido do ônibus. Reconheceram-se pela rugosidade dos dedos de quem trabalhava desde menina e tinha na terra entranhada nas unhas uma segunda pele. E ao silenciarem perceberam que a primeira das cinco horas de viagem havia passado.

Sonia, a criança velha, e sua mãe que voltou a ser menina

SONIA É A SÉTIMA E ÚLTIMA FILHA de *don* Fanor e dona Josefina Cotrina Veizaga. Como seus irmãos e seus pais, ela também foi envenenada pela Vinchuca. Quando nasceu, sua mãe não mais se recuperou do parto. Dona Josefina arrancou a "matriz" – palavra em castelhano para útero. Tão exata que se tornou insubstituível. E perdeu a saúde já devastada pelo mal de Chagas. Na dureza dos dias dona Josefina nem sempre consegue cumprir seu papel de buscar comida e se entrega a uma dor que tritura todos os seus com dentes afiados. Observei bem essa mulher de

48 anos escavada pela fome e pela doença, que deve ter sido tão bonita ontem como são hoje suas filhas. Conheci muitas mulheres pelo mundo como ela. Com esse mesmo olhar vago de quem busca o esquecimento, mas se sabe viva porque dói.

Há mulheres que suportam criar filhos para a morte. Elas resistem e se obrigam a renovar a vida com as unhas fincadas numa esperança que só elas enxergam. Dona Josefina não. Ela é feita de outra cepa. Nem melhor, nem pior, apenas que para ela é impossível. O útero, para dona Josefina, é uma maldição. Ela sabe que a Vinchuca é uma mãe mais forte. E mesmo que a tenha esmagado a vida inteira com seus pés nus e suas mãos, a Vinchuca é legião.

Noite após noite dona Josefina viu os vampiros se despregarem do teto de palha e caírem sobre seus bebês ainda quentes de suas entranhas. A cada vez que ela via seu ventre espichar sabia que estava criando um filho para a Vinchuca. Seu horror era tamanho que, para sua vergonha e para desespero da família, seus seios secavam. E sem comida para os maiores, *don* Fanor havia de encontrar leite de vaca para que os recém-nascidos não morressem de fome antes que de Chagas.

Não sei há quanto tempo ela desistiu. Mas desistiu. Hoje dona Josefina é a menina mais frágil da família, ao redor de quem todos se postam para cuidar com uma aflição que se pode apalpar. É *don* Fanor que veste nela a *pollera* de veludo para levá-la ao escritório da Médicos Sem Fronteiras. Aquele homem pequeno de mãos esculpidas pelo arado abotoa a blusa de renda como se sua mulher pudesse quebrar sob seus dedos. E a olha com uma tristeza que afunda o mundo.

Sentada na borda da cama, Sonia tudo vê. Perto dela, Erica tem o mesmo olhar de quem já ultrapassou a curva do sofrimento. Tem seis anos e é a única neta de *don* Fanor e de dona Josefina. O pai se foi sem nunca ter chegado, e a mãe migrou para trabalhar na cidade. Quem cuida dela como se fosse sua filha é Sonia. E a protege com tanta fúria que tem conseguido mantê-la longe do ferrão da Vinchuca. “Erica não vai adoecer”, Sonia diz, com seus olhos perfurantes. E, contra todas as probabilidades, quero acreditar que ela consiga.

Bem devagar vai se costurando o pesadelo de dona Josefina em retalhos de frases. Ela não consegue acreditar que lhe arrancaram o útero inteiro. Crê que restou dentro dela algo que ainda pode germinar quando *don* Fanor a procura entre as cobertas gastas da cama. E a cada dor – e nela há sempre muita – teme estar grávida. Gerando outro filho para sacrificar à Vinchuca, esse demônio esfomeado e implacável que não aparece em nenhuma mitologia quéchua ou pré-colombiana. Realidade tão excessiva que ainda não virou história.

A gênese da Vinchuca, segundo Maria e Cristina

AO DESEMBARCAR EM COCHABAMBA, Maria descobriu que a cidade era como ela tinha imaginado. Entre ruas largas e olhos indiferentes, Cristina não era apenas a sua bússola, mas toda a sua geografia. Era sua aldeia e também os morros, as espigas do milho e o rio onde ela se banhava aos domingos. Cristina era o mundo que sabia dela, Maria. E foi assim que à noite elas decidiram dormir na mesma cama para não se perderem uma da outra e também de si mesmas, enquanto esperavam a cirurgia que emprestaria um compasso regular ao seu coração.

Foi Cristina, sempre ela, quem começou a contar. "Desde que o mundo é mundo a Vinchuca existe. Eu aprendi a reconhecer o som de suas asas quando se enfileiravam no teto e nas paredes para esperar nosso sono. Um som que podia ser doce, mas que nos apavorava. Nesse tempo nós não sabíamos que elas nos matavam, mas sofríamos porque chupavam nosso sangue e às vezes nossos rostos e olhos amanheciam inchados. Quando acordávamos na madrugada com a dor da picada e acendíamos o *mechero* (lata com querosene), descobríamos que não existia mais parede nem teto. Havia tantas vinchucas, uma ao lado da outra, que não podíamos mais enxergar o que estava por trás. Então as esmagávamos com nossas mãos e com nossos pés, e as paredes eram pintadas com nosso sangue. Quando as queimávamos, era esse o cheiro.

De sangue velho. E nós pensávamos que nossa existência era essa. Que não existia em nenhuma parte uma vida sem vinchucas e noites sem que nosso sangue fosse sugado por elas. Então brincávamos de matá--las, sem saber que elas já tinham nos matado."

Cristina calou-se. E por um momento elas puderam ouvir o farfalhar agourento das asas. Em seguida um carro avançou pela rua em frente forçando o velho motor, e elas lembraram que estavam na cidade e que não eram mais meninas. Eram mulheres, agora. Mas continuavam assustadas. "Minha mãe nos dizia que uma em cada cem vinchucas estava envenenada. E por isso as recolhíamos numa panela à noite e as queimávamos em água quente", contou Maria. "Mas não sabíamos que causava essa doença. Como é mesmo o nome? Acho que Chagas é um nome dado pela Médicos Sem Fronteiras."

Cristina sabia que era outra a origem do nome do mal dentro delas. Mas estava pregada na infância. "Maria, os dois primeiros que morreram por causa da Vinchuca na minha família foram meus irmãos. Eles nem mesmo chegaram a ficar doentes. Ou, se estavam envenenados, fazia pouco tempo. Meus irmãos ainda eram crianças." O sono começava a carregar Maria de volta à sua aldeia, mas nesse segundo ela abriu os olhos. "Sabe como foi, Maria? E isso mostra que eu não exagero quando digo que as paredes e o teto eram forrados de vinchucas. Ouvi dizer que uma universidade fez uma pesquisa e em um único quarto de uma casa contaram mil. Na minha casa era assim. Se contava aos milhares."

Maria sentiu uma pontada no coração. Desconhecia se de angústia ou doença. Como sempre que percebia o peito latejar, teve medo de morrer. De repente, como seu pai. Antes da cirurgia, quando já tinha chegado tão longe. Tão perto. Apertou a mão de Cristina. "Como seus irmãos morreram? Me conte!" Cristina fez uma pausa daquelas que param o tempo. Então disse. "Foi assim. Meus irmãos dormiam de boca aberta. E as vinchucas se enfiaram na boca dos meninos até a garganta. Não na mesma noite. Primeiro um, depois o outro. Você sabe como elas são, têm as patas ásperas. Meus irmãos se engasgaram. E morreram com as vinchucas entaladas, sem ar."

O coração de Maria doía muito agora. Mas ela se envergonhava de pedir para Cristina parar. "Então catamos todas as vinchucas, e abrimos um buraco, e as queimamos, e as enterramos. Meu irmão mais velho disse: 'Pronto, sepultamos as vinchucas'. Nas primeiras noites havia menos, mas elas foram voltando. Maria, as vinchucas renasceram."

Era uma história de terror, mas Cristina e Maria não sabiam. Para elas, era apenas a vida que conheciam. A vida que as levara até aquela cama na cidade grande.

Sonia, a criança velha, e seu pai que semeia para a morte

SONIA ESPIA O PAI. E EU A ESPIO espiando o pai. Vejo o que ela vê. Os olhos de *don* Fanor têm aquela mesma tristeza funda que habita os olhos dos bois que puxam seu arado. Essa tristeza, quando a encontramos, é a que mais aniquila. Porque é uma tristeza sem revolta. Como os bois Pukalito e Yanalito, que carregam a canga sobre o lombo sempre suado, *don* Fanor não sabe odiar. A canga lhe dói, e a fome lhe come a carne e afrouxa os músculos, mas ele se esforça num passo após o outro sem rancor. E como seus bois, aceita a brutalidade do mundo sem desistir dele.

É isso que Sonia vê nesse pai de uma bondade teimosa, que toda manhã enfia sua camisa quase transparente pelo uso como se fosse um paletó novo, ajeita o chapéu puído e já com alguns furos sobre a cabeça de cabelos cada vez mais brancos e resiste. Sonia vê um pouco mais. Ela fareja a fragilidade do pai, que há muito descobriu que não pode mais carregar o peso da canga e teme cair. Semeando com seu sangue a terra onde labuta, se é que a Vinchuca lhe deixará algum no corpo.

Anos atrás, os parasitas contrabandeados pela Vinchuca arrancaram um pedaço das entranhas de *don* Fanor. Mas os médicos da cidade abriram seu corpo sem dizer-lhe que era Chagas. Só agora ele descobriu que a fraqueza que lhe solapa a força de trabalho não é apenas a fome de toda uma vida, mas a doença. E no mesmo dia soube que todos os seus sete filhos também tinham sido envenenados. E pior que todos estava Agustín, o mais velho e o mais forte, sua mão direita e também a esquerda no pedaço de terra tão pequeno, que mesmo sua vista ruim alcança o começo e o fim. Ao lembrar esse momento, *don* Fanor diz: "Foi o dia mais triste de uma vida triste".

Don Fanor correu para o banco. E fez um empréstimo que obriga sua família a passar mais fome. Na maior parte do tempo eles só se alimentam com batatas cozidas. Batatas todos os dias, quando há, porque existem dias piores, que são os dias sem batatas. A deles é a fome que não mata, mas está lá, mastigando-os por dentro a cada amanhecer. A deles é uma vida sem saber o que é comer o suficiente para ficar saciado. A fome é tão onipresente na existência dos Cotrina Veizaga como a Vinchuca. Eles não conhecem uma vida sem uma e outra. Apenas que uma é visível – e a outra não. Mas ambas, a fome e a Vinchuca, respiram com eles.

Com o empréstimo do banco, *don* Fanor reformou a casa e rebocou as paredes. Mas o dinheiro acabou na metade da obra, e *don* Fanor e dona Josefina seguiram dormindo debaixo de um teto de palha numa cama capenga, para deixar aos filhos os quartos mais seguros. E *don* Fanor já se sentiria mais forte se fosse só esse o fracasso, mas ele não teve dinheiro para botar vidro no quarto novo. E é pela janela aberta que o frio e a Vinchuca seguem entrando para perfurar os corpos dos filhos mais jovens. Dormem então de luz acesa para poder enxergar e se proteger do inimigo. Mas acabam vencidos pelo cansaço e acordam com as patas da Vinchuca arranhando o corpo. "Sentimos asco", diz *don* Fanor. "Porque são monstros."

Don Fanor só foi feliz no ano em que o pai o colocou no internato, e ele descobriu que era criança. Que podia brincar e jogar futebol e aprender a ler, e a escrever, e a andar na cidade. A cidade, sempre tão arredia a cidade. Mas o pai era mais pobre do que ele seria e teve de tirá-lo cedo demais. E agora a felicidade mora apenas num fiapo de lembrança, e *don* Fanor pode até duvidar de que era ele aquele menino que sonhava com uma vida. "Eu sempre fui pobre, sempre. Se nos falta para comer, como teremos dinheiro para o tratamento da doença? Morreremos todos."

Foi assim que *don* Fanor se descobriu um homem que semeia para a morte. Toda manhã ele acorda esfomeado e, junto com Agustín, prepara a terra para plantar cebola. Parando de tempos em tempos porque se sentem cada vez mais fracos. E então chove, e todo o trabalho é perdido. Eles voltam a levantar quando o sol reaparece e conduzem os bois mais uma vez. Dessa vez conseguem semear. E então chove. E dessa vez chove mais. E como a terra é baixa, inunda. Os Cotrina Veizaga perdem tudo. Nem sempre, mas vezes demais.

E agora *don* Fanor descobriu que as sementes que plantou no corpo de dona Josefina também estão condenadas. Com os pés deformados enraizados na terra ruim, na frente de seu par de bois, diante de toda a sua vida triste, *don* Fanor chora. Entre os soluços de um homem diante das ruínas de seu destino, só pude entender uma frase: "Por favor, não se esqueçam".

E um dia os homens desembarcaram na vida de Maria e Cristina

"COMO É SEU MARIDO, MARIA? É bom ou mau? Ele bate em você?", perguntou Cristina, para que a noite virasse logo dia. Nas noites a espera pela máquina que salvaria seu coração era pior. Não havia vinchucas naquele quarto na cidade. Mas não importava mais. O mal já estava dentro delas, e era tarde demais para arrancá-lo do corpo. Então era preciso falar. Emendar uma história na outra para ter certeza de que havia uma vida. E, se acontecesse o pior, a existência estava lá, presa nas palavras, guardada naquela que sobrevivesse.

"Meu marido é bom, ele não me bate. Há mulheres que andam pelo campo com os olhos verdes porque os maridos as golpeiam, mas o meu não", respondeu Maria. "E como você o conheceu?", insistiu Cristina. "Eu estava pastoreando as ovelhas, e ele surgiu no canto do morro. Ele me ofereceu uns doces, e comemos juntos. Perguntou se eu queria me casar com ele, que não era bonito, era bem feio até. Mas eu perguntei a ele: 'Você vai me tratar bem ou vai me bater, me pisar, me maltratar?' Ele garantiu que nunca bateria em mim. E isso me animou. Então aceitei, e duas semanas depois ele apareceu na minha casa com os pais. Eu fiquei escondida no quarto. E o fizeram sofrer por horas, como é o costume. E então botaram uma colcha no chão, e nossos pais ficaram de joelhos ao nosso redor para fazer o acordo de casamento. Tomamos uma *chicha* (bebida fermentada a partir do milho) para comemorar e, naquela noite, dormimos juntos."

Cristina queria mais. "E ele te pegou naquela noite mesmo?" Maria se torceu na cama. Ela tinha vergonha de falar. Mas respondeu, porque Cristina era mais velha e já tinha se alojado na porção sadia do seu coração. "Você sabe, Cristina, que os homens não perdoam, mas ele estava cansado, tinha vindo de longe, e dormiu. Depois, eu pedi que ele esperasse, e ele esperou. Só nos casamos um ano depois, quando eu já estava grávida da minha filha. E, como a tradição manda, foi ele quem fez o parto."

Cristina sentou-se na cama: "E como foi?". Maria queria ficar séria, porque era uma história de dor e de medo, mas não conseguiu. De repente uma vontade de rir lhe escalou a garganta, e ela não conseguiu mais parar. "Você sabe, Cristina, que só é lindo dar à luz porque nos dão caldo de galinha. Por isso as mulheres ficam grávidas a cada ano. Para tomar caldo de galinha pelo menos uma vez." As duas se abraçaram e agora riam muito. "Me doía tanto, Maria, no meu primeiro parto, que jurei nunca mais ter um filho. Mas, quando me trouxeram a criança, me alegrei. Ainda assim, levei 13 anos para ter meu segundo." E voltaram a rir. E mais riam porque não podiam rir. Porque deveriam estar chorando e em vez disso riam. E por um momento se esqueceram de que eram mães e esposas, e camponesas, e quase mortas.

"E você, Cristina, como se enamorou? Agora é a sua vez", provocou Maria, quando o riso estancou e a escuridão lhe trouxe de volta um frio que não vinha de fora. "Eu estava apaixonada por outro. Muito apaixonada. E este, que seria o meu marido, trabalhava na oficina comigo. Era ajudante de costura. E eu não gostava dele. Ele queria que eu o ensinasse a costurar, e eu mandava que pedisse ao patrão. Então fui a um *jampiri* (curandeiro e vidente), e ele viu meu futuro nas folhas de coca.

E disse que eu não me casaria com o homem que amava, mas com um muito mais pobre. E que seria a mãe dele que falaria com a minha família. E assim foi. Um dia eu estava passando, e sua mãe me chamou: 'Meu filho quer casar com você. Vamos até sua casa pedir a sua mão'. Eu fugi. Escapei para o campo. E, quando voltei, eles estavam lá. E meus pais disseram que eu tinha dado esperança, que se não aceitasse seria considerada uma mulher perdida e teria de devolver o dinheiro dos gastos que eles tiveram para ir até a minha casa. Então eu aceitei, Maria. Mas eu chorava, porque estava muito apaixonada por outro. E me escondia pelo povoado para não ver o homem de quem eu gostava, porque tinha vergonha de me casar com outro se o amava tanto. E então meu marido me levou para a sua aldeia."

Maria correu os dedos pela trança negra de Cristina. Tão tímida que nunca soube se Cristina chegou a perceber. "E você o esqueceu?" A voz de Cristina era grave agora. Maria a imaginou na política. Todos deveriam respeitar aquela voz. "Eu o enterrei, Maria. Porque minha mãe disse que uma mulher podia ser tocada por um só homem na vida. Eu o enterrei, porque agora eu tinha um marido."

Maria percebeu que Cristina não queria mais falar, mas o sono havia escapado por alguma fresta da janela, e a angústia passeava pelo seu peito com pés de ferro. Insistiu. "E seu marido é bom?" A voz de Cristina se suavizou. "Ele é bom, Maria. E gosta de mim. E porque ele é bom e se preocupa comigo e não bate em mim, eu passei a gostar dele. Ele não é bonito nem simpático, mas acabei por lhe querer bem. Trabalhamos por um ano na aldeia dele até podermos nos casar. E dançamos muito na festa, e foi um dia feliz. Eu acho, Maria, que foi o dia mais feliz da minha vida. Depois, ele me pegou. Porque naquele ano inteiro eu não deixei que ele me tocasse. Eu dizia que nós precisávamos primeiro nos conhecer. E ele me respeitou. No dia do casamento eu chorei porque minha mãe disse que as mulheres embarrigavam na primeira vez. E eu não queria. Mas ele disse que era o combinado e, dessa vez, ele não perdoou."

Maria hesitou antes de perguntar. Mas talvez não houvesse outra chance, e ela nunca tinha conhecido uma mulher com tantas respostas.

"Pode ser bom, Cristina?" Cristina quase podia colher a urgência na voz de Maria. E por isso afagou a sua mão. "Tudo depende do homem, Maria. Se ele te trata bem, se te abraça, se te acaricia, então você pode gostar. Mas, se ele vier bêbado e fizer à força, você não pode gostar. Aí, como as pessoas dizem, você está com seu coração seco." Maria não entendeu logo: "Coração seco?" Cristina teve vontade de rir, mas se conteve para não constranger a mulher mais jovem: "Coração seco, Maria. Frio, não dá para gostar. Eu e meu marido nos queremos. Então eu gosto".

Maria fez um silêncio espichado, antes de voltar a perguntar: "E havia Vinchuca na tua primeira vez, Cristina?" Dessa vez, Cristina segurou o riso entre os dentes: "Maria, você acha que a Vinchuca ia respeitar as minhas bodas?" As duas voltaram a se abraçar, os corpos sacudidos de gargalhadas. "E se algum homem estiver nos ouvindo aqui perto, Cristina?", alarmou-se por um momento a timidez de Maria. "Sossega, mulher. Já existem homens demais na nossa vida." Estavam juntas, e isso as tornava corajosas.

"Eu devia ser homem, não mulher", anunciou Cristina, de repente. "Há tanta dor em ser mulher. O trabalho do homem é com força bruta. Mas, quando acaba, ele descansa. A mulher, não. O trabalho da mulher nunca acaba." Maria concordou. "Sim, às vezes caminhamos atrás deles. Mas trabalhamos mais e sofremos mais. O parto nos faz ganhar dos homens em sofrimento." Cristina colocou o cotovelo na cama, e sua trança roçou a orelha de Maria. "Se existir uma outra vida, Maria, eu quero voltar homem. Você sabe por quê?" Maria achava que sabia. "Para casar-me contigo!"

Não falaram mais naquela noite. E demoraram a dormir.

Sonia, a criança velha, e seu irmão que virou boi

QUANDO ENCARA OS OLHOS DE YANALITO, o boi preto, Agustín se reconhece. E lhe parece que o boi também adivinha sua sina. Entre eles, há uma mirada de fundura negra. Por fora, Agustín é como Yanalito. Forte, troncudo, quadrado e paciente. Por dentro, Agustín se descobriu quebradiço. E talvez com Yanalito se passe o mesmo, apenas que não pode falar. Agustín também silencia. Ele é tão livre quanto Yanalito. E sabe.

Filho mais velho dos Cotrina Veizaga, coube a Agustín sustentar a família com seus músculos depois que o pai e também a mãe foram derrotados pela doença. É ele que tem de semear e colher porque o pai quase não pode mais. E ouvir os gemidos da mãe que morre por dia. É Agustín que tem de permanecer para que os irmãos possam estudar ou migrar para a cidade em busca de um aluguel menos feroz do corpo. É ele que só pode sonhar com as moças bonitas já que não pode se casar. Porque nasceu primeiro, é Agustín o herdeiro da canga. É assim com os pobres. Ao primogênito, cabe a dor.

Então aconteceu o pior. Um dia o coração de Agustín começou a doer. "Como se houvesse bolhas dentro de mim, e elas explodissem todas ao mesmo tempo. Depois, há uma correria no meu peito." Também o intestino começou a cessar seus movimentos, vencido pelo parasita. Sem dinheiro, sem falar castelhano, sem ter onde dormir nem o que comer, Agustín partiu com os pais para a cidade em busca de medicina. E os humilharam. "Porque somos do campo fomos os últimos a ser atendidos, e nos expulsaram dizendo que não sabiam o que eu tinha."

Agustín tem Chagas. Descobriu depois que não era apenas o destino que era semelhante ao do boi. Também o seu coração tinha se tornado do tamanho daquele que bate no peito da besta. Ele, o filho que não podia cair, é o mais envenenado pela Vinchuca. Como foi o primeiro a nascer, foi o primeiro a ser picado. Milhares de vezes desde que foi arrancado do útero de dona Josefina. Ou talvez tenha sido infectado ainda antes, no aconchego trêmulo da carne da mãe. O cólon e o coração incharam dentro dele. E aos 32 anos ele é um boi que quase não presta para o arado.

A família deu a Agustín o melhor quarto da casa, reformado com o empréstimo do banco. Era demasiado tarde, porém. O mal já sussurrava dentro dele. "Quando começam as pontadas, tenho de parar. Me canso muito agora. E não tenho uma respiração completa. Meu pai e minha mãe são doentes, e a família depende de mim. À noite, penso nisso e não posso dormir." Escutando de longe, *don* Fanor, o pai que fracassou, pronuncia com voz machucada: "É ele que nos cria".

Quando lhe peço para falar, algo se rompe dentro de Agustín, o boi humano. Sentado na terra de onde tenta arrancar a vida, ele chora. Não chora mais como boi. Agora chora como rio. "A vida é muito triste", pronuncia, levado pela correnteza. "Nem sempre temos o que comer. E quando meu coração parece que vai arrebentar de doença e de tristeza, eu subo o morro. Lá em cima, me ponho a chorar." A dez metros, Yanalito espera Agustín. Descansa com a canga sobre o lombo. E, à noite, quando ela é tirada do seu corpo, talvez sinta sua falta.

Pergunto a Sonia, que aos 11 anos já sente as agulhadas da doença, qual foi o dia mais triste da sua vida. A criança velha não hesita. "Quando Agustín adoeceu. Ele era o mais forte entre nós. E caiu."

Cristina e Maria descobrem que seu coração é grande, mas não é bom

NAQUELA NOITE HAVIA UM MEDO NOVO, que era o de serem vistas. Elas teriam de levantar no breu que precede a madrugada e atravessar a cidade para entrar na fila do hospital e fazer os exames. A cidade já era assustadora quando havia sol. Mas mesmo ao sol elas seguiam invisíveis. Era como não estar lá. E, não fosse servirem de espelho uma para a outra, poderiam até duvidar de sua existência. Se por um acaso alguém se distraísse e resvalasse o olhar por elas, sentiriam o desprezo e talvez se encolhessem. Logo, porém, o olhar se desviaria. Mas à noite, não. À noite elas temiam que as tocassem. Porque no campo disseram a Maria que as mulheres da cidade iriam atacá-la e arrastá-la para um beco onde os homens a violariam. E foi isso o que ela garantiu a Cristina que aconteceria.

A aflição era ainda mais urgente porque o dinheiro havia acabado. E agora elas não sabiam como comer até o dia da cirurgia. A fome, descobriram, era pior quando não podiam reconhecer nem a geografia, nem os códigos. Despertencidas de tudo, elas pertenciam uma a outra. E nessa noite sem sono, deitadas na cama para esperar a hora de enfrentar a cidade, agarraram-se às mãos e às palavras com uma força apressada. Era preciso encontrar uma história, mesmo que fosse triste.

"Maria", começou Cristina, "aos 16 anos eu senti o veneno da Vinchuca pela primeira vez. Era como se uma faca perfurasse o meu coração." Maria não se moveu. Apenas apertou a mão de Cristina, para que ela soubesse que estava escutando. "Minha mãe me disse que uma pessoa só poderia ter duas pontadas como esta na vida. Na terceira, morria. Então eu fiquei com muito medo de morrer e chorava muito. Mas a terceira pontada veio, e eu não morri. Eu não sabia que era a doença de Chagas, nem minha mãe. Ela dizia que, como a Vinchuca sugava o nosso sangue todos os dias de nossa vida, nos tornávamos fracas. Como o bagaço de uma fruta da qual se chupa todo o suco. E era nisso que eu acreditava quando comecei a sentir o ar me faltar. Quando casei, a respiração já me falhava, e eu sentia um cansaço tão grande em tudo o que fazia."

Maria também se sentia assim, exaurida de tudo. "Cristina", ela interrompeu. "Como vamos fazer para comer se não temos mais dinheiro?" Cristina não gostava de ser interrompida. "Maria, vai acontecer alguma coisa. Não te preocupa, o dinheiro vai aparecer." Maria sabia que, se o dinheiro não brotava nos morros, onde a terra era fértil, muito menos no concreto da cidade. Como poderia aparecer? Mas calou-se.

"Escuta, Maria. Estou te contando uma história. E agora eu vou chegar na parte mais triste", avisou Cristina. "Eu só descobri que ia morrer aos 35 anos, quando já tinha me mudado para Aiquile com meu marido e meus filhos. No hospital me disseram que meu coração tinha crescido, se tornado grande demais, e me deram um mês de vida. Eu não contei a ninguém, Maria. Mas comecei a me preparar para a morte. Comecei a queimar tudo o que não queria deixar depois que me fosse. E dizia para a minha filha que, se algo acontecesse, qualquer coisa, ela deveria ligar para aqueles telefones que eu estava dando a ela. Eu não veria meus filhos crescerem, Maria. E eu queria tanto vê-los crescer."

Um soluço deteve a palavra na garganta de Cristina. E ela chorou como nunca havia chorado antes, como se algo tivesse se partido dentro dela e, por um momento, temeu que fosse o seu coração. "Calma, Cristina, você está viva. Você está aqui. E vai ser salva", Maria quase gritou. Mas ela mesma tinha mais certeza da morte que da vida. E de novo pensou que nunca deveria ter embarcado naquele ônibus. Morreria na cirurgia, com o peito aberto, e todos na aldeia saberiam que ela tentava botar um relógio para acertar o rumo do coração. Todos descobririam que era uma mulher pela metade. E falariam mal dela depois de morta. E seus filhos ouviriam e sentiriam vergonha.

Cristina susteve o pranto. E, com a respiração ainda alterada, voltou a falar porque pressentiu que Maria se deixava povoar por ideias de sombra. "Então, Maria, eu fui a outro médico. E ele me disse que eu tinha Chagas, mas não ia morrer. Que eu era frouxa. Que eu só morreria porque era covarde. Sabe o que ele fez, Maria?" E Cristina não esperou Maria responder. "Ele me golpeou. Me deu uma bofetada no rosto e depois me deu outra. 'Você quer morrer porque é frouxa', ele dizia. Não há um remédio para você, não há nem mesmo uma aspirina para você. É você que precisa reagir." Dessa vez, foi Maria que se ergueu na cama. "O doutor te golpeou?"

Cristina fez um silêncio de lonjuras antes de responder. E Maria pensou que podia fatiar aquele silêncio com sua faca de camponesa. "Me golpeou, Maria. E eu fiquei com muita raiva dele. Muita. Senti vontade de devolver a bofetada. Mas não devolvi. Só chorei. Ele me batia, e eu chorava. O que eu fiz, Maria, foi viver. E depois de saber que era Chagas o mal da Vinchuca, eu descobri que meus pais morreram de Chagas, que nove dos meus dez irmãos têm Chagas, que meu marido tem Chagas, e minha filha mais velha tem Chagas. E talvez o mais novo também tenha. Mas eu quero viver, Maria. Para contar essa história."

Maria temeu a raiva de Cristina. Mas lembrou que ela também tinha raiva. E que, se Cristina podia ter raiva, então a ela, Maria, também era permitido. Quando encontrasse uma Vinchuca iria pisar, despedaçar e queimar. Pela Vinchuca Maria sentia um rancor que permaneceria além da vida. Cristina não precisou nem pedir. Maria queria abafar o silêncio com sua voz.

"Faz três anos que comecei a ouvir um zumbido na cabeça. Quando desperto, e até agora mesmo, eu escuto um zumbido. Fui ao *jampiri* para que enxergasse a verdade nas folhas de coca. E ele me disse que eu estava com susto de chuva ou de touro. Me deu umas ervas, e melhorou um pouco. Eu só soube o que tinha meses atrás, quando a Médicos Sem Fronteiras apareceu e fez exames em todos nós. De luto pelo meu sogro, eu vestia negro nesse dia. Nilce, você conhece, me levou até um quarto e me disse: 'Para você não há medicamento. Você está muito doente e precisa colocar um marca-passo, que é um tipo de relógio'. Eu fiquei com muita raiva dela e olhei para todos os lados, com medo que alguém estivesse ouvindo. Você sabe bem como é o costume, Cristina, se soubessem que eu estava doente, as pessoas se alegrariam. E começariam a falar que eu morreria em breve. E eu não queria que soubessem, nem que falassem, nem que se alegrassem, nem que esperassem a minha morte. Nilce então perguntou se eu tinha dinheiro, e eu disse que no campo nós não mexemos com dinheiro. Perguntou se eu tinha ovelhas e vacas, anotou todas as minhas propriedades. E eu só sentindo raiva."

Cristina gostava de Nilce e constrangeu-se com os sentimentos obscuros de Maria. "Ela só deu a notícia, Maria. Não te fez mal. Ao contrário, te fez bem. Por isso você está aqui e poderá se salvar." Maria não gostou de ser interrompida, porque se sentia tomada pelo rancor como se vivesse de novo aquele dia e precisasse continuar falando até a tempestade amainar dentro dela.

"Espera, Cristina, eu vou chegar lá. Agora, eu e Nilce somos amigas. E eu compreendo. Mas meses atrás eu não compreendia. E não contei a ninguém sobre o meu coração. Mas à noite os pensamentos entravam na minha cabeça, como agora. E eu pensava: 'Será que vou morrer já ou ainda tenho algum tempo? E o que será de meus filhos se eu morrer?' Então recebi o aviso de que tinha de ir ao cardiologista. Meu marido me aconselhou a esquecer e seguir a vida como se aquele dia não tivesse existido. Mas eu sabia o que tinha, e a raiva tinha me deixado corajosa.

Fui caminhando por quilômetros, mascando a coca com gana. Cheguei na cidade e fiquei dando voltas. Eu tinha medo de perguntar e, quando perguntava, nem sempre me entendiam. Quando finalmente alcancei o médico do coração, ele me disse: 'Ah, então os come-vinchucas mandaram você para cá?' É assim que o doutor chama os Médicos Sem Fronteiras, de come-vinchucas."

Cristina mexeu-se na cama, incomodada. "Não fui eu que chamei assim, Cristina, foi o doutor. E, depois de escutar o meu coração, ele disse que o diagnóstico dos come-vinchucas estava certo. Ele disse mais, Cristina: 'Você vai precisar de um marca-passo, mas vocês, camponeses, não têm dinheiro nem para botar uma roupa boa no corpo, imagina para um marca-passo. Custa 5 mil dólares. Você conhece dólar? Claro que não. Então vai-te embora, anda, vai atrás dos come-vinchucas para ver se te ajudam'. E eu fui. E por isso estou aqui. E agora entendo que meu pai e também a minha mãe morreram de Chagas, e quatro dos meus sete irmãos têm Chagas. Os outros três ficaram com medo de fazer o exame, mas também devem ter o veneno porque não tinham como escapar. Meu marido disse que vai curar o Chagas com álcool. E que, se eu tomasse bastante álcool, também já estaria curada. Mas, você sabe, Cristina? Se eu não morrer nessa cirurgia, eu digo a você que nunca, mas nunca mesmo, ninguém da aldeia vai saber que eu tenho um relógio dentro do peito. Porque as pessoas dizem que quem tem marca-passo não pode comer, não pode trabalhar, não presta para nada. Eu nunca vou contar para que não fiquem comentando que minha vida será curta. Nem pensem que me tornei uma criança. Ou uma velha."

Maria parecia diferente. E Cristina estranhou. Sem saber o que dizer, Cristina perguntou, justo ela, que sempre foi uma mulher de pontos-finais. "Maria, será que já não é hora de andarmos?" E Maria, a mulher das interrogações, respondeu com uma exclamação: "Não! Ainda é cedo!"

"Contei do marca-passo para o meu irmão, Cristina. E ele perguntou por que eu não dava meu testemunho para ajudar os outros. Mas eu não vou contar nada, Cristina. Que os outros doentes caminhem e sofram como eu. Que consigam tratamento com seu próprio pranto." Foi com voz de navalha que Cristina cortou: “Maria, agora chega. Vamos cantar até a hora de ir. Só cantar”.

Cristina e Maria cantaram. “Quando vêm o sofrimento e o pranto, ajuda-me a vencê-los. A culpa é da tentação, mas todo o mal eu vou deixar de lado. E sempre que souber onde você está, vou lhe contar dessa minha vida.” Cantaram até quando não puderam mais escapar. Era imperativo enfrentar a cidade. E a escuridão cresceu sobre elas.

Sonia, a criança velha, e sua irmã que inventou o futuro

NORA É O NOME DA MENINA. Norita. É significativo que numa vida arrancada dos dias com as unhas tudo vire diminutivo, carinho em forma de som. As aldeias rurais dos arredores de Aiquile são semeadas com diminutivos. Norita é uma carícia em formato de gente. Tem rosto de boneca e voz de doce. E seus olhos redondos guardam uma pureza que não poderia estar ali, mas está. Enquanto o olhar de Sonia nos perfura de negro, o de Norita nos mergulha em mel. Não sei como ela faz isso, mas mantém uma parte vital de si a salvo da bestialidade do seu mundo. Talvez do mesmo modo com que preservou os neurônios da desnutrição da infância.

Norita tem um dom. Adiantou-se dois anos na escola. E pela sua inteligência ganhou uma bolsa no melhor colégio de Aiquile, que é também um internato de meninas. Desde então, quando vem visitar a família, Norita se recorta na casa descorada com o viço da sua pele. Ela é a primeira Cotrina Veizaga que faz todas as refeições e conhece a sensação de saciedade. Aos 14 anos, Norita é luz onde tudo é sombra porque é bem alimentada. Ela não diz, mas adivinho que sente culpa em meio à sua esquálida família de famintos, diante das meninas mais jovens que começam a perder o brilho ainda na infância.

Talvez por causa dessa dor é que Norita precise contar do seu passado de fome. “Quando meu pai e minha mãe adoeceram e não puderam mais trabalhar, não havia nada para comer”, sussurra. “Eu saía com minha mãe a caminhar pelos morros em busca de qualquer coisa. De alguma batata, outra raiz. Era muito triste, e minha mãe sofria." Norita tenta recolher as lágrimas, mas elas partiram antes da possibilidade do gesto. Desconfio que chora mais pela fome que já não passa do que pela fome que passou.

Nem toda a fome da infância, porém, impediu Norita de cometer a maior ousadia para os de sua linhagem: ela inventou um futuro. "Eu vou estudar, e vou me tornar enfermeira, e vou construir uma casa de saúde para cuidar das pessoas da minha aldeia", ela afirma com uma obstinação que só agora mostra. "Porque, quando ficamos doentes, nós, que somos camponeses, não sabemos para onde ir. E a cidade é muito cruel com o meu povo."

Norita virou esperança. Enquanto a Agustín cabe manter a vida como ela é, rasgando a terra com o arado, a Norita coube algo novo, cuja possibilidade os Cotrina Veizaga só descobriram com ela: mudar a vida. A dois anos de alcançar a universidade, porém, Norita foi informada de que a Vinchuca fez com ela o que a fome não conseguiu.

Norita tem Chagas. Pediu ajuda a Médicos Sem Fronteiras. Mas, com ela, aconteceu o pior. Seu corpo rejeitou a medicação. Norita tentou por três vezes, e em todas elas explodiram bolhas vermelhas sobre a pele. Sem tratamento, é possível que em breve bata no peito de Norita um coração de boi. E não se altera o destino com um coração de boi. Não há esperança para um coração de boi.

Norita não admite desinventar o futuro. Recusa-se. Sonia não. Ela é mais jovem que a irmã, mas é mais velha. Por isso me agarra pelos braços e não pede uma mudança na qualidade da vida. Sonia pede bem menos. Bem mais. Sonia pede apenas vida.

O meio da história

Quando fui convidada para contar a tragédia da doença de Chagas na região boliviana de Narciso Campero, eu planejava escrever um conto de terror – uma ficção. Mas, ao alcançar os povoados rurais, descobri que a Vinchuca era o primeiro vampiro real que eu conhecia... Tão excessivamente real que não virou mitologia. Ao me contar o percurso de sua vida, cada homem, mulher e criança esperava que eu pudesse levar sua voz ao mundo. Cada um deles esperava que eu pudesse lhe arrancar a maior de todas as dores, que é a dor de ser invisível.

Não pude traí-los. Então escrevi a história como eu a vi – e como me foi contada. Na esperança de que um dia ela possa virar ficção. No caso de Cristina e Maria, entrevistei-as longamente, juntas e separadas. E busquei reproduzir, a partir da sua narrativa, os dias que essas duas mulheres passaram em Cochabamba, à espera de um relógio para o coração.

Na noite em que Cristina e Maria tiveram de enfrentar a cidade grande para alcançar a fila do hospital, elas acharam 300 bolivianos no chão. Menos de 100 reais. Para elas, uma pequena fortuna. Maria caminhava na frente, porque sentia mais medo. E Cristina andava atrás, para protegê-la. Maria hesitou antes de juntar o dinheiro. Mas Cristina mandou que pegasse e o escondeu dentro do sutiã. Foi assim que se salvaram da fome. Puderam então esperar pelo relógio que esticaria o tempo da sua existência.

Cristina e Maria colocaram um marca-passo e estão vivas. Na cirurgia, Cristina surpreendeu os médicos ao cantar com o peito aberto. Ela temia que, se morresse na mesa de operações, Maria fugisse. Então cantou. Hoje, de tempos em tempos Maria vence o medo e alcança a cidadezinha de Aiquile, onde Cristina vive na pobreza. As duas se abraçam e sincronizam seus corações.

Para me contar sua travessia, Maria caminhou durante horas pelos morros com seu filho caçula pela mão. Até podermos nos encontrar em um ponto da estrada aonde a caminhonete com tração nas quatro rodas tivesse acesso. Depois a levei até Aiquile e a Cristina. Ao definirem o amor que sentem uma pela outra, Cristina e Maria são uníssonas: "Nesta vida, somos irmãs". Na outra, me convidam para ser madrinha do seu casamento.

Agustín já estava doente demais para fazer tratamento. Mas um por um dos Cotrina Veizaga procurou a equipe da Médicos Sem Fronteiras, para implorar que dessem a ele a medicação. "Ele é o mais forte entre nós", repetiam. Um a um, com os olhos boiando em água salgada tão longe do mar. Agustín completou o tratamento, mas o coração continua perfurando-lhe o peito, e a respiração lhe falha. Ele então se esforça para escalar mais uma vez o morro e lava com lágrimas o parapeito do seu mundo.

Norita vai tentar o tratamento pela quarta vez na expectativa de que seu corpo suporte o remédio. Ela segue agarrada ao futuro que lhe escapa, com uma força improvável em uma menina tão miúda. Dona Josefina passa mal e chora, achando que está grávida de mais um filho nascido para a morte. E don *Fanor a veste como se ela fosse uma das bonecas que suas filhas nunca tiveram. Depois, enverga sua camisa, mais surrada hoje que ontem, ajeita o chapéu desbotado sobre a cabeça e vai implorar com a enxada a clemência de Pachamama. Yanalito e Pukalito continuam arrastando o arado sem desconfiar, como seus donos, que existe uma vida sem o peso da canga.*

A família passa fome dia após dia. Não a que mata, apenas a que tortura. E as vinchucas ainda entram pela janela sem vidro à noite em seu farfalhar sinistro. Se os Cotrina Veizaga forem de novo infectados pelo parasita não haverá salvação nem mesmo para as crianças. Pela agressividade do tratamento, não é recomendado repeti-lo. Por isso Sonia me agarra pelos braços e implora sem me soltar: "Não me deixe morrer".

Esta é a história. E, por enquanto, todos os personagens estão vivos.

São Paulo, Brasil, 15 de maio de 2011

•

Bolívia

A doença de Chagas é a infecção parasitária potencialmente letal mais comum nas Américas, especialmente na Bolívia. Estima-se que no mundo é a causa da morte de 14 mil pessoas por ano e que entre 10 e 15 milhões de pessoas estão infectadas.

Se não for tratada, a doença de Chagas pode causar problemas cardiovasculares, gastrointestinais ou neurológicos e levar à morte.

No departamento de Cochabamba, Bolívia, a MSF mantém programas gratuitos para prevenção e tratamento da doença de Chagas e uma gama mais ampla de centros de saúde rural. As equipes da MSF oferecem diagnóstico e tratamento às pessoas afetadas pela doença, concentrando-se principalmente em crianças menores de 15 anos e mulheres com idade inferior a 45. Tenta-se evitar que, em caso de gravidez, as mães transmitam o parasita para os filhos. Os efeitos colaterais da droga não permitem o tratamento de mulheres que sofrem da doença de Chagas durante a gravidez ou a amamentação, mas a MSF oferece-se para monitorá-las e intervir assim que iniciado o desmame. Em 2010, mais de 1 300 pacientes iniciaram a terapia.

A MSF atua na Bolívia desde 1986.

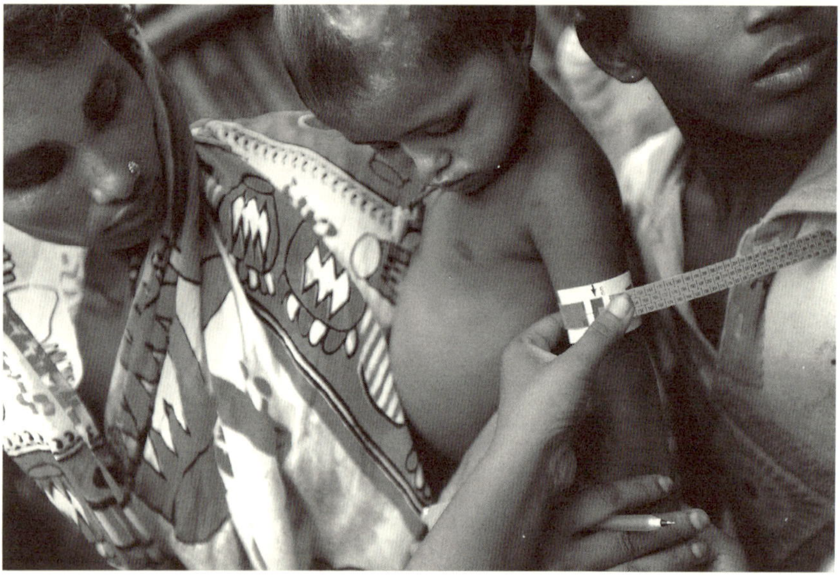

Nível de desnutrição
é medido em
criança moradora
de Kamrangirchar,
uma das muitas
favelas de Dacca,
capital de Bangladesh
© Julie Rémy

Paolo Giordano

Phool gobi quer dizer couve-flor

A NOVIDADE – A POUCAS SEMANAS DOS EXAMES FINAIS – foi que a melhor amiga de Marije, Eloise, estava grávida de um tal Luc Henneman, e com isso, que definiu como "só um pequeno incidente", mandou para os ares dez anos de sonhos em comum.

"Que chatice", comentou Marije, e não soube mais o que acrescentar. Desde os tempos de ginásio que projetavam sua primeira missão, imaginando todos os detalhes e avaliando todas as possibilidades, menos aquela de não irem juntas.

No instante em que se viu eliminada do jogo, Eloise armou uma tremenda agressão contra o projeto: "Acho que você está levando a sério demais esse negócio da MSF, Marije, não queira se tornar uma daquelas idealistas idiotas sem vida pessoal".

"Vão lhe mandar mesmo para Bangladesh? Pensei que esse negócio de Bangladesh já tivesse saído de moda."

"É certo que Otto não vai gostar que você se ausente por todo esse tempo, pois te ama, por isso você devia pensar um pouco também nele."

"Sabe, Marije, creio que combatemos nossa batalha aqui na vida de verdade, com nossa conduta de cada dia."

Depois acariciava suavemente a barriga que apenas começava a arredondar-se.

Não se apresentou sequer no aeroporto para se despedir. Telefonou-lhe no último minuto inventando dores na coluna que infelizmente a prendiam ao leito, mas mando-lhe um abraço forte, cuide-se e não vá bancar a heroína; se não se sentir bem, sempre se pode desistir, é mesmo uma pena que você perca o nascimento da criança!

Diante do controle de segurança, com os pés do lado oposto da linha amarela, Marije e Otto beijaram-se demoradamente. Ela tinha uma vontade louca de chorar (chorar para valer, sim, chorar de medo), mas conseguiu dominar-se, ele tremia um pouco. Renovaram as promessas que haviam feito um ao outro – escrever todos os dias, telefonar com parcimônia caso Marije não tivesse à disposição uma conexão veloz, pensar um no outro e não fazer besteiras de qualquer espécie –, depois ele lhe deu uma dezena de CDs amarrados por um elástico.

"São as séries completas do *Lie to me* e do *Dexter*. Creio que em Dacca não se tenha muito o que fazer à noite."

Era assim que ele via o caso, como uma espécie de férias? Marije dissimulou a desilusão. Sussurrou-lhe "obrigada" ao ouvido, beijou-o novamente, dessa vez, no rosto, e logo se encaminhou para o detector de metais imitando o passo de uma garota segura de si.

Os primeiros meses de missão foram um desastre. A casa da MSF era acolhedora, menos espartana do que Marije havia imaginado, mas a migalha de fascínio oriental que Dacca (talvez) possuía era sufocada pelo caos, pela imundície e pelo incessante barulho.

Um automóvel a despertava às 6 da manhã para levá-la com o resto do *staff* internacional à clínica de Kamrangirchar. A favela se equilibrava tremulante sobre a areia trazida do leito do rio, que escorria negro de sujeira ao redor. Um dia – pensava Marije – o rio Negro vai receber de volta tudo aquilo que era seu. Esse pensamento a aterrorizava.

Amontoados altíssimos de imundície faziam as vezes de dique no curso da água, as crianças nuas corriam por cima deles, mergulhavam na podridão, enquanto os corvos se precipitavam sobre os resíduos para bicar fragmentos cintilantes. O fedor de plástico queimado não diminuía nem mesmo com o vento, os colegas lhe prometiam que ela se habituaria, mas após duas semanas Marije o sentia ainda mais forte do que antes, grudando-lhe nos cabelos e nas mãos. Quando assoava o nariz, encontrava no lenço pequenos coágulos de pó e era perseguida agora pelo temor de vir a adoecer gravemente.

Só dentro da clínica encontrava um pouco de paz. As mães jovens, envoltas em suas vestes coloridas, tiravam as sandálias nas escadas e formavam uma fila silenciosa ao longo das paredes do corredor. Eis uma imagem que refletia as suas expectativas: mulheres em roupas folclóricas com os filhinhos magros nos braços, silenciosas e reconhecidas. Ficavam encantadas com seus cabelos louros e às vezes ousavam tocá-los.

"You beautiful", diziam, e Marije enrubescia.

Na fronte dos recém-nascidos havia uma mancha negra de hena, o terceiro olho, que os protegeria do Maligno, outra coisa comovente. Marije se lembrava de uma discussão acesa com Eloise a esse propósito: "Você só se interessa pelos projetos em que haja crianças no meio", a amiga lhe reprovava, "e os massacres dos rohingya? As mutilações genitais? A política lobista e homicida das indústrias farmacêuticas? Com isso você não se importa, não é mesmo?"

"As crianças são os seres mais expostos."

"Não, são simplesmente os que mais lhe dão pena. Você é uma hipócrita, Marije."

Eloise precisava vê-la agora. Não havia hipocrisia alguma na amabilidade, no profissionalismo que dedicava a cada criança. Media a circunferência do braço para avaliar o nível de nutrição e, caso suspeitasse de qualquer doença ou infecção, encaminhava a mãe e o filho ao dr. Mohammed, na sala ao lado.

A atividade ambulatorial revigorava as suas motivações, por algumas horas Marije se esquecia do inferno fora da clínica e experimentava o prazer de ser útil a alguém, o que havia perseguido em vão nos 28 anos de vida na Antuérpia, onde se sentia útil somente para si mesma.

Mas às 5h30, quando os caules de bambu das palafitas projetavam sombras longuíssimas e filiformes sobre as montanhas de detritos, o horror voltava. O automóvel da MSF permanecia encaixado entre milhares de outros, entre os ônibus e os riquixás atrevidos. A cidade ficava paralisada, e a viagem chegava a levar três horas.

Marije não queria olhar para fora. As crianças que brincavam de se esconder entre os veículos, os homens que bebiam chá preparado com água envenenada de arsênico e depois cuspiam no chão golfadas rubras – mas por que cuspiam sem parar? e o que era aquele sangue? –, os cães estropiados, os ratos e ainda os corvos, grandes e ameaçadores.

Não se sentia em segurança nem sequer nos bairros residenciais de Gulshan. À noite encerrava-se em seu quarto. A fartura de desgraças humanas da jornada lhe havia tirado o apetite, de modo que colocava para cozinhar um punhado de arroz branco numa panelinha, temperava-o com molho de soja e comia encolhida embaixo do cortinado.

Em 20 dias consumiu os capítulos de *Lie to me* e iniciou os de *Dexter*, que não lhe agradava muito. Assistiu-lhes igualmente com voracidade, para começar tudo de novo, a fim de não se entregar à sensação do vazio. Desligava o computador só muito tarde da noite, estonteada, e não dormia bem.

Quando Ian, seu colega neozelandês, não se apropriava do único canal de ethernet da casa, telefonava para Otto, mas lhe acontecia sempre de chorar e então desligava logo. Se houvesse confessado como se sentia, ele haveria de lhe dizer para voltar para casa, e isso ela não podia suportar. Não trocava confidências nem mesmo com Eloise, que de modo geral se interessava por ela apenas nas últimas linhas do e-mail, de maneira vaga e apressada, e no mais só falava da gravidez. Marije respondia com mensagens lacônicas e de propósito lhe contava sobre o recém-nascido que visitara aquela manhã: tinha caído no chão logo após o parto, passara por uma crise respiratória aguda, mas agora estava em condições estáveis; no entanto, com toda probabilidade, iria perder um olho, e as consequências da queda sobre o cérebro só viriam a aparecer alguns anos mais tarde. Depois, sentia-se duplamente mesquinha, em relação a Eloise e à criança machucada.

"Não vá bancar a heroína; se não se sentir bem, sempre se pode desistir." As palavras da amiga a atormentavam, mas no fim prevalecia o medo do fracasso que haveria de enfrentar se voltasse à Antuérpia antes do previsto. De que parte poderia recomeçar a sua vida? De que aspiração, se não possuía outras?

Uma manhã perdeu o controle. Uma mulher grávida apresentou-se na clínica com o avental e as coxas ensopadas de sangue, depois de haver praticado em si mesma um aborto tão cruento que Marije tapara os ouvidos enquanto o intérprete traduzia. O médico da favela achou que devia tratá-la imediatamente com medicamentos psicotrópicos; apesar das dores, a mulher parecia alheia, drogada, respondendo às perguntas como se tudo aquilo não lhe dissesse respeito.

Marije tinha saído da sala e corrido para o andar superior. Encontrou o estúdio de Corinne aberto e trancou-se lá dentro. Começou a chorar, histericamente, sem conseguir parar.

No dia seguinte foi convocada por Victor, o chefe do projeto. Diante da porta do escritório, sentada numa poltrona de vime, torturava a borla de sua veste panjabi (tinha comprado quatro delas, de cores diferentes, e as utilizava em rodízio, mudando-as a cada dois dias). "Vão me mandar de volta para casa", pensava, e um pouco de alívio se abria lenta e vergonhosamente no seu coração. Se a decisão de se render partisse de outra pessoa, seria mais fácil de digerir. A Antuérpia a acolheria com o silêncio gelado das manhãs invernais – seria possível que sentisse saudades até mesmo do frio? –, iria reencontrar os amigos e candidatar-se a um lugar de instrutora no hospital de Ghent. Talvez pudesse reconsiderar a proposta de Otto para morarem juntos, pois a esta altura não via mais nenhum obstáculo a isso.

Mas logo em seguida imaginava o sorriso complacente de Eloise: "... uma dessas idealistas idiotas que não têm vida pessoal". Não lhe daria aquela satisfação, resistiria em Dacca até o fim de seu mandato. Além de tudo, o chefe não tinha nenhum direito de repatriá-la. Era eficiente em seu trabalho. Se o posto não lhe agradava, se não se dava bem com os outros funcionários, isso era com ela, não estava escrito em nenhuma parte do regulamento de MSF que os funcionários deviam mostrar-se também felizes.

"Marije, tudo bem? Quer um café?"

"Não, obrigada."

"Um copo de água, uma Coca?"

"Estou bem assim."

Victor soprou na xícara, absorto. Eis um homem que havia visto a Somália, o Paquistão, o Darfur, a doença de Chagas, o ebola, e quem sabe mais o quê. Eis um herói que, como se isso nada fosse, se dedicava religiosamente ao seu café solúvel. Não havia traços de cansaço ou de resignação em seu rosto. Obviamente Marije estava encantada, naquele modo tímido que os superiores inspiram.

"Então como tem passado?"

"Bem!", saiu-lhe numa vozinha aguda.

"Cidade complicada esta, não?"

"Diria que sim."

"Uma grande confusão, mas dotada também de uma grande energia."

Marije inclinou a cabeça.

"A gente daqui tem força de vontade. É um país que se encaminha para um grande futuro se conseguir não se deixar esmagar pela explosão demográfica."

Ela pensou nos sacos de retalhos de algodão que atulhavam Kamrangirchar. Serviam para fabricar colchões. Os refugos acabavam no rio, com o líquido tóxico das baterias escoado pelas indústrias e os outros infinitos venenos produzidos pela vida urbana. Não conseguia imaginar nenhum futuro para aquele local. Só morte e desolação. Permaneceu em silêncio.

"Me disseram que Dacca não te perturba muito", disse Victor.

"Lá chegamos", pensou Marije. Esticou o tecido das calças.

"Acho um grande caos", disse secamente.

Victor sorriu: "Um caos insuportável, ousaria dizer".

Era tudo um erro. A missão, o espírito humanitário, até mesmo as especializações em doenças tropicais, que havia feito quando estava na Antuérpia? Não havia dengue na Antuérpia, não havia febre amarela nem cólera. A Europa não era endêmica para nenhuma doença, apenas pela dificuldade de compreender quem queria ser realmente. Talvez fosse uma hipócrita, Eloise tinha razão: uma idealista sem coragem, a pior espécie.

"Por isso queria lhe propor uma pequena mudança", prosseguiu Victor.

"Não me mande de volta!", desatou Marije, e nem mesmo depois, ao voltar a pensar no assunto, conseguiu explicar de onde lhe chegara aquela súplica.

"Embora? Nem pense nisso."

Marije suspirou. Estava exausta e não entendia mais nada.

"Temos outro projeto, em Fulbaria, no distrito de Mymensingh", disse o chefe. "Calazar. Sabe algo a respeito?"

"Leishmaniose visceral" recitou automaticamente uma voz na cabeça de Marije, e depois uma sequência de sintomas e fotografias de manual. Endireitou a coluna.

"Sei, bastante. Ou seja, muito."

"É uma zona rural. Muito pobre, mas bela a seu modo. A enfermeira que estava lá, uma jovem venezuelana, teve que partir de repente devido a problemas familiares. Logo, estão com carência de pessoal. A equipe é pequena, mas afinada. Que acha disso? Pode ir para lá?"

Duas horas depois já tinha a bagagem pronta. Escreveu para Otto dizendo que ia mudar de posto para uma emergência, que daria notícias o mais breve possível, agora não tinha tempo de explicar.

Não havia nada de mal, pelo menos uma vez, em vangloriar-se um pouco.

O jipe rodava, e sacolejava, e girava com violência nas estradas esburacadas da periferia. Atravessava zonas de Dacca que Marije nunca tinha visto: tudo lhe parecia igualmente horrível. Os carros se lançavam em ultrapassagens múltiplas, invadiam a pista oposta e quase atropelavam os passantes.

"Here is Dacca?", perguntou Marije ao motorista. Estavam viajando havia mais de uma hora.

"Yes, Dacca."

Que pesadelo! A cidade não acabava mais. Quando um quarteirão se esfarinhava num punhado de casas isoladas, logo começava outro mercado, outras construções, anormais e tétricas, erguidas apenas pela metade, com escadas internas que terminavam no vazio e pontas de barras metálicas que despontavam das colunas de cimento armado.

"Still Dacca?"

"Yes, still Dacca."

Marije adormeceu com a mão agarrada à maçaneta, com a cabeça balançando a cada solavanco. Dormiu pesadamente, como alguém que não tivesse tido uma noite de sono satisfatória em quatro meses.

Quando abriu os olhos, a paisagem havia mudado. Percorriam uma estrada de terra, em torno da qual se abriam argênteas plantações de arroz e campos de erva crescida.

"Dacca?", perguntou.

O motorista sorriu.

"No Dacca", disse. "Finish Dacca."

A casa da MSF ficava nas imediações do povoado, um sobradinho de três andares, com varandas decorativas de frisos vermelhos e flores triangulares. No pátio em frente à entrada haviam escavado um canteiro comprido e estreito, e as flores peludas das abóboras brilhavam de um amarelo intenso entre as folhas empoeiradas.

Seus novos colegas a haviam esperado para o jantar. Não se apresentaram de imediato. Disseram-lhe para largar a bagagem no térreo e vir comer, aqui se tiram sempre os sapatos antes de entrar em casa.

"Desculpem", murmurou Marije.

Eram três. Sofia (portuguesa), Molly (inglesa) e Karl, o chefe, belga flamengo como ela: "Mas não volto lá desde... quando? Seis anos? A Bélgica é tão deprimente".

"Garanto-lhe que Kamrangirchar é muito mais deprimente que a Bélgica", disse Marije. Não aguentava mais aquela presunção de expatriados, e o cansaço da viagem a tornava belicosa.

Karl fez um movimento estranho com as mãos: "Bem que imagino. Não direi mais deprimente, mas... Direi deprimente, mas de outro modo, não é, meninas?".

No centro da mesa havia um prato com couve-flor recoberta de massa frita e com cada um dos espaços preenchidos com uma pasta amarronzada. Parecia miolos. Além do arroz, Marije não via ali nada de comível e se serviu timidamente dele, enquanto os novos colegas cortavam a couve-flor em fatias.

Discutiam entre si assuntos referentes ao dia de trabalho como se ela não estivesse ali ou falasse uma língua diferente. Molly tinha um dos pés descalço sobre a cadeira e entre uma bocada e outra esgaravatava uma unha que a estava incomodando. Embora de um lado da mesa estivessem amontoados garfos e facas, todos comiam com as mãos, remexendo a comida da maneira anti-higiênica que vira fazer os bengalis.

"Tudo bem?", perguntou-lhe Sofia, fixando-a de repente.

"Como?"

"Não come?"

"Estou comendo o arroz."

"Pois misture com a couve-flor."

Marije olhou para o prato dos miolos.

"Não me apetece, obrigada", disse.

Sofia bufou, pegou o prato debaixo do nariz dela, sem pedir licença, e pôs dentro dele uma porção daquela coisa: "A senhora preparou este prato especialmente para você. É uma receita especial. Tome lá".

Molly ergueu por um instante os olhos da unha: "É horrível, bem sei. Mas é ótimo. Não é mesmo, Karl?".

"Woooonderful", disse o rapaz. Balançou a cabeça de um lado para o outro, acompanhando o movimento com um bamboleio gracioso das mãos.

Os três, como respondendo a um sinal convencionado, se puseram a cantar o refrão de "What a wonderful world", em movimentos coordenados que deviam ter ensaiado mais de uma vez. Marije cortou um pedacinho da couve-flor-miolos, aproximou-o lentamente da boca e... era a coisa mais deliciosa que havia comido desde que chegara a Bangladesh.

"Aqui muitas coisas parecem nojentas, mas na verdade não são", comentou Molly.

"Como a sua pele de cobra", disse Karl.

"Não, aquela é de fato nojenta", disse Sofia.

"Que pele de cobra?"

Sofia apontou para fora. Marije voltou-se e viu uma nesga de pele malhada e transparente pendurada na grade da janela.

"Está ali há quase um mês", disse Karl. "O réptil."

"É para secar", explicou Molly.

"E para que serve?"

A inglesa encolheu os ombros. "Ainda não resolvi. Talvez faça com ela um bracelete."

"Nos primeiros dias fedia até não poder mais."

Marije se perdeu no bate-boca veloz entre eles e começou a relaxar. Terminou o bocado de couve-flor recheada e serviu-se de mais um pouco, depois encheu o prato de salada temperada com pasta de gergelim: "Chama-se tahine, minha cara, comece a aprender um pouco da língua local".

"Como disse?"

"Tahine."

"Ta-hine."

"Perfeito. Viu como é fácil?"

"Creio que todo lugar no mundo possa ser maravilhoso desde que lhe ensinem a encará-lo da perspectiva justa", escreveu a Otto alguns dias depois, pois lhe pareceu que havia aprendido uma lição importante, sensata, e queria partilhá-la com ele. A resposta do rapaz foi um *emoticon* difícil de interpretar: ;-)

Marije não se preocupou muito, pois estava totalmente entregue à nova rotina. De manhã levantava-se cedo, antes das 6; quando abria as persianas do quarto, via, emborcada sobre o tanque nos fundos da casa, uma névoa baixa se espalhar pelas árvores como se fosse uma lanugem. Saía com Karl para correr, antes das moças acordarem.

Atravessavam o povoado e viravam por uma estradinha rústica, que prosseguia direto até um tanque maior, estriado de algas verdes e imóveis, em que Molly ousava banhar-se na estação mais quente.

Karl falava muito, mas não discorria à vontade sobre si mesmo. Um respeitoso silêncio envolvia sua vida em relação às pessoas que não pertenciam à missão, se havia alguma, e quando se falava de amor e relacionamentos, ele se limitava a comentar as aventuras das garotas. Somente uma vez, durante a corrida da manhã, disse a Marije: "Já notou que os homens aqui andam de mãos dadas?"

"Já."

"É uma coisa estranha."

Marije estava pronta para acolher uma confidência, mas Karl não disse mais nada e entoou um dos muitos trechinhos de seu repertório pop. A névoa se desfazia lentamente, e da madrasa chegavam os coros das crianças que oravam de modo barulhento.

O trabalho no hospital ia até às 5 da tarde, numa atmosfera aconchegante e aprazível. Marije se ocupava principalmente das prevenções. Duas vezes por semana se deslocava com alguns membros da equipe local até as zonas mais remotas do distrito. Em cada vilarejo agrupavam o maior número possível de pessoas, principalmente mulheres, porque eram as mais curiosas, e explicavam a elas o que era o calazar. Mostravam-lhes as fendas no barro das casas, onde os mosquitos põem os ovos, e lhes recomendavam tapá-las bem. Os enfermeiros bengalis haviam composto uma musiquinha para tornar mais simples a memorização das etapas e cantavam batendo palmas, enquanto Marije examinava pernas e braços das crianças à procura das manchas brancas que assinalavam a doença.

A cura era possível. Bastava uma terapia com Ambisome, dois dias apenas, para fazer a febre regredir, bem como os sintomas de debilidade. A missão que o governo bengali havia confiado a MSF era a de eliminar a doença em todo o país num espaço de dois anos apenas, e Marije fazia parte dessa empreitada.

À noite ainda lhe acontecia sonhar com o rio Negro de Kamrangirchar, e os covões de imundícies, e o recém-nascido sem um olho, e a mulher possessa e ensanguentada que cambaleava em sua direção com os braços estendidos. Despertava de repente com o cheiro de plástico queimado a lhe arder nas narinas. Não havia um Ambisome para Kamrangirchar, não existia uma terapia eficaz, nem esperança. Mas ela, por sorte, estava longe.

Os melhores momentos aconteciam de tarde. Havia um campo de *badminton* a pouca distância da casa, e lá iam jogar com outros rapazes da equipe. O campo era iluminado por uma luminária ligada a um gerador barulhento e diante da qual voejavam milhões de mosquitos. Já não causavam transtornos a Marije, tinha parado de se coçar, e eles haviam parado de picá-la.

Às terças-feiras havia projeção de filmes, um entre as três comédias românticas trazidas por Karl, *A força do destino*, *Ghost* e *Letra e música*, a preferida de todos; às quintas, em vez disso, se vestia toda e ia à cidade porque era dia de mercado. Marije zanzava entre as cestas de verduras e bancadas onde os peixes eram mortos a golpes de machete e continuavam a tremelicar divididos em dois, tocava em tudo, admirava tudo e não se horrorizava com o sangue que escorria pelo terreno e cavava pequenas poças escuras. Uma vez tentou mastigar bicarbonato de sódio misturado com amendoim e até ela cuspiu na terra a saliva vermelha, mas o sabor daquela coisa era horrível e por pouco não lhe fez mal ao estômago.

Em março recebeu uma fotografia da filhinha de Eloise, acompanhada de uma mensagem de poucas linhas, em que a amiga não fazia menção a nada do que Marije lhe contara num e-mail precedente, aliás bastante longo. Ficou tão desiludida que, ao jantar, confidenciou aos outros, enquanto se serviam de um prato de paratá e se enchiam de vegetais cozidos.

"Grande amiga", sentenciou Sofia.

Molly tomou nas mãos o retrato em preto e branco da criança: "Meu Deus! Vejam que gorducha. Tem quatro queixos. Parece um sapo. E esta crosta aqui? Blé!"

Karl encheu as bochechas e entortou os olhos para imitar a pequenina Mieke. Riram bastante, os quatro, nas costas da amiga de Marije. Depois a fotografia foi deixada de lado, e voltaram a falar do dia transcorrido na clínica e a discutir sobre o filme que haviam visto pela 30ª vez. A pele de cobra continuava presa à janela, um pouco enrugada nas bordas, e ninguém fazia caso dela. Marije pensou que por anos inteiros havia esperado alguma coisa, sem saber o quê. Agora sabia. Era isso.

Após seis meses de missão estavam à sua espera 15 dias de folga, e ela voltou à Antuérpia, num percurso aéreo extenuante que previa uma escala de nove horas no aeroporto de Dubai, onde se sentiu esmagada pela confusão e pela quantidade de produtos à venda.

Otto esperava por ela em Bruxelas com um ramo de rosas na mão, e a primeira coisa que disse foi que não a achou muito bronzeada.

"Que é isto em sua mão?"

"Uma tatuagem de hena."

No dia da partida pediu a uma colega bengali que lhe desenhasse um complicado entrelaçado floral no pulso e nos dedos.

Otto olhou com suspeita. "Isso sai?"

Na hora do jantar Marije estava atordoada com as horas de viagem e foi por isso, talvez, que falou o tempo todo sozinha, contando com um excesso de entusiasmo compulsivo sobre os novos amigos e o passarinho azul que às vezes pousava no beiral de sua janela e também sobre o posto, a Casa da Princesa, em ruínas, mas fascinante, onde dizem que habita o espírito de uma senhora inglesa que...

"Marije."

"Hein?"

"Por que não come alguma coisa? Eu trouxe você a este restaurante que custa os olhos da cara, e você está deixando a comida toda esfriar."

Marije olhou em torno, as pessoas sentadas às outras mesas, comportadas e silenciosas. Havia abajures acesos inutilmente em todos os ângulos. Sentiu-se estranha e desambientada.

"Desculpe", disse, "desculpe-me, você tem razão."

Pediram uma sobremesa que puseram no centro da mesa e partilharam com duas colherinhas, beliscando-a em silêncio. Marije se sentia culpada por ter monopolizado a atenção como uma criancinha e mais ainda porque não via Otto há meses e, no entanto, não tinha muita vontade de estar ali com ele. Ao mesmo tempo estava ressentida com a maneira brusca com que ele a havia interrompido, como se não lhe importasse muito tudo aquilo que ela tinha visto e vivido. "As aventuras deviam ser sempre guardadas para nós mesmos", pensou, e essa espécie de intuição foi para ela dolorosa.

"Senti muito a sua falta", disse Otto, apanhando a última migalha de pão do prato.

"Também senti a sua."

"Você sempre me disse que queria vir a este restaurante, lembra-se?"

Marije se lembrava, mas era como se aquela verdade não mais lhe dissesse respeito. De repente voltou a sentir um medo antigo, sem motivo (onde ele havia se escondido nestas últimas semanas?).

"Até que enfim consegui trazê-la."

"É mesmo. Você foi legal. Obrigada."

Otto remexeu no bolso do paletó.

"Pensei que fosse aqui o lugar certo."

Um momento depois tinha aberto o estojo aveludado de um anel diante de Marije e a pedia em casamento.

"Então... quer?"

"O quê?"

"Marije, estou só lhe pedindo que se case comigo. Então, quer?"

Seus ouvidos assoviavam como mísseis. Algumas pessoas os observavam com ar enternecido.

"Sim. Claro. Quero."

Mais tarde, no banheiro do apartamento de Otto, Marije deixou-se levar e chorou abundantemente, com a torneira da pia aberta ao máximo. Não sabia o motivo, mas mesmo assim se sentiu melhor.

Imaginou então que estava em Fulbaria – início da tarde, talvez os rapazes já tivessem voltado do trabalho –, mas logo afastou esse pensamento e se concentrou no restante da noite. Esforçou-se em pensar no alívio que os telefonemas de Otto lhe davam quando estava sozinha e apavorada na casa da MSF em Dacca, em como a sua voz tinha o poder de tranquilizá-la.

No mercado de Fulbaria havia comprado um panjabi de seda branco e dourado, pagando uma miséria. Vestiu-o e se sentiu confortável e atraente. Era a sua surpresa para ele. As costuras cintilavam no reflexo do espelho, Marije acariciou o flanco. Tinha os ombros bronzeados e a marca branca da combinação não lhe ficava nada mal.

"You beautiful", sussurrou ao espelho e começou a rir.

Abriu a porta e permaneceu na soleira, à espera de que Otto erguesse os olhos da revista que lia.

"Mas que foi que você vestiu?"

"É um panjabi. Comprei-o para você."

"Ficou parecendo uma indiana."

"Não lhe agrada?"

Marije deu uma volta em torno de si mesma. Otto pôs seus óculos de grau.

"Tire-a, por favor. Causa-me má impressão."

Descobriu que Otto havia avançado com os preparativos do casamento. Nos dias seguintes carregou-a de um lado para outro confirmando as coisas que já havia escolhido, "mas só para estar seguro de que estava tudo lá e, se você não gostasse, poderíamos trocá-las por outras, não? Está certa?"

Marije seguia-o num estado de obediente resignação. Foi até mesmo mostrar o anel a Eloise e conhecer a pequenina Mieke, que estava ficando mais engraçadinha, sorridente e agarrando o dedo da gente quando lhe púnhamos o dedo embaixo do nariz.

"Soube que você tinha aceitado", disse Eloise. "Agora você não volta."

"Por quê?"

"Como por quê? Precisa organizar o casamento."

Na manhã em que Otto a acompanhou a Bruxelas chovia a cântaros, e as quatro pistas da autoestrada estavam ocupadas por veículos em fila. O tráfego belga: ordenado, mas lento, sonolento. Marije voltou a pensar no que Karl lhe havia dito sobre a Bélgica. Apertou a mão sobre a coxa de Otto, que guiava um pouco encurvado.

"Você já pensou em morar longe daqui?", perguntou-lhe.

"Onde, por exemplo?"

"Não sei. Fora daqui."

"Quem muda muito de lugar acaba não sabendo morar em parte alguma. Além do mais, tenho meu trabalho. E além disso haverá ainda o empréstimo da casa própria." Zangou-se de súbito. "Que está havendo? A Antuérpia não lhe agrada mais?"

"Não. Me agrada. Falei só por falar."

Deixou com ele o anel de noivado ("melhor não o levar, sabe como é, Bangladesh..."). Quando chegou a Fulbaria, três dias depois, a marca vermelha em torno do anular havia quase desaparecido.

Encontrou Molly sentada na varanda da entrada, bebericando chá frio de uma latinha.

"Ainda bem que você voltou. Comprei uma tinta para o cabelo, mas a Sofia não sabe como usá-la. Basta ver o estado em que estão os cabelos dela, aliás."

Marije inspirou o ar úmido do campo. Mato. Lama. Frutos apodrecidos pelo calor.

"Quer dar um mergulho no tanque?", disse Molly. "Estou indo para lá."

Caminharam em silêncio. Molly assoviava. Marije voltava a se habituar com a liberdade dos pés descalços nos chinelos de dedo.

A superfície do tanque era negra e verde, a fundura invisível. Nunca havia entrado nele, mas agora estava segura de que não havia nada perigoso lá dentro. "Não ter medo", pensou. Aflorou a água com um dos pés, depois mergulhou como fizera Molly. Mantinham-se boiando com braçadas circulares. Um grupo de crianças estava escondido entre as plantas e espiava.

"Novidades do Velho Continente?", perguntou Molly.

"Não, nenhuma."

"Como sempre."

Marije dobrou a cabeça para trás e banhou os cabelos na água escura.

"Isso. Como sempre."

TRADUÇÃO DE IVO BARROSO

•

Bangladesh

Muitos bengalis migram para a capital, Dacca, em busca de trabalho, mas acabam vivendo em favelas, onde o acesso ao tratamento médico é muito limitado. Em abril de 2010, a MSF inaugurarou um centro de saúde e tratamento da desnutrição na favela de Kamrangirchar, onde moram cerca de 400 mil pessoas.

Em Bangladesh, dois terços dos casos de mortalidade infantil são atribuídos à desnutrição.

As mulheres grávidas e lactantes são submetidas a tratamento para desnutrição e também podem ter acesso a serviços de cuidados pré e pós-natal. Em seu primeiro ano de atividade na região, a MSF atendeu e tratou 378 crianças e 440 grávidas ou lactantes e recebeu mais de 10 mil visitas em seu centro de saúde.

Na zona rural de Fulbaria, na parte oriental do distrito de Mymensingh, a MSF abriu, em colaboração com o Ministério da Saúde, uma clínica que fornece tratamento gratuito para o calazar, ou leishmaniose visceral, uma patologia parasitária fatal transmitida através da picada do mosquito flebotomíneo. No fim de 2010, mais de 400 pacientes receberam tratamento para essa doença.

A MSF atua em Bangladesh desde 1985.

Mãe e seu filho
aguardam atendimento
na clínica de
tuberculose Mayenzeke
localizada em
Khayelitsha, Cidade
do Cabo, África do Sul
© Jose Cendon

Catherine Dunne

Khayelitsha, Cidade do Cabo

Março de 2011

QUANDO CHEGO A KHAYELITSHA, a pequena praça na frente do escritório da MSF está fervilhando de atividade. Ambulantes vendem frutas, verduras e roupas em bancas aninhadas nos espaços de concreto entre a biblioteca, o banco e o pequeno supermercado. É a rotina diária: aqui todo dia é dia de feira.

Subindo uma escada íngreme, longe do tumulto das ruas, a equipe de MSF está ocupada preparando-se para o Dia Mundial da Tuberculose (TB). Acontecerá em menos de 24 horas. A concorrida coletiva de imprensa desta manhã já é passado, e estão em andamento os preparativos para os eventos de amanhã. O *slogan* está por toda parte: em pôsteres, bonés de beisebol, camisetas verde-limão: "Vamos tratar juntos a TB... Vencê-la para sempre". O ar no escritório crepita de energia e determinação. Todos são amistosos, porém alheios: seu foco está no amanhã.

Naquela manhã, quando cheguei, as nuvens pairavam baixo sobre a montanha da Mesa. O ar estava pesado, cinzento, abafado com a ameaça de trovoadas. Meu destino ficava a uns 40 quilômetros a sudeste da Cidade do Cabo: Khayelitsha, uma das *townships*[1] maiores e de crescimento mais rápido da África do Sul. Seu nome significa "Novo Lar", em xhosa. É um vasto amontoado de moradias, esparramando-se ao longo dos arredores da Cidade do Cabo. É impossível discernir onde Khayelitsha descamba para dentro das *townships* vizinhas de Nyanga e Crossroads; é impossível ver onde começa uma e terminam as outras. A Cidade do Cabo pode ser uma das cidades mais maravilhosamente bem localizadas na África do Sul. Ela se enaltece com o dramático cenário da montanha da Mesa e as estonteantes vistas para o mar. Historicamente, é também uma das mais segregadas.

Bem mais de meio milhão de pessoas vive aqui em Khayelitsha – as estimativas variam de 500 mil a 750 mil –, e bem mais da metade delas está desempregada. Enquanto voávamos baixo sobre a cidade, pude ver milhares e milhares de barracos improvisados com chapas de ferro corrugadas, madeira compensada, plástico, papelão. Frios no inverno, quentes demais no verão, muitos desses barracos não possuem sequer as conveniências mais básicas. Os incêndios também são um risco real – causados na maior parte pelo querosene usado em toda parte para cozinhar. Aqui as chamas se espalham rapidamente, graças às condições de superpopulação em contato íntimo, cara a cara, nas "ruas" estreitas e às vezes traiçoeiras.

Giuseppe de Mola, o coordenador de projetos de MSF, me conta que Khayelitsha tem uma das taxas mais elevadas de HIV e TB na África – de fato, uma das taxas mais elevadas do mundo. Essa é uma comunidade que continua a ser assolada pelos males gêmeos do HIV e da tuberculose – esta última alarmantemente resistente a drogas.

1 N. do E.: áreas urbanas criadas na época do apartheid para manter a população negra afastada dos brancos.

De início, sou tomada de surpresa. Sei alguma coisa sobre a epidemia de HIV na África do Sul. Li a respeito, fiz algumas pesquisas. Mas no lugar de onde venho, a tuberculose é hoje uma memória cultural – potente ainda, mas, não obstante, apenas isso – uma memória. Foi outrora "uma epidemia, uma maldição, um flagelo" nas palavras do meu pai. Ele lembrou-se de um jovem primo que mal conhecia, uma criança de 12 anos que costumava ficar observando de uma janela do andar de cima quando as visitas deixavam a casa da família nas tardes de domingo. Meu pai sempre se lembrava dos seus "enormes olhos escuros", do seu rosto dolorosamente magro. A TB da criança era às vezes mencionada em sussurros entre os adultos, mas aquele menininho permanecia fechado em si mesmo, silencioso e invisível, escondendo a vergonha da família. Ninguém queria admitir que um dos seus entes queridos contraíra TB, então ficavam em silêncio.

Na Irlanda, a tuberculose sempre foi "a doença dos pobres", e esse estigma era poderoso. As repercussões disso para mim aqui em Khayelitsha, mais de 60 anos depois, são profundamente perturbadoras. Somos um país pequeno, com uma população pequena. Nos idos de 1940 e 1950, cerca de 60 mil irlandeses morreram de tuberculose. Eram 4 mil pessoas por ano: um desastre nacional de proporções épicas. Poucas famílias escaparam ilesas.

Agora mesmo, em todo o mundo, 4 mil pessoas *por dia* estão morrendo de TB: a maioria delas na África Subsaariana. Ela causa mais mortes prematuras que qualquer outra doença, e essas mortes triplicaram entre 1997 e 2005.

Quatro mil pessoas a cada dia. Todos os dias.

A maioria da população de Khayelitsha vem do Cabo Oriental. Migrantes negros afluíram para cá nos anos 1960 e 1970 à procura de trabalho. Os altíssimos níveis de migração são um dos muitos legados duradouros do apartheid: os homens eram forçados a deixar suas famílias para trás quando saíam à procura de trabalho nas cidades ou nas minas. Não era permitido às mulheres acompanhar os maridos: as cidades eram unicamente para quem tivesse emprego. Sem emprego, você não obtinha um "passe" – aquele documento infame que se tornou uma metáfora para todo o regime de apartheid: sua única *raison d'etre* era segregar a população e limitar severamente a liberdade de ir e vir dos não brancos.

Sem acesso a um passe, as mulheres ficavam em casa nas áreas rurais, com suas crianças, enquanto os homens migravam para as cidades e as minas. Eles viviam em albergues só para homens, em espaços apertados, confinados, ou em recintos estritamente controlados. Essas separações duravam longos períodos e tinham efeitos desastrosos sobre famílias e comunidades inteiras. Segregar os homens de suas mulheres e filhos dessa forma conseguia destruir os laços familiares: as pessoas sentiam-se isoladas e abandonadas. Homens e mulheres procuravam conforto onde podiam. Foi uma era de deslocamento em massa, o tipo de deslocamento que trouxe consigo toda sorte de danos sociais: famílias fragmentadas, prostituição generalizada, pobreza extrema – e a sempre presente discriminação por causa da cor da pele.

Hoje em dia os migrantes continuam a chegar. O tamanho médio de uma família em Khayelitsha ainda é grande – e há uma notável ausência de pais. A maior parte desses migrantes internos tem pouca ou nenhuma educação formal e menos ainda possibilidades de trabalho. A despeito da existência de escolas locais e boas conexões de transporte público com a Cidade do Cabo, a despeito da disponibilidade de subsídios governamentais, a perspectiva atual para a maioria dos moradores das *townships* ainda é sombria.

De que adianta o transporte para a cidade se não existem empregos – ou se você não possui as qualificações nem a formação para obter um?

No decorrer da manhã, fico ansiosa por conversar com a equipe de MSF sobre o trabalho que está sendo feito em Khayelitsha. Sou grata a eles por seu tempo e sua honestidade – mas acho a enormidade da epidemia que descrevem difícil de entender. Faço um grande esforço para lidar com os números.

Giuseppe de Mola me conta sobre o programa piloto para a Tuberculose Resistente a Drogas (TB-RD) que foi desenvolvido por MSF em Khayelitsha nos últimos três anos. Devido à prevalência do HIV e dos sistemas imunológicos debilitados que a acompanham, a TB-RD grassa na *township*. A tuberculose é uma doença particularmente oportunista, e as condições de vida precárias facilitam sua disseminação. Isso, complementado pelo estigma ainda a ela associado, significa que as pessoas frequentemente não revelam que estão doentes aos demais membros da família. E também não desejam fazer nada que seja tão público como sair à procura de tratamento.

E, portanto, a doença se espalha – todos aqueles tentáculos se estendendo cada vez mais depressa e para mais longe.

Estou ansiosa por descobrir como é possível enfrentar esse flagelo que continua a manter uma comunidade inteira em suas garras. Em 2007, a MSF, em colaboração com a municipalidade da Cidade do Cabo e do governo provincial do Cabo Oriental, desenvolveu um projeto piloto para fazer exatamente isso. Uma parte essencial do trabalho de MSF – juntamente com extensas e poderosas campanhas educativas de porta em porta administradas pela Campanha pela Ação de Tratamento (CAT) – era incrementar a conscientização da comunidade e começar a remover a sensação de vergonha que a TB e o HIV parecem trazer em sua esteira.

Essas forças combinadas dão origem a um novo e radical sistema: um sistema que permite aos pacientes passar pelo tratamento em sua própria clínica local, enquanto ainda em casa com suas famílias, permanecendo ancorados em suas próprias comunidades em Khayelitsha.

Tive muitas curvas de aprendizagem abruptas durante o curto período em que estive na África do Sul. Uma dessas curvas foi para aprender a redefinir a linguagem. Palavras como "epidemia", "pobreza", "estigma" adquiriram um novo significado; um significado muito além do meu entendimento protegido. Ouvi algo da história de Gugu Dlamini enquanto estive lá e me senti compelida a descobrir mais a respeito dela.

No final dos anos 1990, a sra. Dlamini, com 36 anos, era mãe de uma criança e vivia na parte oriental da província de KwaZulu-Natal. Naquela época, de 20% a 30% da população tinha sido diagnosticada com HIV, ou aids. É mais que razoável assumir que as porcentagens reais eram de fato bem mais altas, pois o estigma social prevalecente em torno do HIV era especialmente intenso naquela época. Isso era algo que Gugu Dlamini sabia muito bem. Em muitos casos, eram as mulheres que se apresentavam para o teste. Os homens pareciam preferir continuar numa atitude de negação. A própria sra. Dlamini fora diagnosticada como HIV positiva e se tornou uma ativista na sua província natal, tentando encorajar outras pessoas, mulheres e homens, a se apresentar para o teste.

Em 12 de dezembro de 1998 ela deu uma entrevista na rádio, quando discutiu abertamente a sua condição de HIV positiva. As reações às revelações dela foram ao mesmo tempo imediatas e violentas.

Naquela tarde, ela foi socada por um homem, o qual reconhecera. Ela relatou o incidente à polícia, aterrorizada com a selvageria do ataque. Dizer que as autoridades foram negligentes em suas providências é uma espécie de eufemismo.

Em seguida, naquela mesma tarde, a sra. Dlamini foi agredida de novo, dessa vez por uma turba que a espancou até deixá-la inconsciente. Pouco depois ela morreu dos ferimentos.

A turba espicaçou o seu namorado: "Venha pegar a sua cadela. Nós demos um fim nela".

Nas campanhas que se seguiram, MSF desempenhou um papel central em reeducar o público no fato de que o HIV era uma doença como outra qualquer. Seu logo internacional, sua presença constante, sua cooperação com organizações como a Campanha pela Ação de Tratamento significaram que, com o passar do tempo, o HIV se tornou "normalizado como doença", como diz Sharon Ekambaram, chefe da Unidade do Programa da África do Sul, de MSF. Algo que antes – juntamente com seus doentes – tinha sido tratado com repulsa, o HIV começou a ganhar aceitação como doença. E uma doença que podia ser tratada.

O estágio seguinte foi a implementação por MSF do aspecto médico dessa campanha de normalização. Fizeram isso nas clínicas de Khayelitsha.

Naquela tarde, conheci Brian. Um ex-professor da Cidade do Cabo, ele não aguentava mais ficar assistindo sem nada fazer depois de ver o impacto devastador da infecção pelo HIV em crianças pequenas. Ele se filiou a MSF em Khayelitsha na qualidade de Oficial da Juventude e uma vez por semana encontra-se com até 40 crianças HIV positivas, com idades entre 6 e 16 anos. Ele provê aconselhamento para as crianças, mas também oferece suporte aos pais. O processo de revelar a condição de HIV a crianças é traumático, e os pais muitas vezes não se sentem preparados para fazer isso sozinhos. A vergonha e o estigma ainda podem estar à espreita tanto no caso do HIV como no de tuberculose, onde quer que eles morem. Brian ajuda os que cuidam de crianças pequenas a lidar com o impacto de contar à criança sobre a sua condição de HIV positiva.

Pergunto-lhe como se sente em relação aos desafios do dia a dia no seu trabalho. Ele responde me convidando para visitá-lo em um ginásio próximo, para conhecer as crianças e ver algumas das maneiras como estão sendo apoiadas.

Quando chego, o Circo Zip-Zap está em plena atividade. Observar as crianças é uma revelação. Há cerca de 20 delas presentes hoje, de início em pé, formando um círculo. Duas crianças novas chegaram, e Tamryn, um dos instrutores, me explica o que está acontecendo enquanto os novos membros se apresentam ao resto do grupo. Há, apropriadamente, muitos tombos de traseiro no chão, palhaçadas e risadinhas enquanto os membros "mais velhos" ficam conhecendo os mais novos.

Eles estão no meio dos preparativos para um novo espetáculo. Há muito movimento, um impressionante nível de decibéis e risos que rapidamente se tornam infecciosos. O rosto das crianças se ilumina enquanto elas passam tempestuosamente por suas rotinas de danças – em certo momento calçando botas de borracha e então realmente entrando no ritmo: batendo os pés, agitando os braços. Fico sabendo depois que aquela dança se originou entre os trabalhadores que labutam nas minas. Os passos, os sons, os ritmos – tudo evolui em uma espécie de linguagem secreta, subversiva; uma linguagem que aqueles que vigiam minas e mineiros não podem entender. A versão Zip-Zap da "dança das botas" é enérgica e edificante: as crianças exibem largos sorrisos enquanto ensaiam. Parecem deleitadas em ser fotografadas. E terminam com uma retumbante salva de palmas para si mesmas. E bem merecida!

O Zip-Zap veio a Khayelitsha em 2005, e Brian diz que "sua chegada transformou a vida das crianças". Vendo a alegria, a energia e o puro divertimento de suas atividades, posso bem acreditar nisso. O Zip-Zap, com base na Cidade do Cabo, é parte do movimento de "circo social", uma organização que estende a mão para a juventude em qualquer lugar, ensinando independência, confiança e trabalho em equipe – além de uma batelada de novas habilidades. Nenhuma criança paga pelos ensinamentos; a dedicação dos jovens instrutores envolvidos aqui, esta tarde, é inspiradora.

Antes de eu partir, Tamryn me mostra uma carta de uma das meninas mais velhas do grupo. Faces sorridentes decoram as margens. A caligrafia é enrolada e pouco firme, mas a mensagem é clara. "Minha contagem de CD4 (sistema imunológico) está melhorando", escreve a criança, "e sinto uma nova força. Obrigada por mudar a minha vida."

Mas lidar com crianças mais velhas pode ser mais problemático. Os jovens adolescentes em particular se tornam muitas vezes irados e ressentidos quando ficam sabendo da sua condição de HIV positivos. Eles abandonam o tratamento, rebelando-se contra as restrições. O Programa da Juventude de Khayelitsha de MSF tem duas clínicas especialmente orientadas para lidar com os de 24 anos ou menos.

Há um alto índice de omissão entre os jovens com relação ao tratamento e uma negação profundamente enraizada no que se refere ao HIV. Precisamente porque são jovens, têm pouca consciência da sua própria mortalidade. Sentem-se saudáveis, não têm nenhum sintoma visível: aos seus próprios olhos, não poderiam estar doentes. MSF os provêm de cuidados de alta qualidade, aconselhamento e suporte emocional para lidar com a natureza da doença e para reduzir o número dos que abandonam o tratamento.

É um trabalho duro: um dos muitos desafios que a organização enfrenta na *township*.

Busisiwe me conta das suas próprias vivências. Ela convive com o HIV; contraiu TB-RD no passado, mas agora está livre. Ela fala sobre como "cresceu em força" nos últimos três anos, trabalhando com MSF. Tem hoje 36 anos, e uma filha de 5. Trabalha como conselheira no programa de TB-RD. Busisiwe lida de igual para igual com pacientes difíceis, em suas próprias casas – aqueles que, por exemplo, sofrem de reações extremamente adversas a drogas e acham difícil comparecer às clínicas. Ou os que estão enfrentando outro demônio mais pessoal.

Busisiwe é apaixonada por seu trabalho com MSF, apaixonada pela necessidade de capacitar as pessoas a assumir responsabilidade por suas próprias vidas. "Eu estava negando a realidade", diz ela, "não queria saber que era HIV positiva. Então peguei TB. E fiquei grávida. Não tinha mais controle sobre a minha vida. Ninguém mais poderia fazer isso por mim."

Busisiwe acredita que ao enfrentar esses desafios, superando-os e tendo a motivação para oferecer à sua filha uma vida melhor, ficou mais determinada a ajudar a sua comunidade. Trabalhar com MSF a ajuda a fazer precisamente isso. Se ela pode transformar a sua vida, diz ela, os outros também podem. Tudo o que precisam é de uma mão amiga.

Letícia, outra conselheira de MSF em Khayelitsha, está igualmente determinada a fazer a diferença. Trabalhando originalmente como assistente de enfermagem, ela se envolveu, no início dos anos 1990, no cuidado de mulheres grávidas. Mas naqueles dias não havia um tratamento médico eficaz para as mães HIV positivas; e, como resultado, o vírus era transmitido de modo esmagador, *in utero*, aos bebês.

Então, bem quando Letícia já estava desesperançosa de que qualquer coisa chegasse a mudar, em 1999 a esperança chegou a Khayelitsha. Ela veio sob a forma das forças combinadas de MSF e da Campanha pela Ação de Tratamento (CAT). A CAT, fundada em 1988 por Zackie Achmat, foi útil em suscitar a consciência pública sobre o HIV: todos os seus ativistas usavam camisetas vermelho-vivas com os dizeres "HIV positivo" – um gesto de solidariedade para com todos os que foram atingidos pela doença. Todos os agentes de saúde de Khayelitsha seguiram o exemplo.

E a CAT enfatizou também para outros "soropositivos" que, com a nova terapia antiviral, poderiam viver vidas mais longas e mais saudáveis; que o HIV não era mais uma sentença de morte; que pessoas comuns tinham o direito de exigir acesso às mesmas drogas bem-sucedidas usadas pelos sul-africanos ricos. A CAT forçou todas as fronteiras, confrontou todas as controvérsias, desafiou todos os líderes políticos – e, no processo, ajudou a educar toda uma geração.

O primeiro programa piloto mantido por MSF começou em Khayelitsha naquele mesmo ano, 1999, e seu propósito explícito era prevenir a transmissão do HIV de mãe para filho. Letícia lembra bem. "Em 2001, a primeira terapia antirretroviral era administrada a uma futura mãe na *township*. Dez anos depois, aquelas drogas salvadoras de vidas foram usadas com sucesso para tratar 17 mil pessoas em Khayelitsha. Mas foi uma luta enorme. Todos os velhos inimigos e estigmas sociais, bem como o medo da revelação, declararam uma guerra incansável e implacável. As futuras mães ainda escondiam sua condição das famílias, e, mesmo que a transmissão aos seus bebês tivesse sido evitada antes do nascimento, muitas se opuseram ao aconselhamento e amamentaram os filhos, transmitindo assim o vírus no leite. O medo de que fossem identificadas na família e na comunidade como portadoras do HIV era maior que o medo de infectar o bebê."

Agora, acredita Letícia, o estigma que cerca o HIV diminuiu. A educação é uma força potente, e as campanhas de CAT e MSF foram cruciais para ajudar a mudar a opinião pública. Ela e todos os outros conselheiros de MSF fazem questão de discutir abertamente todos os assuntos ligados à sexualidade. Ela admite que a educação é um processo em andamento e que existem muitos desafios em volta, entre outras coisas o uso de drogas entre os infectados pelo HIV. "Quando as pessoas abusam do álcool", diz ela, "esquecem de tomar os seus remédios. E também, às vezes, elas continuam a esconder sua condição das famílias e parceiros."

Na *township*, acredita Letícia, existe um nível significativo de abuso de álcool, algo que impacta sobre todas as áreas das vidas das pessoas. Ela se preocupa com a promiscuidade entre adolescentes: não vê nenhuma mudança óbvia no comportamento sexual dos jovens. Preocupa-se com a falta de emprego, o desassossego, a falta de afeição. Preocupa-se com a ausência de um futuro para eles.

Ela sorri quando lhe pergunto sobre como a enormidade do trabalho impacta sobre ela. "Nós, trabalhadores de MSF, ajudamos um ao outro", diz ela, "e eu adoro ver a saúde das pessoas melhorar."

E a luta cotidiana ladeira acima?

"Se eu fizer a diferença para duas pessoas em 20, isso seria suficiente para mim. Apenas duas. Eu ficaria feliz com isso."

Esta manhã, quinta-feira, 24 de março, é o Dia Mundial da TB, e a Clínica Ubuntu está lotada. "Ubuntu" quer dizer "bondade para com o próximo", "humanidade", "respeito", "compartilhamento". Esta é de longe a maior clínica em Khayelitsha, servindo a milhares de pessoas, e entre elas os 6 mil pacientes que estão atualmente recebendo tratamento antirretroviral (ARV). Conheci Nompumelelo (abreviando, "Irmã Mpumi"), uma das dirigentes da Clínica Ubuntu. O irmão de Mpumi foi diagnosticado HIV positivo em 2000 e morreu dois anos depois. No mesmo ano, seu segundo irmão foi diagnosticado. Ela foi dominada pela vontade de saber, de aprender mais sobre a doença que parecia não ter piedade.

Em 2003, ela começou a trabalhar com MSF. Um dos seus objetivos era tratar HIV e TB simultaneamente nas clínicas locais. Após um ano, já havia conquistado seu objetivo de um tratamento plenamente integrado, e três anos depois disso a Irmã Mpumi começou o que é agora chamado de "Clubes de Aderência". Ela está merecidamente orgulhosa do seu sucesso e em 2009 recebeu o mais elevado reconhecimento de mérito da província como a "Melhor Enfermeira". A Irmã Mpumi tem um jeito muito prático e direto; ela é enérgica e eficiente, com um sorriso sempre aberto. Ela é, por todos os padrões, uma força da natureza.

Inovador em sua abordagem, o Clube de Aderência atrai grupos de pacientes estáveis de modo regular, apoiando-os para manter suas dietas de drogas. Hoje, 800 desses pacientes em Khayelitsha pertencem a Clubes de Aderência: pacientes que são frequentadores regulares e confiáveis para prosseguir com seus tratamentos. Eles vêm a cada dois meses buscar os medicamentos. Quando chegam, os farmacêuticos já prepararam as suas pílulas. Eles são enquadrados nos seus gráficos, classificados, identificados e liberados para partir.

Se eles "entregam os pontos", a reinfecção é uma realidade perigosa demais, pois a cada vez o vírus HIV se torna mais resistente a drogas. É essencial que o regime de tratamento seja seguido religiosamente. E é aqui, nos clubes, que perguntas são respondidas, problemas são abertamente discutidos e apoio é oferecido. A Província do Cabo agora encoraja todas as clínicas a prover Clubes de Aderência. No enfoque da Irmã Mpumi, é preciso fazer com que todos os pacientes nos Clubes de Aderência sintam-se especiais. Eles são, afinal, aqueles pacientes em quem se pode confiar: eles continuam a ser aquiescentes com sua medicação; eles são "letrados em tratamento" – sabem o que está acontecendo e não têm medo de fazer perguntas.

E, mais ainda, o fato de os medicamentos estarem prontos para ser retirados pelo paciente significa que aqueles que estão empregados não têm de perder muito tempo de trabalho.

Na manhã em que nos reunimos, o Clube de Aderência está tendo o seu encontro social pela primeira vez na biblioteca local. Essa mudança de local é a cereja do bolo pessoal da Irmã Mpumi: o ambiente da clínica foi eliminado da equação. Agora os pacientes podem se reunir em um espaço social, comunitário – mais uma evidência de que o estigma em volta de TB e HIV está finalmente começando a ser eliminado. E, conta-me ela, "os pacientes agora me assediam para filiar-se ao Clube de Aderência. Ele se tornou um incentivo real para a melhora deles".

É um momento emocionante na biblioteca. O grupo de pacientes é uma mistura de homens jovens e mais velhos e mulheres jovens com bebês. A atmosfera neste dia especial está leve: é o décimo aniversário da clínica, bem como a primeira manhã no ambiente novo em folha. Os pacientes vão de um lado para outro brincando com a Irmã Mpumi e seus ajudantes. Eles retiram sua medicação, cumprimentam os outros membros do Clube e prosseguem com o seu dia.

Fanelwa é uma das "colegas-educadoras" aqui na biblioteca esta manhã, batendo papo com pacientes e ajudando a distribuir medicação. Indivíduos como Fanelwa são mais uma força significativa dos Clubes de Aderência. Sua presença, e a de outros como ela, ajuda a aliviar a carga de trabalho dos clínicos. Em vez de ficar presos à distribuição de medicamentos, o tempo e a energia da equipe médica estão sendo usados mais criativamente, com mais eficácia. Eles agora estão livres para se dedicar aos casos mais complexos e difíceis que exigem sua atenção como especialistas.

A visão de MSF é que um dia, num futuro não muito distante, os próprios pacientes serão plenamente responsáveis pela gestão dos Clubes de Aderência. O ideal seria que esses pacientes totalmente aquiescentes e "letrados em tratamento" se encontrassem nas casas uns dos outros e tivessem o seu tratamento ali ministrado, como já acontece no caso de outras doenças crônicas como diabetes e hipertensão.

Neste momento, a biblioteca é uma espécie de espaço de transição: uma casa a meio caminho entre a atmosfera médica da clínica e o conforto e privacidade do lar.

A hora da biblioteca chega ao fim. A Irmã Mpumi lembra-se de que isso difere enormemente dos primeiros tempos da clínica, quando as pessoas chegavam trazidas em carrinhos de mão, ou eram carregadas para lá por seus familiares. Ela está ansiosa por elogiar o que deve ser elogiado: todos os medicamentos para TB e HIV são agora fornecidos gratuitamente pelo governo.

Fiquei sabendo que o regime de drogas para HIV e TB-RD é complexo. "Algo que chega a 25 pílulas por dia, todas tomadas em horários diferentes e em diferentes combinações", diz ela. "Quando há problemas de alfabetização, essa pode ser uma séria dificuldade." O tratamento inicial para TB também pode envolver injeções diárias que ao mesmo tempo são extremamente dolorosas e consomem muito tempo. A Irmã Mpumi critica os laboratórios: "Alguns dos medicamentos por via oral poderiam ser facilmente combinados em um só", diz ela. "Mas isso não lhes traria lucros maiores."

Também existem efeitos colaterais potencialmente sérios com essas drogas antiquadas. "A acidose láctica nas mulheres é muito perigosa", afirma ela. "No passado, tivemos pacientes mulheres estáveis se apresentando na clínica com severa dificuldade respiratória. Sem o equipamento adequado para diagnosticar a acidose a tempo, algumas das nossas pacientes morreram."

A MSF, subsequentemente, adquiriu uma máquina de ácido láctico que monitora os níveis de acidose na corrente sanguínea e torna o diagnóstico precoce e o tratamento possíveis.

Estou intrigada com a observação da Irmã Mpumi, de que um regime violento é tornado ainda pior pela administração antiquada de drogas. Decidi discutir isso com a dra. Jenny Hughes, quando nos encontramos no estádio de futebol mais tarde naquela manhã. Grupos de teatro locais estão representando cenas cômicas diretas, rudes e frequentemente engraçadas sobre o Dia Mundial da TB, em que eles parodiam os comportamentos que levam à infecção HIV/TB-RD. Eu não falo a língua, mas não é necessária nenhuma competência verbal da minha parte. São apresentações fortes, físicas, atacando duramente a embriaguez e o sexo desprotegido – e o nível de negação culturalmente reforçado que impede as pessoas de procurar tratamento.

Sinto uma sensação de desapontamento entre os trabalhadores da saúde aqui no estádio porque mais gente da comunidade local não compareceu. É como se os grupos de teatro estivessem pregando para os já convertidos.

Pergunto a Jenny sobre a frustração da Irmã Mpumi com os punhados de comprimidos que seus pacientes têm de engolir diariamente. Por que isso não pode ser mais fácil?

Jenny concorda. Ela explica que existe atualmente pouca ou nenhuma pesquisa de parte das companhias farmacêuticas maiores sobre TB, TB-RD e o crescente horror gêmeo – TB-XRD, ou tuberculose extrarresistente a drogas –, porque não existe mais um mercado viável. A tuberculose foi praticamente erradicada do leste afluente, com o que os laboratórios não investem em pesquisas que potencialmente não incrementem suas margens de lucro nos seus principais mercados.

Jenny também diz que alguns dos efeitos colaterais dos medicamentos que eles têm de prescrever são muito sérios. “Morte ou surdez”, diz ela. “Esta é uma das escolhas. A perda de audição pode ser extensa e permanente.” O diagnóstico precisa ser mais rápido, e MSF tem realizado um trabalho importante nesse sentido, no seu programa piloto em Khayelitsha. "E, também, o tratamento precisa ser mais rápido." No entanto, ela é muito clara ao afirmar que "a imunossupressão é o que realmente tem estimulado a TB-RD e a TB-XRD. O HIV vem assolando o país há muitos anos". E na sua esteira, essa devastação deixa as pessoas demasiadamente vulneráveis a infecções oportunistas, como a TB.

"E o futuro?", pergunto eu.

"A epidemia de HIV é multifatorial", explica ela. "Existe uma aceitação cultural da atitude de ter parceiros múltiplos", mas um dos maiores fatores na disseminação do HIV é a quantidade de migração que ocorreu como resultado do apartheid. "Os homens procuravam prostitutas enquanto estavam nas cidades, depois iam para casa de visita, infectando suas parceiras também."

A negação de uma epidemia nos mais altos escalões oficiais e governamentais durante anos também não ajudou. Nem a pobreza, as condições de moradia apertadas e insalubres e um futuro sem futuro para centenas de milhares de pessoas somente na Cidade do Cabo e em Joanesburgo.

Deve haver muitas ocasiões em que a tarefa de controlar a epidemia parece ser impossível.

Coloco isso para Nolitha ao visitar o Centro de TB de MSF que ela administra em Khayelitsha. Ela concorda. Começou a trabalhar com MSF em 2010, e o seu centro trata os que padecem de TB-RD e TB-XRD, e que são também afligidos por outras complicações, como diabetes e problemas renais – que sempre acompanham a TB-RD – e, é claro, HIV. "Me sinto muito mal por aqueles que não melhoram", diz ela, enquanto caminhamos juntas pelas instalações. E existem também tantos problemas pessoais – "falta de apoio, dívidas, alcoolismo; as pessoas estão lutando contra tantas coisas aqui". Ela parece triste e frustrada por um momento. Peço-lhe que elabore mais.

"É apenas uma palavra", diz ela. Ela encolhe os ombros, num gesto mais de impotência que de indiferença. "Desvantagens." Ela puxa a porta do último corredor. "Todos os tipos de desvantagem. Educacionais.

Econômicas. Sociais. Políticas." Ela repete o que tenho ouvido por toda parte desde a minha chegada.

O apartheid tem muito pelo que responder. Aquelas divisões sociais e culturais que ele foi projetado para fomentar ainda estão costuradas no próprio tecido da vida cotidiana. E também sou forçada a confrontar mais uma realidade, mais recente: por que, nos 25 anos de governo do Congresso Nacional Africano, tão pouco mudou para aqueles que vivem em Khayelitsha?

Nolitha e eu chegamos ao fim do nosso passeio. Neste momento, alguns dos leitos do centro permanecem vazios. "As pessoas se arranjam no verão", diz Nolitha. "É no inverno que as coisas ficam realmente difíceis."

O centro é claro e fresco, com um complexo sistema de purificação do ar. "É uma das coisas mais importantes", diz ela. "Algo tão simples e, no entanto, tão essencial. Você não pode vencer a TB sem ar limpo."

Sou lembrada dos sanatórios na Suíça e na Itália, no final do século XIX e início do século XX, onde as camas dos pacientes eram trazidas para fora a fim de que eles pudessem se beneficiar do ar puro da montanha. Lembro-me também de cenas em branco e preto de um hospital de Dublin nos anos 1950: enfermeiras empurrando macas de pacientes para o lado de fora, para aproveitar o pálido sol de verão.

E então me lembro dos barracos na *township*. E tenho motivo para relembrar as palavras de Nolitha mais uma vez quando viajo a Joanesburgo, para os edifícios que lá abrigam as dezenas de milhares de trabalhadores migrantes.

A estada mais breve no Centro de TB é de duas semanas; alguns pacientes permanecem por até três meses. "Temos dois quartos para cuidados paliativos", diz Nolitha. "Porque, é claro, pacientes morrem. Alguns deles nunca chegam a voltar para casa."

Noludwe, uma das enfermeiras do centro, não poupa elogios ao treinamento que lhe foi oferecido por MSF na gestão de TB e HIV. Ela também está ansiosa por apontar os benefícios do tratamento imediato provido por MSF no centro. "Não há espera por leitos", diz ela. "Este é o único assim. Esse tipo de cuidado faz uma enorme diferença."

Ela adora o seu trabalho. Adora o desafio, cuidar dos pacientes, ver as pessoas sararem.

Mas ela também teme o futuro. Tem medo de que a cultura que produz doenças como HIV e TB não esteja mudando depressa o bastante na África do Sul. Também tem medo dos efeitos que uma vida de desvantagens a longo prazo esteja causando nos jovens.

Existem ao todo 11 clínicas em Khayelitsha, oferecendo cuidados com HIV e TB aos habitantes da *township*: pelo menos meio milhão de pessoas. A filosofia de MSF é apoiar as autoridades locais no estabelecimento e no desenvolvimento de serviços de saúde adequados para todos. Hoje, todas as clínicas que se beneficiaram dos insumos de MSF no estágio inicial são agora administradas pelo governo.

Atualmente, talvez 50% dos casos de TB-RD em Khayelitsha sejam diagnosticados: compare isso com a minúscula proporção de doentes em todo o mundo – meros 3% – que tem acesso a tratamento, e a escala dessa epidemia começa a ficar aparente.

Em 2008, 62% de todos os pacientes em Khayelitsha diagnosticados com TB-RD ainda estão vivos após 18 meses. Considerando que 76% de todos os pacientes com TB-RD são também HIV positivos, essa é realmente uma melhora significativa – mas ainda restam enormes desafios.

Um dos progressos mais empolgantes na batalha contra a doença é a recente disponibilidade de novas e mais rápidas ferramentas de diagnóstico para TB-RD, ferramentas que logo estarão acessíveis ao resto do mundo.

Por trás de todas as estatísticas, contudo, jaz um sem-número de histórias pessoais aguardando para ser contadas. Antes da disseminação dos antirretrovirais, uma geração inteira sofreu perdas enormes devido ao flagelo do HIV. Em demasiados lares de *townships* as avós são o núcleo familiar, criando crianças cujos pais morreram jovens devido aos ataques duplos de HIV e TB.

Lindiwe me conta uma dessas histórias. Estou ansiosa por encontrá-la. Está começando a ficar tarde, e as noites na *township* não são hora e lugar seguros para se estar. Ela me convida para a casa dela. É uma das poucas casas de tijolos naquela parte de Khayelitsha, e o seu senso de orgulho é palpável. Há um pedaço de carpete sobre o degrau de concreto que desce para a rua; peças de porcelana fina estão expostas em um gabinete de madeira na pequena sala de estar; todas as superfícies estão polidas, brilhando.

Lindiwe fala macio, sorrindo. Ela se lembra bem das indignidades de viver sob o apartheid. "Tínhamos de comer de travessas separadas", diz ela. Essa lembrança ainda machuca, ainda traz amargura. Ela costumava ganhar a vida como empregada doméstica e viajou desde o Ciskei, no final dos anos 1970, para juntar-se ao marido na Cidade do Cabo. Ele seguira antes dela, a fim de procurar trabalho. Mas Lindiwe descobriu ao chegar que o marido tinha um relacionamento com outra mulher e vivia abertamente com ela. Ela pegou sua filha de 4 anos, Lydia, e aceitou uma posição como criada de uma família de brancos, dormindo no emprego. Lembra-se de que o seu quarto mal chegava a ter espaço suficiente para uma pessoa.

Anos difíceis se seguiram.

Lydia mal chegara aos 20 anos quando deu à luz um menino. Lindiwe nunca conheceu o pai do seu neto, e Lydia se recusava a discutir sobre ele. Ser mãe solteira não era novidade nas *townships* – então ou agora. Em sua cultura, as jovens negras acreditam que um bebê é a dádiva mais valiosa que podem oferecer ao seu amado. Significa que ele as amará mais, cuidará melhor delas. Ele as tomará em seus braços, as trará para a família dele, e elas serão sua responsabilidade para sempre.

A realidade pode ser um pouco diferente.

Pouco tempo depois do nascimento do seu filho, Lydia teve um diagnóstico positivo tanto para HIV como para TB. Ela começou a beber exageradamente nos *shebeens* locais. Lindiwe estava no limite da sua sanidade. Estava tentando ser mãe, avó e provedora: provendo, entre outras coisas, as caras injeções diárias da filha contra TB.

Quando Nelson estava com 2 anos, também ele teve diagnóstico positivo para HIV e TB. Quando tinha 7 anos, Lydia morreu. Agora Lindiwe, como tantas outras mulheres da sua idade, era a única responsável pela criação do neto. "Toda uma geração se foi", diz ela.

Cinco anos atrás, Lindiwe, apoiada por membros da sua família e juntamente com eles, revelou a Nelson que ele estava infectado por HIV e TB. Ele ainda frequenta a Clínica Ubuntu em Khayelitsha, toma regularmente seus medicamentos e vai bem na escola. Está agora com 15 anos.

Mas e o futuro?

"As perspectivas de emprego são muito ruins. Não posso me permitir pagar para ele continuar na escola." Os olhos de Lindiwe estão marejados. "Temo por ele. Tenho medo das drogas e do álcool. E das companhias que tem."

A população de Khayelitsha é avassaladoramente jovem, desocupada e desafeiçoada. Lindiwe teme pela segurança do neto: está terrificada com as horas tardias em que ele chega em casa agora, cada vez mais perto do toque de recolher extraoficial, forçando os limites o tempo todo. "Estas ruas são muito perigosas", diz ela.

Mas ela tenta ser positiva em relação ao futuro. "Deus me dá forças." Ela é uma grande defensora das clínicas estabelecidas por MSF, certifica-se de que seus vizinhos saibam delas, tenta assegurar que todos as divulguem.

Sem as clínicas, ela não teria sequer o seu neto Nelson.

Nós nos despedimos, e quando estou saindo, ela aponta para a minha camiseta verde-limão com as palavras "Vençamos a TB". O dístico em preto chama a atenção. "Quero uma dessas", diz ela. "Vou usá-la todos os dias!"

Prometo conseguir uma para ela. Vou até o carro, consciente como nunca dos milhares de quilômetros – em todos os sentidos – que separam a minha vida da dela.

Mais tarde, pego o voo noturno para Joanesburgo, tentando imaginar o que me aguarda lá. Sinto a cabeça a ponto de explodir – é difícil assimilar tudo o que vi, processar, achar sentido em um mundo que a cada dia parece mais mal dividido.

Pela primeira vez em duas noites, na casa da missão em Joanesburgo, eu consigo dormir.

Joanesburgo

A PRIMEIRA COISA que me impressiona é o barulho.

No início, não consigo ouvir – ou pensar – acima da música: uma cacofonia de sons me bombardeando por todos os lados. A percussão é insistente, fazendo o chão vibrar sob meus pés, as paredes zumbem. Preciso ficar parada um momento, até os meus olhos se acostumarem com o escuro. Já desci dois degraus íngremes para dentro das sombras turvas e estou nervosa, temendo que possa haver ainda mais, temendo perder o equilíbrio e me estatelar no piso.

Judith segue na minha frente, seu progresso seguro, confiante. Sigo o contorno luminescente do seu vestido por um corredor estreito abaixo, fundo nas entranhas do edifício.

Estamos no Ellis Park, um dos mais notórios edifícios em Joanesburgo. Está dilapidado, sujo, ignorado por todos os serviços oficiais do município. Esse é um entre aproximadamente 80 prédios semelhantes que se tornaram um lar para mais de 60 mil migrantes, na maioria fugitivos do Zimbábue através da fronteira com a África do Sul.

Esses 80 e poucos edifícios ficam no coração da missão que MSF conduz na cidade de Joanesburgo. É neles que a organização estende a mão para homens e mulheres que chegam ao centro decadente da cidade aos magotes. Eles estabelecem seu lar, frequentemente sem os filhos, nos mais horrorosos ambientes. Muitos prédios não têm banheiros internos nem água corrente: são abarrotados, mal ventilados, mal mantidos.

Na maior parte, os governantes da cidade ignoram esses prédios e suas condições precárias. Reconhecê-los poderia, talvez, ser uma aceitação da sua existência, para começar. Poderia trazer um senso de responsabilidade para com as pessoas que são forçadas a viver lá. Durante os preparativos para a Copa do Mundo, áreas inteiras desse centro decadente foram expurgadas de barracos: as autoridades estavam determinadas a fazer de Joanesburgo uma "Cidade Classe Mundial". Por um lado, os despejos em massa causaram grandes sofrimentos. Por outro, os preparativos para a Copa do Mundo proporcionaram um muito necessitado, embora temporário, trabalho para os milhares de desempregados – trabalhadores com documentos ou sem documentos vindos do Zimbábue, de Maláui, da República Democrática do Congo e de outros países vizinhos. Mas, agora que aquela celebração em particular terminou, Joanesburgo está, como quase qualquer outro lugar, sofrendo as realidades de uma prolongada crise econômica.

Não que todos esses migrantes tenham vindo a Joanesburgo numa simples procura por uma vida melhor, economicamente mais compensadora. Eles têm esperanças de encontrar trabalho, é claro, mas a maioria veio para cá numa última e desesperada tentativa de sobrevivência. Eles fugiram da fome, da cólera e daquele tipo de instabilidade política que torna a vida do dia a dia cada vez mais perigosa. Embora venham de muitas partes diferentes da África, os migrantes de Joanesburgo vêm predominantemente do vizinho mais próximo da África do Sul, Zimbábue. Eles, muito simplesmente, não têm outro lugar para ir.

Enquanto sigo Judith cada vez mais fundo no porão do Ellis Park, vejo cortinas penduradas por toda parte à minha direita, delimitando os cubículos que se tornaram lares de famílias. Aqui não existe privacidade. As cortinas ondulam quando passamos: ouço pessoas tossindo, gritando, cuspindo, crianças chorando.

Ocorre-me que a música tocando em volume máximo por toda parte serve a um propósito. Ela cria um espaço individual; os ritmos conflitantes se tornam marcos territoriais. Este é o *meu* lugar, a *minha* casa.

Judith mora aqui com seus cinco filhos há três anos. Seu marido está morto. Ela fugiu do Zimbábue: fugiu da fome, da pobreza, dos espancamentos nas mãos da polícia, mesmo enquanto estava grávida. Sua irmã já estava em Joanesburgo e conseguiu um canto para ela no porão do Ellis Park, onde poderia instalar o seu lar.

É onde estamos sentadas agora. Judith abaixa o volume da música para que possamos ouvir uma à outra. A luz vem de uma única lâmpada; uma extensão de fio oscila perigosamente acima do queimador de gás usado para cozinhar.

Judith tem a fala mansa. Às vezes perco uma palavra ocasional quando sua voz vai sumindo. Às vezes ela é atacada por um acesso de tosse. Judith é HIV positiva – como tantos outros que vivem nos edifícios. Também teve TB, diz ela, mas agora está curada. A clínica de MSF ao lado da Igreja Metodista Central salvou-lhe a vida. Eles a ajudaram a cuidar da sua saúde e da saúde dos seus filhos. Ali, eles tratam todas as doenças comuns que os migrantes apresentam – muitas delas relacionadas com as condições precárias de vida: diarreia nas crianças, infecções do trato respiratório, sarna e outros problemas de pele, doenças sexualmente transmissíveis. Judith ainda frequenta a clínica, agora cerca de uma vez por mês, e os médicos ficam cuidadosamente de olho nela. Mas ela parece frágil, e a sua tosse é áspera.

Todos os seus cinco filhos frequentam a escola fundamental e, por enquanto, estão gostando. Mas ela se preocupa com o futuro deles. Quer que tenham educação, para conseguir bons empregos. Ela encolhe os ombros. "Talvez isso não seja possível", diz ela. "Não existe trabalho aqui."

Peço-lhe que fale sobre como são os seus dias. Sua voz aquietou-se de novo. "Fico em casa, na maior parte dos dias. Às vezes, peço esmolas. Nos 'robôs'."

Eu já sabia disso. Mulheres e crianças mendigando nos semáforos, pedindo ajuda aos motoristas que são obrigados a parar no vermelho. Mas a sensação de estar sob sítio nesta cidade é palpável. Em vez de parar no sinal vermelho, os motoristas frequentemente prosseguem lentamente, esperando mudar para verde, para poder passar depressa pelo cruzamento sem chegar a parar. Os "robôs" são conhecidos como um território perfeito para assaltos.

Joanesburgo é uma cidade dividida contra si mesma: uma cidade dividida pelo medo, pela raiva, pela cor. Os privilegiados cercam seu privilégio com muros altos, cães de guarda e cercas eletrificadas. A África do Sul possui a segunda maior força policial do mundo. Em Joanesburgo, para cada policial de fato, seja homem, seja mulher, há três guardas ligados a empresas privadas de segurança. Suas placas estão por toda parte, alertando para uma reação instantânea, uma reação armada. Para um visitante, isso é intimidador. Joanesburgo é uma cidade onde o legado do apartheid não é só visível – é visivelmente avassalador.

Aqueles que "têm" sentem que suas vidas estão repletas de perigo. Para aqueles que "não têm", que são levados a mendigar, existem perigos ainda maiores. O primeiro é a deportação. A maioria dos migrantes chegados do Zimbábue não tem documentos. A polícia costumava realizar batidas regulares, embora exista agora uma moratória nas deportações até julho de 2011. Depois disso, é provável que as deportações em massa simplesmente comecem de novo. Adquirir documentos, se tornar legal, significa pedir asilo. E esse é um processo lento e inconveniente. A maioria dos migrantes simplesmente se esconde.

Ser mandados de volta aos horrores de que fugiram não é o único medo daqueles que são forçados a mendigar. "Eles levam as nossas crianças embora", diz Judith. "Se você pede esmolas com os seus filhos, eles os tiram de você." Assistentes sociais também dão batidas regulares pelos semáforos da cidade, à procura de migrantes que mendigam ali com crianças pequenas. Eles as levam para abrigos. Conseguir as crianças de volta envolve negociar no campo minado do funcionalismo e da burocracia – algo que os migrantes não estão equipados para fazer.

Alguma coisa se estilhaça no chão no cubículo vizinho. Ouvem-se gritos, ruídos de briga. Judith olha para mim. "Esta não é uma vida boa." Ela olha em volta. "Eu preciso de espaço para minha família", diz ela. Faz um gesto na direção da cortina que bloqueia o corredor público ao nosso lado. "As pessoas roubam coisas. Como se pode fazer amigos em um lugar como este? Como se pode viver em paz?"

Caroline é uma das peças-chave da Equipe de Aproximação de MSF em Joanesburgo. As outras são Donald e Melt. Cada um deles foi atraído para cá pelas mesmas razões; todos compartilham uma motivação similar. "Prestar assistência", coloca Donald, "e dar ênfase à situação difícil dos pobres." Todos os três abraçam plenamente a filosofia de MSF. "Uma excelente organização", que ajuda as "pessoas passando dificuldades", que não discrimina indivíduos por qualquer razão que seja; que ajuda a fazer a diferença entre viver e morrer.

Falo com eles sobre o trabalho que fazem. Caroline é direta, sem rodeios, uma mulher com presença magnética. Ela atrai as mulheres do Ellis Park para si: entende suas necessidades e os níveis de desespero cotidiano.

"Passo a passo", ela me conta. "É como conquisto a confiança delas; é como as encorajamos a cuidar de si mesmas." A clínica de MSF na Rua Pritchard tem sido uma tábua de salvação para essa comunidade desde a sua fundação em 2007. A Equipe de Aproximação se colocou firmemente na vizinhança da comunidade. Ela deixa muito claro que está aberta às necessidades deles; que não existe associação nenhuma entre a equipe e a polícia ou os assistentes sociais locais. Não existe agenda oculta, nada de adicional que os migrantes precisem temer. A presença da equipe afirma com muita força: "Estamos do seu lado".

Enquanto Caroline e eu conversamos, sentadas na frente do Ellis Park, ela está de olho no grupo de mulheres reunidas embaixo de uma árvore em um minúsculo espaço verde nas proximidades. "Aquela é Janice", diz ela apontando para uma mulher jovem vestindo um moletom de cor vibrante. "Ela é HIV positiva. Grávida de sete meses. Alguém acabou de me contar que ela pretende abortar no fim de semana."

Olho para lá, chocada. Aos sete meses?

Caroline a chama. Elas conversam em xona; não tenho como saber o que estão dizendo. Em vez disso, olho para as mulheres sentadas diante de mim do outro lado da rua, com bebês nos quadris, mamando no peito ou segurando pela mão crianças começando a andar, curvadas para brincar na terra. Pergunto-me como é possível criar uma criança quando você não tem nada, menos que nada; quando o futuro oferece a você, e à sua família, menos que nada.

Janice se afasta, e Caroline sorri. "Está tudo bem", diz. "Ela decidiu ter a criança. Estou muito contente. Um aborto em uma gravidez tão adiantada significa complicações demais."

"E não tão adiantada", pergunto.

"As clínicas públicas de Joanesburgo oferecem IDG (Interrupção da Gravidez) às que precisam", diz Caroline. "E muitas mães HIV positivas optam por isso, nos primeiros estágios. Nós as ajudamos depois. Mas não encorajamos o aborto tardio. É perigoso demais."

Quero saber como é possível modificar o comportamento sexual em um ambiente tão desafiador. Como é possível deter a disseminação do HIV quando as pessoas infectadas vivem, literalmente, umas em cima das outras? Onde os encontros sexuais por dinheiro – muitas vezes tão pouco quanto 20 rands (2 euros) – significam a diferença entre alimentar a família e passar fome?

Caroline explica. A Equipe de Aproximação de MSF transmite a mesma mensagem consistentemente, pacientemente – "passo a passo". O estabelecimento de relações é lento e cuidadoso. Caroline começa por travar conhecimento com um grupo de mulheres, discutindo sexo seguro, explicando o uso apropriado da camisinha. Ganhando confiança pouco a pouco, a mensagem é passada uma por uma. Todas as perguntas são respondidas, todos os problemas abordados abertamente – contundentemente se necessário. "Eu digo a elas, 'Não precisa ter vergonha'", diz Caroline. "Fale para o seu homem usar camisinha, mostre a ele como colocar."

Isso quando o sexo é consensual. Há ocasiões demais nesta cidade em que não é. No final dos anos 1990, Joanesburgo conquistou a indesejável reputação de "capital mundial do estupro". O estupro por gangues, ou *jackrolling*, era uma ocorrência frequente; alguns estudos demonstraram que uma em cada três mulheres entrevistadas nas *townships* revelou ter sido estuprada.

Participar de um estupro coletivo era muitas vezes visto entre os homens jovens como uma iniciação às gangues criminosas: os níveis de machismo e agressão escalavam enquanto cada qual tentava superar o outro em brutalidade. Os ataques eram de natureza especialmente predatória: os jovens perambulavam pelos espaços públicos aguardando vítimas em potencial. O nível da força usada no ataque aumentava com o número de perpetradores envolvido.

Os números oficiais nesses casos raramente representam a realidade: a falta de confiança na força policial não é algo que encoraje a exposição. Especialistas acreditam que somente um em cada dez casos é denunciado. Ainda existe hoje em dia uma frequência alarmante de violência sexual contra mulheres. As jovens mulheres migrantes que chegam sozinhas em números crescentes são enormemente vulneráveis a ataques.

Um estudo publicado dois anos atrás pelo Conselho de Pesquisas Médicas da África do Sul revelou uma cultura profundamente enraizada de violência contra mulheres. Ele relata que homens – não apenas jovens e empobrecidos – estupram a fim de se sentir poderosos. Seu senso inato de superioridade, acreditam eles, os autoriza a descarregar suas frustrações em mulheres e crianças vulneráveis. Além disso, o estudo revelou que um em cada quatro entre os homens entrevistados admitiu ter estuprado, e não apenas uma vez.

E o mais perturbador é que nenhum deles parecia ver nada de errado em seus atos.

Existem, é claro, crianças nascidas como resultado de tais ataques. Elas, como todas as nascidas em prédios como o Ellis Park, enfrentam toda uma vida de desvantagem. Aqui, a maioria das crianças entre 0 e 5 anos é criada por apenas um parente – geralmente a mãe, que já tem dificuldades para sobreviver. Condições precárias de vida, alimentação inadequada e a sempre presente ameaça de infecção são obstáculos a enfrentar em base cotidiana. Se uma criança consegue superá-los, o passo seguinte – de ganhar acesso à educação – também é repleto de dificuldades.

A Igreja Metodista de Joanesburgo mostrou-se à altura do desafio e fundou uma escola fundamental. Porém, observa Donald, as outras igrejas "não se envolveram muito". Não há escolas suficientes, nem lugares suficientes, e a situação precária dos migrantes sem documentos pode se tornar demasiado pública se uma criança participar do sistema escolar.

Há crianças pequenas por toda parte esta manhã no Ellis Park. Posso ouvi-las à minha volta. Avisto-as de vez em quando, descalças, pobremente vestidas, os narizes constantemente escorrendo.

"Crianças demais", diz Judith puxando a sua menorzinha para os seus joelhos e confortando-a. "Demais, demais."

Fico conhecendo Melody, uma mulher com seus 30 e tantos anos. Ela é aberta, conversadeira. Tem uma comprida cicatriz irregular no rosto. "Uma briga num bar", diz ela, pesarosa. "No Zimbábue. Alguém jogou uma garrafa quebrada, e eu estava no caminho." Então ela sorri. "Não bebo mais cerveja", diz ela.

Mas ela vende. Até ontem, Melody tinha uma geladeira – uma das poucas no Ellis Park. Guardava cerveja ali e vendia as garrafas geladas com lucro. Mas hoje de manhã a polícia veio e confiscou a geladeira. Os *shebeens* – locais de venda de álcool – são ilegais. O ar de desespero que a cerca é tangível. Durante o tempo em que conversamos, ela torce constantemente as mãos e fica com o olhar perdido na distância.

As batidas policiais são frequentes nos edifícios. Eles não estão apenas procurando *shebeens*; estão, é claro, procurando os residentes na África do Sul sem documentos. Mas o trabalho deles é dificultado, pois os prédios têm centenas de lugares para se esconder, cantinhos minúsculos onde um homem ou uma mulher pode se encaixar – lugares diminutos que nenhum policial foi treinado para ver.

Melody está em Joanesburgo desde 2009. Como incontáveis outros, ela fez a viagem traiçoeira desde o Zimbábue atravessando o rio Limpopo. Veio em um grupo de cerca de 30 pessoas – mas era cada um por si, recorda-se ela. Ela pode ter viajado na companhia deles, mas não estava com eles. "Não eram amigos", diz ela. "Mas cada um de nós sozinho."

Aterrorizada com o risco de ser pega na fronteira e mandada de volta, Melody lembra-se da sensação, vadeando o rio até o queixo em água gelada. "A jornada levou uma semana, e eu não tinha passaporte. Estava tão frio! E eu tinha tanto medo de todos eles."

"Todos eles": os guardas da fronteira da África do Sul, que podiam mandá-la de volta se a pegassem, devido à falta de documentos – este foi o seu medo principal. Mas ela também sabia das histórias sobre outro terror: o Guma-Guma.

Em volta da cidade de Musina (Messina), na fronteira com o Zimbábue, MSF tem mais um projeto para beneficiar os migrantes. Em volta de Musina, uma gangue de bandidos chamada de Guma-Guma aterroriza os imigrantes recém-chegados. Sua perversão particular é o que Elias, um psicólogo de MSF, chama de "estupro constrangido". O Guma-Guma captura imigrantes quando estão atravessando a fronteira. Eles os capturam e então forçam os homens a estuprar as mulheres em um ambiente teatral – um palco elevado construído expressamente para esse propósito. Se eles se recusam, são eles mesmos estuprados – ou mortos. Se consentem, temendo por suas vidas, se tornam ao mesmo tempo vítimas e perpetradores de um ato de violência que os traumatiza. "Isso tem um enorme impacto psicológico", confirma Elias. Homens e mulheres vêm às clínicas de MSF – todos eles vítimas – arrasados pela experiência.

Melody fez a viagem desde a sua casa no Zimbábue por puro desespero. "Sem trabalho, sem dinheiro, sem comida", diz ela. Ela fez a jornada uma segunda vez, quando voltou para buscar o marido.

"Eu *tinha* de conseguir dinheiro para voltar", diz ela. "Eu *tinha* de trazê-lo para ficar aqui comigo."

Pergunto a ela como foi possível fazer aquela jornada traiçoeira de novo. Mas ela entendeu mal e desviou os olhos de mim. Vejo por um instante a sua expressão facial e fico horrorizada ao ver o que ela pensa que estou perguntando.

"Não me lembro", diz ela. "Não me lembro de como consegui o dinheiro."

Melody é uma das muitas operárias do sexo no Ellis Park. Ela não tem nenhum tipo de emprego, nem o marido. Além disso, está doente: tossindo sem parar há meses. Parece exausta. É HIV positiva, mas cuida de si, diz ela. Vai à clínica e confere a sua contagem de CD4 regularmente. O marido também está infectado. Ela está ansiosa por me contar que o seu filho de 19 anos está livre da infecção.

Tem um bom relacionamento com o marido agora, diz ela. Não foi sempre assim. "Ele era infiel." Seu rosto se anuvia. "Homens. Eles vão para a cama com qualquer coisa." Ela aponta um dedo irado na direção do grupo de mulheres ainda sentadas do outro lado da rua. "Há rameiras demais por aqui", diz ela. "Rameiras que tentam roubar o seu marido." Sua face descai de repente. "Nós não temos nada." Posso ouvir o desespero outra vez. "Preciso arranjar trabalho. Preciso de dinheiro. Não tenho identidade. Nem o meu marido, nem o meu filho. Não temos nada pelo que esperar."

Caroline conhece bem as privações que levam as mulheres à prostituição, um dos maiores problemas nos edifícios. "Não há nada aqui", repete ela. "Nenhuma perspectiva de trabalho. Muitos dos homens jovens que vivem nos edifícios são ladrões ocasionais. Eles agridem as pessoas e roubam lojas, carros, o que puderem."

Um pequeno número de homens encontra emprego – às vezes como trabalhadores temporários em construções, às vezes lavando carros, às vezes – e Caroline é bem consciente da ironia – como seguranças. Mas a maioria não tem nada. "Fuma-se muita maconha por aqui", diz ela. "Também há muitos homens suicidas – homens que não têm nenhuma perspectiva de sustentar suas famílias."

Para as mulheres, as perspectivas são igualmente desoladoras. Algumas encontram trabalho como domésticas, algumas lavando roupa, trabalhando por empreitada.

Para as operárias do sexo, a ameaça das doenças é real e constante. A presença aqui de MSF é como uma boia de luz na borrasca. Sua presença é sentida não apenas em termos de educação de saúde e serviços, mas no calor humano dos trabalhadores individuais que oferecem uma mão amiga, totalmente isenta de julgamentos. Seu trabalho inclui despertar a consciência para as questões de saúde nos casos de expulsão e agir como advogados para os migrantes sempre que necessário. Eles se esforçam por assegurar sempre aos migrantes um acesso equânime aos serviços de saúde pública de Joanesburgo – um acesso sem discriminações.

Observo Donald, que acaba de vestir a jaqueta branca de MSF por cima do seu próprio casaco de couro. Do lado de fora do prédio, ele se apoia despreocupadamente contra a parede, examinando um jornal. Os homens vêm até ele. Há gracejos, risadas; uma pequena multidão se reúne em volta dele. Ninguém tem pressa de ir embora.

Donald, como Caroline, como Melt, é apaixonado por seu trabalho. Ele me fala do êxodo em massa do Zimbábue em 2008, devido a um grave surto de cólera. Isso, com a violência e as sérias condições econômicas, impeliu as dezenas de milhares de migrantes sem documentos para a África do Sul.

Em um mês – dezembro de 2007 – 30 mil migrantes zimbabuanos chegaram a Joanesburgo. Cerca de 4 500 encontraram abrigo na Igreja Metodista Central, sob a corajosa proteção do bispo Paul Veryn. Donald lembra-se de como ele e seus colaboradores se perguntavam: "Aonde foram parar todos os outros?" Eles logo descobriram a resposta a essa pergunta.

A falta de situação legal dos migrantes ao chegar à África do Sul os impelira para os subterrâneos – em todos os sentidos –, tamanho era o seu terror da deportação. Eles afluíram em massa para "os edifícios". A Equipe de Aproximação de MSF trabalhou incansavelmente para estabelecer um relacionamento com os donos dos cortiços, que poderiam ajudar a localizar os esconderijos dos recém-chegados e encorajá-los a procurar ajuda. As pessoas estavam doentes, e a vida nos edifícios estava deixando-as ainda mais doentes. Elas precisavam de algum lugar para ir.

"Precisamos conscientizá-los de sua saúde", diz Donald. "Precisamos ensinar-lhes mecanismos para lidar com as dificuldades – a tirar o máximo de ambientes que estão longe de ser ideais."

Os empregos eram raros; acomodações adequadas e acessíveis, ainda mais. "Os edifícios foram ocupados porque eram baratos – mas frequentemente não dispunham de eletricidade e banheiros. Muitas vezes havia uma única fonte de água para centenas de pessoas – ou mesmo nenhuma."

A Equipe de Aproximação de MSF começou a visitar os edifícios, mudando o "enfoque" da mensagem em cada um, como explica Donald: "Onde havia crianças, enfatizávamos a imunização. Onde havia muita prostituição, enfatizávamos o sexo seguro. Ficávamos mudando a mensagem, conforme a necessidade".

Mas, acima de tudo, a Equipe de Aproximação de MSF tornou possível o acesso aos serviços de saúde para aqueles que estavam aterrorizados demais para procurá-los sozinhos. Eles acompanhavam os pacientes ao posto de saúde mais próximo; encorajavam os relutantes a se submeter ao teste de HIV, a entender o seu estado; se tornavam os advogados e protetores para o acesso dos migrantes aos serviços de saúde. Toda a equipe tinha plena consciência de que a falta de documentos deixava muitos migrantes apavorados com a possibilidade de entrar em conflito com o sistema oficial.

No caso dos doentes com HIV e TB-RD, o objetivo é manter os pacientes sempre "aquiescentes com a medicação", diz Donald. "Acima de tudo, nós queremos evitar a reinfecção." Parte do trabalho era ficar com os pacientes "o tempo todo".

De acordo com Sharon Ekambaram, chefe da Unidade de Programas, um dos muitos desafios com que se deparam a MSF em Joanesburgo é similar ao enfrentado quando eles confrontaram o estigma em torno do HIV e TB na Cidade do Cabo. A tarefa, diz ela, é propiciar "dignidade e respeito aos trabalhadores migrantes" – do mesmo modo como eram exigidos dignidade e respeito para com os que sofriam com HIV: "uma doença como qualquer outra".

Um dos maiores problemas com a aglomeração e as condições precárias é que a TB pode ter, e tem, recaídas. Existe também a constante ameaça de infecção cruzada nos edifícios: com o espaço escasso e caro, os estrangeiros são forçados a compartilhar tudo. Inclusive camas.

A Equipe de Aproximação de MSF é visitante frequente, muito conhecida e merecedora de confiança aqui, no Ellis Park. Suas intervenções incluem armar sua tenda de vez em quando na cobertura plana do edifício, onde não serão perturbados. A partir dela, oferecem aconselhamento confidencial sobre HIV e TB.

Eles distribuem de tudo, de conselhos a camisinhas grátis, na cordialidade de uma interação humana amistosa.

De volta à clínica na Rua Pritchard, converso com Sharon Moyana, a vice-diretora. A própria Sharon vem do Zimbábue, onde obteve qualificação como enfermeira. Ela deixou o seu país – legalmente, com passaporte – porque não podia suportar as coisas com que era forçada a lidar no hospital onde trabalhava. Ele foi especialmente prejudicado pela economia em colapso. "Não havia sangue para transfusões, nem máquinas, nem medicamentos – os pacientes estavam morrendo às centenas devido à falta de recursos e à má administração."

Ela começou a trabalhar com MSF em Joanesburgo em 2007 e se tornou assistente de saúde em 2008. Naquele ano, seu foco principal estava em administrar as equipes que lidavam com os resultados da irrupção de ataques xenofóbicos. "O Hospital Geral de Joanesburgo não aceita pacientes sem documentos", diz ela. Esse trabalho coube a MSF e outras ONGs. "Elas fizeram uma diferença real em tempos de crise."

Mesmo aqueles que chegam legalmente à África do Sul, ou aos quais é concedido o *status* de refugiado, não têm uma vida fácil. Suas histórias também são angustiantes. Sharon me apresenta a Lisa. Ela é uma mulher jovem, com 30) e tantos anos, extremamente tímida e nervosa. Em 1992, fugiu do seu Congo natal com a família para a Tanzânia. Seu pai era um hútu, correndo risco constante de ser assassinado. "Os hútus estão sempre em perigo", diz ela. "Nós sabíamos que estaríamos mais seguros aqui." Eles vieram juntos para a África do Sul em 2007, fugindo de novas perseguições no seu país adotado. Entraram na África do Sul como refugiados, os três juntos, confinados e ocultos na traseira de um caminhão.

O pai de Lisa morreu pouco depois de lhes terem sido concedidos os papéis de que precisavam: seu *status* agora era legal. Ela conseguiu trabalho em uma confecção, fazendo macacões e aventais, e ajudou a sustentar a mãe. Agora está casada e tem um filho de 2 anos. Seu marido lava carros.

Mas ela me conta que não se sente bem a maior parte do tempo. "Meu estômago, minha cabeça. Um amigo do Congo me contou sobre esse lugar. Espero que eles possam me fazer melhorar."

É óbvio como o passado a afetou. Ela fica constantemente olhando para a porta, fala em voz tão baixa que tenho de me esforçar para ouvi-la. Ocorre-me que posso parecer uma interrogadora para ela – claramente, fica pouco à vontade na minha presença.

Apertamos as mãos, agradeço, e ela parte – agradecida, eu acho – e fecha a porta ao passar.

Sinto como se tivesse sido arremessada em uma realidade alternativa – coisa que, de muitos modos, é verdade. Desde o momento em que cheguei a Joanesburgo, estou correndo. É o único jeito de acompanhar a extraordinária ética de trabalho demonstrada por todos aqueles que encontro na sede da missão de MSF em Melville e no escritório do centro da cidade. A energia deles é uma presença quase física.

Na minha primeira manhã, conheço Mirko, que está a caminho de KwaZulu-Natal (KZN) para o mais recente projeto de MSF. Mirko é um especialista em logística: seu trabalho em KZN agora é estabelecer a nova clínica antes que cheguem os paramédicos e os estagiários. Isso inclui encontrar acomodações, empregar motoristas locais confiáveis, assegurar-se de uma segurança estrita para todos os que estarão vivendo e trabalhando aqui.

KZN tem um dos mais elevados índices de HIV da África do Sul. Em algumas áreas, uma em cada duas pessoas é afetada. É por isso que MSF está seguindo para lá: mais um lugar onde podem fazer a diferença. O objetivo será tratar o maior número de pessoas possível com TAR, para reduzir a possibilidade de disseminação da doença.

Mirko se agita pela sede da missão de um lado para outro como um furacão.

Durante o café da manhã encontro Elias, um psicólogo, e Stefano, um dos médicos que trabalham na clínica da Rua Pritchard, no centro de Joanesburgo. De início, Stefano parece relutante em se envolver com as minhas perguntas. Ocorreu-me depois que eu não devia ter ficado surpresa: quem quer ser submetido a um questionário na hora do desjejum sem ter tomado sequer um café? Mas estou ansiosa por perguntar a Stefano sobre o trabalho que ele faz, sobre o que em primeiro lugar o trouxe a MSF.

Sua resposta é que não está fazendo nada de inusitado, nada merecedor de louvores ou reconhecimento. É como uma fala decorada, uma resposta padrão que ouço repetida e seguidamente em toda a minha estada – por ele, por Elias, por Gabriele e por Borrie. Quando eu o desafio dizendo que uma grande medida de satisfação com o trabalho não diminui o valor da obra que está sendo feita, Stefano finalmente sorri. Nós nos tornamos amigos. Ele, como alguns dos outros, se irrita com as severas restrições que a vida em Joanesburgo lhe impõe.

Olho para as detalhadas, extensas regras da política de segurança afixadas às paredes da cozinha. Há dúzias de regras a obedecer, e obedecer ao pé da letra, a fim de se manter seguro. Todos nós andamos de carro juntos, com nossos itens de valor escondidos no porta-malas. As portas permanecem trancadas até chegarmos ao nosso destino. Jamais devemos usar o telefone celular no carro – ou, na verdade, em qualquer lugar público.

E se formos assaltados, nunca, jamais resistir ou barganhar: entregar tudo, o que quer que seja, e seguir em frente.

Gabriele Santi é coordenador do projeto em Joanesburgo. Conversamos sobre Dublin, onde Gabriele passou dois anos como estudante no Trinity College, preparando-se para um mestrado. Conversamos sobre como mudou a minha cidade natal.

O trabalho e os estudos de Gabriele sempre giraram em torno dos marginalizados – da Itália à Etiópia, do Paquistão a Malta. E, finalmente, da África do Sul.

Ele me conta que em Soweto há aproximadamente dois milhões de habitantes. Em Alexandra, um milhão. As cidades aqui na África do Sul estão se expandindo em um ritmo alarmante: Joanesburgo e Pretória já são quase "megalópoles" – com todos os problemas sociais trazidos por uma expansão não planejada e descontrolada. Falamos sobre os problemas políticos e econômicos que trazem tantos migrantes à África do Sul. Entre eles, o colapso da agricultura no Zimbábue.

"As cidades significam sobrevivência", diz ele. "O que estamos vendo é uma urbanização em grande escala de pessoas pouco qualificadas." Em Joanesburgo, a municipalidade está ansiosa por reclamar os edifícios que se tornaram lar para tantos migrantes. "Eles querem reduzir o número de pessoas no centro da cidade, deportar os zimbabuanos para o lugar de onde vieram." Ele também está preocupado com o que irá acontecer quando a moratória da deportação terminar no fim deste ano.

Ironicamente, aqui há também alguns direitos adquiridos. Muitos dos cortiços, como o Ellis Park, pertencem a indivíduos privados e são administrados por empresas privadas. Fazem pouca, ou nenhuma manutenção: em um caso recente, MSF administrou a remoção de 200 metros cúbicos de detritos que se acumularam porque não havia nenhum serviço municipal para recolhê-los.

O medo constante de despejo, bem como de deportação, significa que nenhuma comunidade viável pode se desenvolver no meio da enorme população migrante que vive nos notórios cortiços. Em vez disso, há uma "luta individual pela sobrevivência". Os residentes "têm medo dos seus senhorios", diz Gabriele, "e se sentem obrigados a sujeitar-se a eles, e não necessariamente aos comitês de residentes que às vezes se formam nos edifícios."

Afinal, na maioria dos casos, os senhorios sequestraram os cortiços e assumiram o controle. Embora a situação exata de poder não esteja clara, a ameaça de despejo, de ser jogado na rua sem aviso prévio, é constante.

Mas essa marcante ausência de quaisquer grupos sociais coesivos também significa que a mensagem da prevenção de HIV e TB se torna ainda mais difícil de transmitir.

De mãos dadas com os projetos existentes em Joanesburgo, aqueles que se concentram ao redor da população migrante e que proveem tratamento para HIV/TB como educação de saúde, a MSF acaba de embarcar num novo estudo. As equipes de Joanesburgo começaram um levantamento entre a população migrante para acessar as suas necessidades de saúde mental. Cuidar do "físico" não é suficiente. "Precisamos saber quanto aconselhamento psicológico precisa ser providenciado."

Mas Gabriele é muito claro quanto ao papel de MSF. "Estamos aqui para apoiar e melhorar o acesso aos cuidados de saúde para os migrantes. O que queremos conseguir é incrementar o comportamento de procura por serviços de saúde por parte dos migrantes. Nosso objetivo é capacitar o sistema de saúde pública da municipalidade, bem como o departamento de saúde provincial, a prover serviços a essas populações invisíveis de acordo com as diretivas nacionais declaradas."

Agora é sexta-feira à tarde, e a minha estada em Joanesburgo está chegando ao fim. Peço a Sharon Ekambaram que me conte mais a respeito da "época da crise", que foi em 2008, a época em que os ataques xenofóbicos incendiaram as *townships* em volta de Joanesburgo. Sharon, chefe da Unidade de Programas na África do Sul, é como seus colaboradores, ao mesmo tempo profundamente comprometida com o trabalho que está sendo feito por MSF e apaixonada por ele.

Como acontece em todas as situações explosivas, os fatores envolvidos nos ataques de maio de 2008 contra os nacionais estrangeiros são complexos e variados. Sharon explica que, desde o fim da era do apartheid, as muito necessárias transformações radicais na economia da África do Sul não aconteceram. As feridas deixadas por 50 anos de um regime profundamente desagregador, violento e corrupto provaram ser grandes e profundas demais. Hoje, apenas duas em cada cinco pessoas na África do Sul estão empregadas. A pobreza é endêmica, multigeração. O acesso à saúde é difícil, a despeito da nova constituição, que é ao mesmo tempo radical e inclusiva na sua garantia de acesso universal aos serviços, independentemente do lugar de origem do indivíduo.

Durante o tempo de "violência selvagem" no Zimbábue em 2007 e 2008 – para não mencionar o surto de cólera –, houve um êxodo em massa daquele país. Dezenas de milhares de migrantes afluíram através da fronteira para a África do Sul. Eles estavam literalmente fugindo para salvar as próprias vidas. Quando aqueles migrantes chegaram em massa às *townships*, que já estavam superlotadas e lutando para sobreviver, explodiu o ódio. O resultado foi que "os mais pobres entre os pobres lutaram uns contra os outros" pelos recursos escassos. Somente certas comunidades foram afetadas – notadamente as *townships* de Alexandra, Rhamaphosa e Primrose.

E me pergunto se a expressão "ataques xenofóbicos" explica metade que seja da história. "As afiliações tribais certamente entram na mistura", afirma Sharon, "e havia também a sugestão de que alguns ataques foram politicamente motivados." Xhosa contra zulu: ou os apoiadores da ANC no governo contra os afiliados ao partido Inkatha, da oposição. Ou talvez até uma política local, onde os líderes das *townships* perceberam que as suas bases políticas estavam sendo solapadas pela chegada de tantas pessoas que poderiam potencialmente usurpar suas posições. O papel desempenhado pelos sindicatos também diminuiu nos anos recentes, devido às mudanças sísmicas na sociedade da África do Sul. No passado, eles agiam como uma força unificadora, como um ponto de convergência para a "solidariedade em nome da sobrevivência". Mas sua influência, ou sua liderança, parece não estar à altura dessa tarefa hoje em dia.

Antes dos ataques de maio de 2008, houve ataques esporádicos contra lojistas somalis e paquistaneses nas *townships* em volta de Joanesburgo: eles foram acusados de prejudicar os negócios sul-africanos. Somando-se a essa potente mistura está a realidade de que os sul-africanos pós-apartheid se tornaram altamente intolerantes em relação a estrangeiros. Paradoxalmente, tentativas de construir uma nação sul-africana coesiva, independente e inclusiva podem ter levado a uma hostilidade crescente contra os de fora.

Não importa a complexidade das razões subjacentes, as tensões que transbordaram em violência escolheram os nativos de outros países como o alvo dos seus ataques.

Considerando o campo minado político e econômico que tem sido o Zimbábue durante tantos anos, os números sugerem que a quantidade de nacionais zimbabuanos na África do Sul está agora perto dos 5 milhões. No auge da crise de 2008, houve "120 mil pessoas deslocadas" de origem avassaladoramente zimbabuana recém-chegadas à África do sul. O governo sul-africano os chamou de "deslocados" em vez de "refugiados". Sharon vê isso como significativo: ser um "refugiado implica certa responsabilidade" da parte da nação hospedeira. Enquanto, sugiro eu, ser um "deslocado" talvez signifique que a "relocação" no país de origem é a meta. Deportá-los. Mandá-los para casa.

As palavras de Sharon repercutem algo que me lembro ter sido dito por Graca Machel alguns anos atrás. Ela enfatizou que a migração é algo com que todos teremos de conviver – não só os sul-africanos, mas toda a comunidade internacional. A migração é um fato da vida: seja por razões econômicas, razões políticas ou mudanças no clima. Vivemos em um tempo de populações migrantes.

E hoje, em lugar nenhum essas mudanças são mais aparentes do que aqui.

Não pela primeira vez desde que cheguei à África do Sul, fico forçosamente chocada pela ausência de ações visíveis de parte da comunidade internacional. O que, pergunto, estão fazendo todas as organizações a respeito deste desastre humanitário? Onde está o Alto Comissário das Nações Unidas para os Refugiados (ACNUR)? A Organização Mundial da Saúde (OMS)?

Em primeiro lugar, em relação a lidar com a epidemia de TB-RD que grassa desenfreada – e não apenas em Khayelitsha; e em segundo lugar, com a ajuda para aliviar o sofrimento de centenas de milhares de refugiados na miséria, desalojados e sem *status* legal. "A comunidade internacional não tem nenhum modo formal de lidar com a migração", diz Sharon, "e nenhum fundo global. Mas isso precisa ter uma solução internacional." Além disso, organizações internacionais como União Europeia (UE), ONU e ACNUR carecem da força necessária "para fazer com que os Estados responsáveis respondam por seus atos".

Enquanto isso, a realidade cotidiana em Joanesburgo é que os migrantes continuam a ser tratados como sub-humanos. Ironicamente, de muitos modos, o tratamento dos trabalhadores migrantes na África do Sul neste momento espelha o tratamento das populações negras e *coloured* sob o apartheid.

Um dos muitos legados daquele regime é que a discriminação se tornou "normal e institucionalizada"; segmentos inteiros da população foram considerados como estereótipos de criminosos, e, em última análise, o sistema deu origem à crença de que "a vida não vale nada".

E então, aonde vamos?

Vinte anos de governo do CNA não tiveram o impacto que seus apoiadores teriam desejado. A África do Sul ainda é uma nação em transição, enfrentando enormes desafios em todas as áreas de desenvolvimento. A crise do Zimbábue pode ter tido o efeito de concentrar a atenção do governo em sua imagem na mídia internacional: ele bem pode estar ansioso por evitar novos constrangimentos – mas isso pouco ajuda em termos imediatos para aliviar o sofrimento dos trabalhadores migrantes.

No difícil espaço que existe entre o impacto do passado e as possibilidades do futuro, MSF continua a intervir. A organização leva esperança aonde pouca existia antes e dignidade aonde faltava e provê as ferramentas e a educação focalizadas em fazer diferença.

De volta para casa, na Irlanda, descubro que muitas imagens se recusam a perder intensidade semanas depois que outras desapareceram. Algumas parecem ter cada vez mais domínio sobre a minha memória, minha imaginação – e até meus sonhos. As crianças e sua exuberante "dança das botas". Os membros dos Clubes de Aderência, suas vidas mais saudáveis do que jamais poderiam ter sem a vigorosa intervenção de MSF. Judith e Melody, cujos dias têm tão pouca luz: real ou metafórica.

E então, há outros momentos: a colmeia de atividade que era o escritório de MSF em Khayelitsha, enfeitado com camisetas verde-limão. Ignácio e Miguel, debruçando-se sobre bancos de dados bem depois da meia-noite em Melville. A sensação, em toda parte, de dedicação, de concentração na visão global. Teria sido fácil, talvez, ser sentimental e acreditar que essa experiência ajuda a equilibrar um mundo que está tão seriamente confuso.

Mas a única coisa que sei é que Martin Luther King estava certo. O mal prospera, disse ele, não só porque os homens perversos fazem o mal, mas porque "os homens bons não fazem nada".

Vi com meus próprios olhos a diferença feita por mulheres e homens que não estão presentes. Por uma organização que intervém, que faz alguma coisa – e uma coisa cuidadosamente estruturada, meticulosamente gerenciada e inspirada por entusiasmo e boa vontade.

Intervir em situações catastróficas e despertar consciência para o seu trabalho, esses são os pilares da declaração de missão de msf.

Sou privilegiada por ter sido parte, não importa quão insignificante, dessa última afirmação.

Abril de 2011

TRADUÇÃO DE RICARDO GOUVEIA

•

África do Sul

Segundo a OMS, na África do Sul o número aproximado de soropositivos seria de cerca de 5,7 milhões, um número próximo a 17% da população mundial infectada.

Em 1999, com a colaboração das autoridades locais de saúde, a MSF iniciou um programa integrado para o tratamento da coinfecção do HIV/aids e da tuberculose (TB) em Khayelitsha, área na periferia da Cidade do Cabo, caracterizada pela taxa de infecção do HIV/aids mais elevada do país, e onde 71% dos pacientes soropositivos atendidos pela MSF também estavam infectados pela TB. O tratamento com o antirretroviral (ARV) foi introduzido em 2001, e, desde então, já foram atendidos mais de 17 650 pacientes em Khayelitsha.

No centro de Joanesburgo, a MSF mantém uma clínica próxima a uma igreja que sempre foi um porto seguro para os imigrantes que residem nas favelas da cidade.

Segundo estimativas, no centro urbano de Joanesburgo existem cerca de 1 300 edifícios em condições inadequadas de habitação. Os moradores desses locais vivem em extrema pobreza, em ambientes superlotados e insalubres, que põem em risco sua saúde e segurança pessoal.

Em 2010, as equipes de MSF visitaram 40 desses edifícios e atenderam 2 100 pacientes.

A MSF atua na África do Sul desde 1999.

Imigrantes ilegais,
moradores de um
prédio abandonado na
ilha de Lesbos, Grécia
© Yannis Kolesidis

Alicia Giménez Bartlett

A proposta

FOI POR E-MAIL. Uma mensagem de *Medici Senza Frontiere*. Estava escrita de maneira simples e direta. Imediatamente entendi o projeto: escritores que viajam a diversos países em missões e oferecem seu testemunho do que viram por escrito, em um conto. Bom, colaboro com a MSF mensalmente, há anos. Graças a essa proposta, poderei fazer isso de modo direto. Gosto da ideia. O fato de que quem solicita a minha participação é o braço italiano da ONG não é novidade para mim. Sei que na Itália gostam de mim, sou quase uma protegida. Há poucos anos fui convidada para a reunião anual do Pen Club, em Nova York. As instituições culturais dos países participantes organizaram recepções para seus escritores, mas o Instituto Cervantes não me convidou. O embaixador italiano foi quem me mandou um convite para comparecer a um jantar na Embaixada. Eu era a única estrangeira. Nenhum problema, muito melhor. Estar rodeada de italianos que me tratam com a familiaridade com que tratariam a minha personagem Petra Delicado começa a ser algo natural para mim. A lembrança da festa me faz sorrir e, levada por uma euforia solidária de poder ajudar com palavras uma ONG que admiro, nem penso mais: escrevo uma resposta para o e-mail aceitando a proposta.

A rapidez com que trabalha o correio eletrônico faz com que o que escrevi desapareça da tela, e fico diante do e-mail que recebi. Eu o leio novamente. E, como que num encantamento, começam a surgir coisas que, posso jurar, há um momento não estavam lá. Sinto uma pontada de inquietude ao prestar atenção nas frases anunciando que o escritor viajará a uma das missões que "*Medici...*" têm agora funcionando pelo mundo. Pelo mundo! Céus, isso é muito vasto. E "Médicos..." raras vezes realizam ações humanitárias em países pacíficos e próximos. Penso, de repente, que me precipitei aceitando. Gosto cada vez menos de viajar, e minha ânsia por aventuras sossegou há muitos anos. Será que não me enviarão a algum terrível país da África negra, onde serei assediada por mil incômodos e verei misérias incontáveis que farão meu coração se contrair? "Um momento!", digo a mim mesma, "se pensar que um mínimo contratempo me deixa histérica, onde fica o meu sentido de vida solidário?" Um escritor deve saber enfrentar o mal se quer conhecer o sofrimento humano. Além do mais, sempre acreditei que escrever comporta um dever moral de ajuda aos desfavorecidos, a luta contra a injustiça. Esta é a minha ocasião, concluo, e procuro deixar de pensar.

Meu marido me acompanha em algumas viagens de trabalho. Depende do que seus afazeres permitem; depende também do tipo de viagem. Desta vez decide vir comigo. Como digo, ambos somos sócios da organização na Espanha, e ele sente curiosidade em saber como se trabalha numa ONG de tamanha envergadura.

Chegamos a Atenas num dia ensolarado e quente de outubro, demasiado quente para a época. Já visitei a cidade em quatro ocasiões anteriores, a última faz apenas quatro anos. Não obstante, e como sempre, me surpreende uma vez mais: parece ter empreendido uma louca corrida para a modernização. Como europeia, compreendo-a, mas, se me coloco na pele de um turista, isso me perturba muito. Ainda me lembro daquela cidade caótica em que cada habitante parecia viver em liberdade desordenada (sempre a visitei depois da época dos coronéis). Agora não, agora uma enxurrada de carros ocupa as amplas avenidas, e a obesidade à moda americana está presente em várias pessoas que passeiam pela rua.

Minha correspondente italiana, chegada há pouco de Roma, tem pouco a ver com o estereótipo da mulher italiana. É loira, de pele clara e olhos azuis. Demonstra uma nítida timidez. Tem 30 e poucos anos e é jornalista por profissão. Enquanto jantamos, nos conta quais são as suas atuações em MSF. Fico bastante surpresa quando me enumera todas as viagens que precisa fazer como jornalista e coordenadora de vários projetos. Penso que, se eu estivesse em seu lugar, renunciaria ao meu trabalho ao final de três meses. Estresse demais. No entanto, ela aparenta tranquilidade. Veste uma camiseta preta da MSF que, desde então, se torna um desejo para mim. Vou pedir uma e estou quase certa de que me mandará quando isso tiver terminado.

No dia seguinte tenho duas reuniões; uma com a assessora de imprensa da MSF na Grécia, que virá conosco na aventura, e outra com a chefe da missão da organização. A primeira é jovem e tem a vitalidade de um pássaro, uma grega estilizada e graciosa que já conhecia sua colega italiana. A segunda é uma mulher da minha idade, loira e robusta, holandesa. Tomamos um chá, e ela me faz uma lista geral do que vou ver nas suas missões na Grécia. É assim que chamam, "uma missão", também "projeto". Fico sabendo que no dia seguinte iremos a Alexandrópolis, uma pequena cidade costeira do norte, sem turismo estrangeiro. Ali perto, visitaremos dois centros de detenção temporária de imigrantes ilegais. A chefe da missão conta que neles há duas equipes de sua gente.

Vão todos os dias e ficam sabendo das dificuldades dos detentos. Ajudam-nos social e psicologicamente. Observo que, à medida que vai falando, seu rosto vai se carregando de uma expressão de cansaço cada vez maior. Pergunto-lhe quais são essas dificuldades, e ela sorri vagamente.

"Todas", responde. "São pessoas que chegam até aqui como podem. Muitas vezes são vítimas das máfias, que as transportam cobrando altas quantias e em seguida as abandonam à própria sorte. As fronteiras do sul foram sendo fechadas, e agora o lugar que registra o maior número de entradas fica no norte. São georgianos, norte-africanos, paquistaneses e, ultimamente, muitos afegãos. Fogem da fome, buscam trabalho. A Grécia é a porta para a Europa. A Alemanha, a sua Meca. Eles são colocados nos dois campos que você vai visitar, amontoados, dependentes por completo da polícia, sem tradutores, sem ninguém sequer os informar de que seu tempo máximo de detenção é de três meses. É terrível, você vai ver."

"A ajuda é somente médica?"

"Não mais, conseguimos que nomeassem médicos permanentes, subordinados ao governo grego; mas eles necessitam, sobretudo, de apoio psicológico. As condições de trabalho da nossa equipe são tão extremas e a nossa gente sofre uma pressão tão grande que somos obrigados a trocá-los a cada dois ou três meses. Acabam exaustos, destroçados."

Vejo como ela toma dois goles seguidos de chá, como fixa o olhar em algum lugar onde nunca estive. A expressão de cansaço é agora infinita, profunda, quase filosófica. Às perguntas pessoais que lhe faço, responde que está há muitos anos na organização, que já viu coisas terríveis, que sem dúvida a atividade tende a devolver-lhe uma certa paz. Não vejo nela a alegria que, segundo os católicos, emerge do coração ao se ajudar o próximo. O que vejo é a dureza de enfrentar problemas que nós, os demais, conhecemos só de ouvir falar ou desconhecemos de todo. De repente sorri mais tranquila, e falamos das novelas, de Petra Delicado. Ela me pede títulos para comprar um livro em inglês, e eu lhe digo que não o faça: prometo enviá-lo autografado, em tradução holandesa.

"Me disseram que Petra é uma mulher de pegar em armas."

"Não pense que eu sou como ela!"

Finalmente ela ri. Tem uma risada bonita, como se sentisse uma espécie de gratidão por poder rir.

Esta noite vou para a cama relembrando alguns dados que a chefe da missão me forneceu. São impactantes, mas me soam como artigos que já li em jornais, como programas vistos na televisão. O problema da imigração ilegal não é novo para quem se mantém informado.

Há, no entanto, uma coisa que não consigo tirar dos meus pensamentos: o rosto da chefe da missão expressando uma resignação prévia com o desencanto. Por quê? Ela trabalha intensamente, e a organização à qual pertence obtém excelentes resultados. Por que então aflora a amargura em seus olhos?

Acordamos muito cedo para ir ao primeiro campo de detenção provisória, mas antes devemos passar pelo escritório da MSF em Alexandrópolis. É um lugar muito pequeno, onde se instalaram um tanto precariamente, mas parece estar cheio de vida e funcionando à plena capacidade. Lá conheço parte da equipe: a psicóloga, a coordenadora de projeto local e dois tradutores: um afegão, outro sírio. Características comuns? Todos são muito jovens. Sou informada de que os dois tradutores vieram de um dos dois centros de detenção. Foram resgatados pela organização para fazer algo básico: entender-se com os detentos. Entre os dois dominam o árabe, o urdu, o persa e o pashtu. Com o resto da equipe, os gregos, eles falam inglês.

Minha primeira entrevista é com a coordenadora. Ela me diz que a grande dificuldade que a polícia encontra para a repatriação é o silêncio. Nenhum daqueles homens, na maioria jovens, quer dizer de onde veio. Eles preferem uma sorte aleatória à segurança da miséria em seu próprio país. Afirma que os maiores problemas que enfrentam não são médicos, e sim psicológicos. Então me apresenta a psicóloga e me deixa com ela enquanto vai preparar um chá.

Esta segunda jovem é loira, ereta, séria. Comecei a escrever em um caderninho que comprei para a ocasião. Anoto a informação que me dá com a presteza de uma aluna atenta aos detalhes. Ela começa a falar:

"Todos sofrem de um sintoma prévio de qualquer doença: a frustração. Conceberam ilusões viajando até aqui, arriscaram dinheiro e às vezes a vida. Para quê? Quando já estão quase alcançando o objetivo, a polícia os detém e prende num lugar do qual nada sabem, nem sequer se sairão de lá algum dia. Consequentemente tratamos muitas depressões pós-traumáticas; tentamos orientá-los, animá-los, dizer-lhes que a detenção que sofreram é algo passageiro. Voltarão a ser livres, embora para eles, sem trabalho e sem a menor possibilidade de progredir em seu lugar de origem, pouco signifique a liberdade."

Sigo tomando notas, um jeito de não ter de ouvir aquelas trágicas narrativas de braços cruzados, como se estivesse em uma frívola conversa entre amigas. De repente, a psicóloga me surpreende:

"Não quer me perguntar alguma coisa?"

Descubro que não sei em que direção seguir; faz algum tempo que perdi a noção de qual é a dimensão real desta história. Não tenho nenhuma referência jornalística para dar uma olhada. Então, me ocorre:

"A polícia os trata mal?"

"Não. Eles fazem o que podem, mas possuem recursos econômicos limitados e ordens estritas a cumprir. A polícia trata-os com humanidade. Algumas vezes já tive que tratar profissionalmente um policial que entra em depressão ao observar a situação humana que enfrentamos. Não gostam desse destino, me dizem que ser policial não é ser carcereiro de pessoas inocentes, reagem mal."

Bem, já concluímos a parte teórica da questão e agora vamos às visitas. Temos de nos deslocar uns 50 quilômetros pelo campo até o centro de detenção de Venna. Somos muitos, demasiados para a pequena caminhonete na qual normalmente viaja a equipe. Pensam em alugar um carro, mas lembro-me de que meu marido havia alugado um para conhecer os arredores enquanto trabalho e ofereço como alternativa. Ficam entusiasmados, então telefono para ele e proponho que seja nosso motorista. Ele aceita, apesar de saber que não poderá nos acompanhar no interior do centro, porque não possui autorização. Nós o apanhamos no hotel, e nossa pequena expedição de dois carros começa sua jornada. No nosso carro viajam as duas assessoras de imprensa, a italiana e a grega. É um Micra vermelho, que corre a toda velocidade. Meu marido é um motorista latino, impetuoso e nada paciente; de modo que, depois de algum tempo seguindo a vagarosa caminhonete, decide nos ultrapassar a toda e esperar mais adiante na estrada. Nossas duas jornalistas se divertem como loucas com essa atitude; sobretudo a italiana, já que para ela essa forma de dirigir não é novidade.

Vamos transitando por uma paisagem verde, maravilhosa, idílica. Há fazendas e pequenas aldeias, jardins cheios de flores. Um lugar da Grécia inusitadamente fértil, nada semelhante às ilhas ou à costa, secas e dominadas pelo ar salobro do mar. Depois de nos embrenharmos por caminhos cada vez mais recônditos, chegamos ao lugar. Trata-se de uma antiga estação ferroviária abandonada, onde o depósito de mercadorias foi transformado em centro de detenção.

Já fui informada de que, caso a polícia me faça perguntas, não devo dizer que sou escritora. Posso escolher entre médica ou psicóloga, profissões que não correm o risco de ganhar posteriormente uma publicidade negativa. Saímos do carro, e me dão uma espécie de avental branco da MSF. Visto-o como os demais. Meu marido vai embora, e eu tenho na mão as credenciais que me permitirão entrar. O que fazemos sem que haja perguntas nem problemas. Arregalo os olhos: acabo de descobrir que o chamado "centro de detenção temporária" não é outra coisa senão uma prisão. Há duas enormes celas, com grossas barras de ferro. Nós nos aproximamos. Um grande número de homens jovens se aproxima das grades. Fico chocada, muda, horrorizada. Nunca havia visto homens enjaulados. Meu coração dispara, me dói a cervical. Os homens me olham porque sou nova no grupo. Não sei que expressão facial adotar: tento um sorriso débil e em seguida constato, sombria, que alguma coisa desmoronou dentro de mim.

A psicóloga dá um passo à frente. Todos tentam falar com ela ao mesmo tempo. Os tradutores fazem seu trabalho: os homens se queixam, perguntam quando vão sair dali; todos põem as mãos para fora das barras, como se quisessem mostrar que são humanos, que querem falar de igual para igual.

Sinto-me assustada, nunca havia visto nada parecido. No grande galpão em que se encontram não há móveis de nenhum tipo. Não há armários, nem mesas, nem cadeiras.

Dormem sobre colchonetes jogados no chão. As paredes estão sem pintura. Não há janelas, somente algumas claraboias colocadas perto do teto.

Começo a anotar coisas de maneira mecânica no meu caderninho, que agora me parece mais ridículo do que nunca. Faço isso para me manter ocupada, para não olhar para eles o tempo todo, para ter um refúgio onde possa me esconder um pouco e aliviar a pressão que a presença deles exerce sobre mim.

Quase todos são jovens, a maioria com grande olhos negros cheios de vitalidade. Há, no entanto, alguns que passaram da maturidade. O olhar deles é alarmante: não possuem qualquer ilusão, nenhuma força. Naquele cárcere improvisado abandonaram seu último trunfo de mudança. Finalmente se convenceram de que não existe futuro para eles, de que tudo acabou. Nem sequer se aproximam das grades para ser escutados, sabem que dá no mesmo, não esperam nada.

Alguns dos homens se empoleiraram nas vigas metálicas do teto. Olham-me com curiosidade. Percebo que minha presença criou uma grande expectativa. Pensam que sou alguém importante porque tenho mais idade que o restante da equipe. Além do mais, carrego um caderninho no qual faço anotações. Talvez eu seja uma inspetora das Nações Unidas, talvez uma advogada que fará algo para melhorar as suas condições, para tirá-los de lá.

Todos falam ao mesmo tempo, cada um em seu idioma. Os tradutores nos dizem que não são somente queixas. Pedem que lhes deem algo para se distrair: baralhos, jogos, papel e lápis para escrever. Pedem um aparelho de televisão para ver algum jogo de futebol. Dizem que não são animais, que não podem deixá-los presos sem nada; o tempo passa devagar, e eles se desesperam. Passam os dias obrigados a pensar em sua desgraça, nas famílias que deixaram para trás. A psicóloga os repreende: se eles não respeitarem a vez de falar, fica impossível entendê-los. Volta-se para mim e explica:

"Não são necessariamente os que mais gritam e reivindicam algum direito que se encontram em pior estado. Às vezes os verdadeiros deprimidos não se aproximam da grade e permanecem no fundo, sem falar. Temos de olhar para eles e chamá-los, fazê-los falar para que aflorem seus problemas, ficar com eles para uma sessão de terapia individual."

"Permitem que eles saiam para o pátio?", pergunto.

"Somente uma hora em dias alternados."

"Por que tão pouco?"

"Assim são mais fáceis de controlar."

De repente um dos jovens, de nítida aparência magrebina, me pergunta diretamente se falo francês. Respondo-lhe afirmativamente, e ele começa a louvar a Deus.

"Madame, me ajude! Eu não fiz nada de errado, sou um bom muçulmano. Não roubei, não matei. Como podem me prender aqui como se fosse algum animal nocivo? Madame, você pode dizer a eles que eu não cometi crimes. Me tire daqui."

A psicóloga briga com ele, é ele quem sempre reclama mais, quem não deixa os outros falarem, quem não se cansa de pedir coisas; mas ele continua sua lamúria. Ele me faz lembrar os vendedores nos mercados, que não param de perseguir os turistas oferecendo mercadorias para comprar. Imediatamente muda de tática e me alfineta:

"Este lugar é um desastre! Me disseram que nos centros de detenção de ilegais da Alemanha eles têm aquecimento e televisão em cores."

Seu tom de protesto, como um cidadão que considera os impostos altos demais, quase me faz rir. Ele percebe e me olha por um instante com simpatia; depois reinicia sua cantilena de vendedor:

"Madame, madame, faça alguma coisa por mim, eu suplico."

"A única coisa que posso fazer é contar às pessoas as condições em que vocês se encontram, denunciar à opinião pública."

Noto em seu rosto que isso lhe parece pouca coisa, algo cujos resultados práticos não serão imediatos.

"Madame, não pode fazer mais nada?"

"Farei o que estiver ao meu alcance, eu prometo."

Os membros da equipe tocam no meu ombro, devemos deixar aquela cela, passar para a seguinte. Quando percebem que nos afastamos, os homens estendem os braços por entre as grades, e eu começo a dar-lhes a mão, um por um, diante do olhar impaciente da psicóloga. Isso os deixa felizes, me sorriem, deve dar-lhes a impressão de que os tratam como seres civilizados, e eu me sinto um pouco melhor por ter podido fazer uma coisa tão insignificante, porém alguma coisa.

Na grande cela contígua o quadro é idêntico, apesar de me informarem que os homens ali confinados são doentes, a maioria com hepatite B.

Pedem que eu me mantenha a certa distância, que não os cumprimente apertando as mãos como acabara de fazer. Observo-os com tristeza. A doença não conseguiu acabar com a sua beleza de homens jovens e de belas etnias: pele azeitonada, cílios negros e espessos... Os georgianos, loiros e de olhos azuis, são os mais reservados. Eles me olham do fundo da cela, não se atrevem a chegar perto.

Na verdade aquilo é demais para mim. Não estou habituada a me defrontar diretamente com a dor, com a desonra, com a falta de liberdade. Um deles nos aponta uma perna enfaixada. Conta minuciosamente o que lhe aconteceu. Feriu-se em um ferro no lavabo, e a ferida infeccionou. Discorre sobre as diferentes fases da doença, suas reações progressivas, os cuidados médicos. A assistente social que se juntou a nós lhe responde que já está medicado e insiste para que ele deixe tempo para outros que querem denunciar algum problema. Ele se conforma e baixa a visão. Neste momento compreendo profundamente o que necessitam aquelas pessoas: não é outra coisa senão se fazer ouvir. Querem contar suas particularidades, seus piores momentos, fazer-se merecedores de uma individualidade mínima que seja. Nisso não se diferenciam muito do resto dos humanos, dos homens e das mulheres do mundo livre e opulento: que alguém escute, não existe um desejo mais premente, fazer-se ouvir.

A psicóloga me aponta o batente de uma daquelas falsas janelas perto do teto:

"Olhe, está vendo aqueles ninhos de andorinhas? Foram os detentos que deram miolo de pão da sua ração aos pássaros. Bem amassados e transformados em bolinhas, serviram para que construíssem seus ninhos ali. Agora eles se sentem mais acompanhados, os observam quando entram e saem, os ouvem piar."

Escrevo e escrevo em meu estúpido caderno porque já não me resta nada a fazer. Hoje, ao reorganizar o que vivi nestas páginas, leio caracteres que não são inteligíveis, frases difusas que não querem dizer nada. Lembro-me de como me escondi atrás daquelas linhas, como tentei dar algum significado à minha visita, talvez também à minha própria vida.

Saímos do centro de "hospedagem" temporária. Os raios do sol nunca me fizeram tão bem ao tocar meu rosto. Procuro o Micra vermelho e avisto o meu marido me esperando pacientemente. Ele sorri para mim. Nós nos conhecemos tão bem que imediatamente percebe que estou muito abalada. Não diz nada, me dá um beijo. A garota italiana e eu entramos no carro. Ele nos conta como ficou dando voltas pelos arredores, como as casas de campo pelas quais passou são de uma beleza excepcional, como os campos se estendem numa combinação perfeita de plantações e flores. Não posso deixar de me lembrar dos lugares onde estavam localizados os campos de concentração na Segunda Guerra Mundial. As fazendas que proliferavam ao redor continuaram com sua vida pastoril tranquila, sem saber o que se passava a poucos passos... Eu sei que, se confessasse esse pensamento, diriam que eu estava indo longe demais. No entanto, o pensamento permanece em minha mente por algum tempo mais.

No caminho, comemos em uma taverna escondida entre as árvores. Não tem cardápio. Os proprietários, um casal de certa idade, dizem verbalmente o que podemos comer; como a assessora de imprensa grega ficou no campo de detenção mais um pouco para trabalhar, não temos intérprete. Fizemos um balanço dos idiomas que podemos falar: italiano, espanhol, francês e inglês. Não é uma lista ruim, mas o taberneiro só fala grego e alemão. Ele nos serve o quer, e é delicioso. Serve cerveja, tentamos nos entender, rimos... são cordiais e alegres como a maioria dos habitantes do país. Não falamos sobre o que tínhamos visto antes. Meu marido não pergunta. Melhor assim.

De volta ao hotel, a despedida é breve. Entro com meu marido no nosso quarto modesto e imediatamente me ponho a chorar. Choro convulsivamente, com emoção. É um pranto físico, que serve para expulsar a dor que se acumulou no meu peito. Ele não pergunta, não tenta saber, mas através dos meus olhos vislumbra o que para mim pareceu excessivo, o que provavelmente eu não estava preparada para suportar. Ele me abraça com força, deixa que eu me esvaia em lágrimas. Tento explicar o que está nos meus olhos, mas não consigo me fazer entender claramente. Somente lhe digo:

"Sabe o que eu devia ter feito? Ajoelhar-me diante desses homens e pedir perdão."

É verdade que me sentia culpada; mas a minha culpa excedia o âmbito social. Não queria pedir perdão por eles serem pobres e eu rica, por eu ser livre e eles prisioneiros, por pertencermos ao mesmo mundo inconsciente e injusto. Não, meu perdão era aparentado com algo místico, com a compaixão de Dostoiévski, para quem a humilhação do ser humano e a ofensa profunda infundem respeito.

Para afugentar tão excelsos pensamentos, que de nada servem para os prisioneiros, vamos jantar num pequeno restaurante de Alexandrópolis, o mais popular, o mais anárquico, aquele em que há mais pessoas que bebem e gritam, felizes. Comemos deliciosos espetos de cordeiro, *tzatziki*, salada. Apesar de estarmos em uma noite do mês de outubro, as mesas se espalham pela calçada, ao ar livre. O garçom nos diz que estamos em um bairro turco. Eu penso que gostaria de dançar, dar as voltas e mais voltas de um dervixe bêbado. Faz-se sentir o ar fresco do mar. Tenho sono. Eu me estenderia sobre o banco de madeira no qual estamos sentados, para dormir. Tenho sono.

Novo dia: a primeira coisa que me vem à mente quando acordo são as imagens do dia anterior: os homens enjaulados. Já não me provocam choro, mas uma tristeza que sinto profundamente, como se já a tivesse inserido em meus sentimentos habituais, como se já a tivesse assimilado na minha maneira de ser. Penso, com os olhos abertos na cama, que nunca esquecerei o que vi, jamais.

Fizemos o desjejum com as assessoras de imprensa, italiana e grega. As massas são doces como favos cheios de mel. Estamos sentadas num bar na orla marítima. O sol ainda não aquece, mas ilumina tudo com uma luz intensa. Fumamos um cigarro que me deu muito prazer. Hoje vamos ao segundo campo, mais distante que o anterior. Chama-se Fylakio. A grega me informa que ali estão presas também mulheres e crianças. Acredito que notou o impacto que me causou a primeira visita, porque percebo que quer me preparar psicologicamente.

"Como você verá, as condições não são boas; mas, sendo grande e localizado em um edifício, provavelmente de início será menos desalentador para você. Tem muitos policiais, não poucos como ontem, mas um destacamento, com um chefe no comando."

O que posso responder? Sorrio e concordo. Terminamos de fumar nossos cigarros e nos levantamos. Ficamos na estrada para formar a mesma comitiva do dia anterior.

Estou tentando me blindar contra o que vou ver, mas não sei como alguém pode se blindar. Imagino que o sistema consistiria em pensar que nada deve surpreender, porque você já viu cenas semelhantes anteriormente. Mas o meu anteriormente remonta a um único dia, e eu ainda não digeri o que vi, de modo que... como me blindar? Impossível, me sinto muito mais exposta que na primeira vez.

As cenas de ontem se repetem: nossos dois carros passam por paisagens maravilhosas onde a única coisa que pode passar pela cabeça é uma extrema paz, uma sensação de comunhão com a natureza. Novamente as casas de campo pelas quais passamos parecem dormir em total tranquilidade.

Chegamos a Filakio. É de fato uma construção com o aspecto de um pequeno hospital. Existem muitos policiais na entrada. Vestimos os aventais de MSF e apresentamos nossas credenciais. Meu marido vai embora. Em frente ao pátio há um elegante ônibus estacionado. Contam que o flagraram ontem cheio de imigrantes ilegais que viajavam nos porta-malas. Os motoristas foram presos.

Entramos primeiro nas dependências das mulheres e crianças. São pequenas. Na parte externa das grades há uma grossa parede de vidro. Podem ser vistas, mas não se pode falar com elas. Dizem para não nos preocuparmos, porque depois vão sair para o pátio. As mulheres são jovens, com algumas exceções. As crianças são muito pequenas, há alguns bebês. Estão todos juntos e agitados, vejo os colchões que têm para dormir. Próximo aos banheiros há um monte de líquido e sujeira no chão: urina e fezes. As mães gritam quando nos veem para se fazer ouvir através do vidro. Protestam: um dos banheiros quebrou há dois dias e não vieram consertar. Apontam a imundície, apontam os bebês. Os tradutores não fazem falta. A assistente social de MSF anota em seu bloco. Pergunto o que fará. Encolhe os ombros:

"Tentarei convencer a polícia a consertá-lo, mas dependemos sempre da boa vontade deles. Não podemos exigir, somente pedir."

Continuamos a visita na ala masculina. Nada a ver com o campo de ontem: a superlotação é maior, e as celas não estão diretamente voltadas para o pátio, e sim para estreitos corredores. Tem beliches que chegam até o teto. Ocupam todo o espaço. Não há lugar para os homens se moverem. Ao nos verem, se amontoam nas grades. A idade média é um pouco maior que a do outro campo, mas de vez em quando se descobre algum "adulto" que não deve ter mais do que 15 anos.

Começa a onda de reivindicações. Nesta ocasião são mais primárias porque as condições são piores: pedem para sair mais para o pátio, pois só têm direito a uma hora, em dias alternados. Querem melhorar a comida, porque só comem comida quente uma vez por dia. Depois, só lanchinho. Esporadicamente uma banana, ou uma maçã. Os que têm mulher e filhos em outras celas pedem para vê-los um pouco. Um rapaz jovem me surpreende ao reivindicar que ponham música de novo. O tradutor me esclarece:

"Antes punham música, mas a polícia disse que ficavam animados demais: pulavam e dançavam, se empoleiravam nos beliches e podiam se machucar. Fizeram isso para a segurança deles."

Eu me aproximo de outra cela enquanto os companheiros de MSF continuam na primeira. Um homem de traços árabes e estatura mediana me fala em inglês:

"Quem é você?"

"Vim para inspecionar o centro e depois publicar o que vi."

"E está vendo em que condição estamos?"

"Sim, estou vendo."

"É muito difícil."

"Eu sei, acredite-me. Eu sei."

Os homens próximos a ele pedem-lhe que traduza suas palavras para mim. Um deles, alto e loiro, um georgiano, conta que deixou a noiva no seu país.

"Quando ele voltar, ela já estará com outro", observa o meu tradutor.

"Diga-lhe que isso é perfeito, porque assim ele também poderá mudar."

Ele ri e traduz minhas palavras. Os outros também riem. Todos nós rimos. Temos necessidade de brincar. Sinto-me menos inútil, eu os alegrei um pouco. Um menino, gesticulando, me pergunta onde está o véu que deveria cobrir a minha cabeça.

"Não tenho religião", respondo. Ele sacode a cabeça como quem diz "é incrível a que ponto podem chegar esses ocidentais!"

Como despedida, estendo-lhes a mão. Uma onda de mãos se precipita sobre mim, e eu as aperto com força.

Ao sair, as mulheres e as crianças estão no pátio. É curioso comprovar que os pequenos quase não se movem, não correm, não gritam. Mantêm-se ao lado de suas mães. Têm nas mãos brinquedos usados que MSF lhes fornece, mas não podem levá-los para as celas. O sol brilha. Uma das senhoras de mais idade fala:

"Toda a família veio a pé do Afeganistão. Meses caminhando. Quando estávamos prestes a cruzar a fronteira da Grécia, nos prenderam. Estamos aqui. Meu marido tem colchão na cela dele, mas eu não. Pediu aos guardas que o trouxessem para mim, e eles se negaram. Tenho problemas de coluna, mas uma jovem me deu o dela."

É impossível que não me ocorra nada para dizer-lhe. Eu a olho com tristeza. Pega minha mão:

"A vida, como é a vida!"

Surpreendo-me com sua imprecação contra a vida. É como se, debaixo dela, subjacente, houvesse uma queixa abstrata contra o destino. Mas não pode ser assim: meu destino não tem nada a ver com o seu e minha vida jamais será tão dura como a sua. Mas não existe em seu estado de espírito nem um pingo de animosidade. Ela pensa que há algo que nos une, e eu também.

Nós nos preparamos porque se aproxima a hora de partir. Neste momento, pela porta principal nos chegam sinais de confusão. Vamos até lá. Atônita, descubro meu marido rodeado por oito corpulentos policiais que reclamam alguma coisa. Ele tenta explicar-se, mas não o deixam falar, ou não falam inglês. A coordenadora do projeto nos pede que não nos aproximemos. Vai até eles para ver o que aconteceu. De repente, descubro que na mão dele está a câmera fotográfica, e tudo fica muito fácil de entender. A coordenadora conversa com eles, mas é inútil: chamaram seu chefe. De longe vejo o que está acontecendo. O chefe obriga meu marido a apagar as fotos que conseguiu fazer. Ele obedece. Depois a polícia pede seus documentos, e meu marido nega com a cabeça.

"Não tem documentos?", como se aquilo fosse difícil de assimilar. Meu marido aponta em minha direção. Compreendo, olho na minha bolsa e vejo ali a sua carteira. O policial e a coordenadora já estão na minha frente. Tiro a carteira e a entrego. Mas de repente não parece ser necessário:

"Esposa?", pergunta o chefe sem abrir a carteira. Começa a rir quando concordo. Que um marido encha a bolsa da mulher com suas coisas deve lhe parecer mais do que usual. Ele nos dá permissão para sair do centro.

Pegamos os carros e vamos embora, mas, uma vez a certa distância, paramos e comentamos o incidente. Meu marido conta:

"Quis fazer uma fotografia clandestina onde se vê o arame farpado que rodeia a casa, mas como estava dentro do carro o *flash* disparou."

Pede desculpas, mas os rapazes do grupo, jovens e com vontade de rir, fazem todo tipo de brincadeiras. Todos rimos. Depois nos despedimos do grupo local. Com nossas assessoras de imprensa, seguimos até o povoado mais próximo para comer. No carro as duas brincam com ele.

"Por um momento pensei que você teria de usar nossos serviços dentro do centro."

Meu marido ri, feliz. Se fossem dois rapazes, talvez se irritasse, mas, como são duas jovens bonitas, acredito que se sinta lisonjeado. Para compensar os maus momentos, convida a nós três para comer. Vamos a uma encantadora taverna, tomamos cerveja e *ouzo*. A grega escolhe uma porção de pratos diferentes, que provamos com grande prazer. Peço mais cerveja, mais *ouzo*; preciso beber, me alegrar um pouco, pois as imagens que vi começam a tomar conta da minha imaginação.

Na saída, os quatro, maravilhados e contentes, tiramos fotografias pelo povoado, participamos da grande animação que há nas ruas, passeamos como se fôssemos turistas.

"Hoje você anotou menos coisas", lembra-me a italiana.

"Sim, é verdade", respondo em voz baixa.

Na volta, vemos o pôr do sol. Ligamos o rádio do carro: música clássica. Um punhado de lágrimas começa a rolar pelo meu rosto. Esforço-me para que ninguém veja. Consigo. Melhor assim.

À noite vamos cedo para a cama, pois no dia seguinte voltaremos para Atenas e temos de madrugar. Faço um esforço para não pensar, e, como sempre tive a grande sorte de conseguir dormir em qualquer circunstância, o sono vem em seguida e me liberta de toda a realidade.

Atenas nos recebe com seu ritmo endiabrado de cidade mista de oriente com ocidente. Ainda temos trabalho a fazer. Eles prepararam a minha viagem de consciência. Já tinha visto a primeira parte: o que espera o imigrante ilegal que é apanhado perto da fronteira. O que os aguarda depois é, se possível, a expatriação; caso contrário, a liberdade. Depois de três meses eles são levados de ônibus até a capital ou a Tessalônica, e ali os soltam. Minha tarefa agora é me informar sobre em que consiste essa liberdade.

Vamos, em primeiro lugar, a um refeitório de caridade para imigrantes. Influenciada talvez pelas histórias de Dickens, acho que vou encontrar mesas compridas em um lugar sórdido e escuro. Mas não, é uma pequena casa cercada por um grande jardim. O jardim é onde distribuem umas bandejinhas de papel-alumínio entre os homens, com arroz e um pouco de frango. Quando chegamos, quase já havia terminado. Há vasilhas pelo chão. Os serviços de limpeza obrigam os homens a sair batendo palmas com força: alguns adormeceram apoiados sobre as poucas mesas de pedra existentes. Outros, de cócoras, comem depressa porque já estão sendo expulsos de lá. Há tanta gente no jardim que fica difícil tirá-los de lá. Fazem isso como se estivessem pastoreando animais de um lado para o outro.

Segunda visita: trata-se de um ambulatório médico onde são cuidados os imigrantes sem recursos. Estou com medo de me deparar com alguma coisa que volte a ferir a minha sensibilidade como feriria a de qualquer ser humano, mas felizmente essa circunstância não acontece. É um lugar pequeno onde algumas pessoas esperam pacientemente a sua vez. Tudo está limpo e tem um aspecto organizado. Há duas recepcionistas e uma enfermeira, que fala conosco. Conta-nos os tipos de patologias que veem com mais frequência, detalham os procedimentos. Pergunto se não sofrem com a falta de médicos. Respondem negativamente; há muitos médicos que trabalham sem receber nada. Quando terminam de atender seus pacientes nos locais de trabalho, dedicam tempo a estas pessoas. Acho que existem muitas pessoas solidárias e tenho certeza de que, por essa mesma razão, se fossem divulgadas publicamente as condições nas quais vivem os ilegais internados nos campos de "abrigo temporário", surgiriam muitos voluntários dispostos a ajudar. Ao sair do ambulatório comento isso com as jornalistas.

"Justamente mantendo isto em segredo e levando-os a lugares onde ninguém pode suspeitar de como são tratados, as autoridades querem evitar que alguém os ajude desinteressadamente. Dessa maneira, quando muitos deles são repatriados, acabarão contando em seu lugar de origem as calamidades sofridas, e, acreditam, isso poderá dissuadir novos imigrantes", conta-me a grega.

"E você acha que isso realmente acontece?"

"De jeito nenhum. Já ficou demonstrado que essas medidas extremas não interrompem o fluxo de imigração ilegal. Quando a pobreza é o presente e o futuro, cada qual espera que com ele seja diferente, que terá sorte, que será capaz de conseguir uma vida melhor."

A terceira visita consiste em andar por um bairro perto de Plaka, onde estão concentrados muitos imigrantes, todos homens. É uma multidão de seres humanos que se move de um lado para o outro sem nada para fazer. Procuram trabalhos temporários, material barato que possam vender clandestinamente, trocam informações sobre empresas que contratam temporários sem documentos. Contam-me que os apartamentos minúsculos onde vivem estão superlotados. Às vezes duas famílias se amontoam em 50 metros quadrados. Alguns são acolhidos em albergues, que lhes oferecem uma cama e o desjejum.

Faz um calor espantoso. Decidimos sair daquelas vielas e procurar uma pracinha com árvores onde possamos descansar. Encontramos depois de quase uma hora de caminhada sobre asfalto escaldante. Há bares com terraços arejados, e nos sentamos. Tomamos sorvete, raspadinha... A italiana me pergunta:

"Tem mais alguma coisa que você queira saber? Ficou tudo claro?"

"Receio que sim, até claro demais, se pensar bem."

"Neste caso podemos afirmar que o objetivo da viagem foi alcançado."

Creio que me sinto egoisticamente aliviada em saber que não compartilharão mais nenhuma desgraça comigo; mas, neste momento, os que até agora não falaram por si mesmos decidem fazer soar sua própria voz. Os dois tradutores que nos acompanharam todo o tempo começam a contar coisas. O mais jovem, que tem a aparência bondosa de um menino crescido, é o primeiro:

"Nestes bairros que acabam de ver acontecem coisas terríveis. No ano passado saiu uma notícia em todos os jornais: dois irmãos, um menino de 12 anos e uma menina de 7, saíram, como todos os dias, à procura de restos de comida ou brinquedos quebrados nas caçambas de lixo. Faziam isso escondidos da mãe. Pois bem, estavam mexendo em uma lixeira bem perto daqui, quando explodiu uma bomba que algum grupo terrorista tinha colocado ali. O responsável nunca foi descoberto, mas o resultado foi que o menino morreu, e a menina ficou cega. Me diga como deve ter se sentido a família no enterro, me diga. Este é o futuro que muitos estrangeiros encontram por aqui."

Fico calada. Ele não procura em mim uma resposta que eu seria incapaz de lhe dar. Falou com seriedade, mas sem veemência. Ele me faz um sinal que não entendo.

"Ele quer que você escreva no seu caderninho", diz-me a italiana.

Certo! Meu amigo, o caderninho, que em tantos momentos me ajudou a não ter de reagir olhando cara a cara para o meu interlocutor. Escrevo, escrevo essa e outras histórias que os dois jovens seguem contando. Todas são tristes, extremas, todas demonstram o profundo desespero em que vivem estas pessoas. É chocante pensar que são apenas pessoas excedentes, alguém que ninguém quer, com quem ninguém se preocupa, uma espécie de material descartável.

O tradutor afegão veste uma camiseta do Brasil. Como quero parar de sofrer novos impactos emocionais e mudar o rumo da conversa, pergunto se ele já visitou esse país. Ele nega sacudindo a cabeça e ri. Depois de abandonar o seu país, nunca saiu da Grécia. Entretanto, têm amigos em muitos lugares do planeta, graças a MSF. Às vezes lhe mandam camisetas, e ostentá-las é uma das coisas de que ele mais gosta. Então, prometo que lhe mandarei uma de Barcelona, uma para ele e outra para seu companheiro de equipe. Ele revira os olhos. Barcelona! Visitou a cidade pela internet e parece ser um dos lugares mais lindos do mundo. Está poupando uma pequena quantia por mês para viajar pela Europa, e o primeiro lugar que quer conhecer é Barcelona.

"Me disseram que é um lugar onde os jovens podem se divertir a valer. É verdade?"

Solto uma gargalhada.

"Sim, imagino que sim", respondo.

Um jovem se aproxima do nosso grupo e cumprimenta os tradutores. Está bem-vestido, usa óculos de sol. Brinca com os rapazes e logo se vai.

"Este é um imigrante que teve muita sorte. Encontrou trabalho em uma mecânica de carros, lhe pagam um bom salário e agora já está legalizado no país. Não precisou nem ir para a Alemanha. Isso é o que todos querem, mas não acontece quase nunca, você já viu."

Eu vi, sim. Eu vi e não esquecerei, acredito que jamais poderei esquecer.

Naquela noite nos despedimos das jornalistas com abraços e promessas de manter contato. A grega me pede perdão pela imagem tão negativa que levo do seu país, mas não há nada o que perdoar, a outra Grécia eu já conhecia. A do mar, das pessoas amáveis, da arte e da maravilhosa paisagem. O problema não é de um país, nem de um governo, mas de toda uma civilização.

De novo em Barcelona tudo me parece diferente de como recordava: as ruas, a luz do sol, inclusive as paredes de meu escritório. Estive fora daqui somente uma semana, mas tenho a impressão de que se passaram meses. Alguma coisa mudou no meu interior? Meu primeiro instinto é responder que sim, mas a experiência me alerta que tais tomadas de consciência pós-traumáticas não são muito confiáveis. Você logo começa a fraquejar em seu propósito de viver de modo mais austero e solidário. No final, você toma café alegremente com os amigos, escolhe uma malha cara em uma loja... e prefere não pensar.

Nos primeiros dias depois de retornar falo com a minha filha, que trabalha com questões sociais. Ela me diz que também em Barcelona existem centros de detenção parecidos com os que acabei de visitar. Fico calada, não sabia. Este é, suponho, o problema central: as coisas acontecem perto de nós sem que jamais fiquemos sabendo. Por isso, fui incapaz de escrever uma história de ficção sobre esta experiência. A única coisa que desejava era transmitir uma experiência aos leitores italianos. Nunca fui tão pouco literária em uma obra, nunca tão fiel à realidade.

TRADUÇÃO DE RICARDO GOUVEIA

•

Grécia

Segundo dados fornecidos pela polícia grega, em 2010 mais de 47 mil imigrantes em situação irregular e requerentes de asilo foram detidos na fronteira entre a Grécia e a Turquia. Muitos centros de detenção e delegacias de polícia estavam superlotados, alguns duas ou três vezes acima da sua capacidade normal, e com condições de vida terríveis.

Entre agosto de 2009 e maio de 2010, a MSF tem oferecido apoio psicológico para os migrantes e requerentes de asilo nos centros de detenção de Fylakio e Venna, na região Nordeste do país, e em Pagani, na ilha de Lesbos. Os psicólogos têm proporcionado sessões de aconselhamento individual e em grupo; foram mais de 380 visitas e 80 sessões de grupo.

Desde dezembro de 2010, as equipes de MSF fornecem assistência médica e humanitária de emergência para melhorar as condições de vida e higiene na região de Evros, nas centrais Fylakio. Entre dezembro de 2010 e início de 2011, a MSF tratou mais de 850 pacientes, internando 15 em hospitais locais. Também foram distribuídos 350 sacos de dormir e 2 500 kits de higiene pessoal.

A MSF atua na Grécia desde 2008.

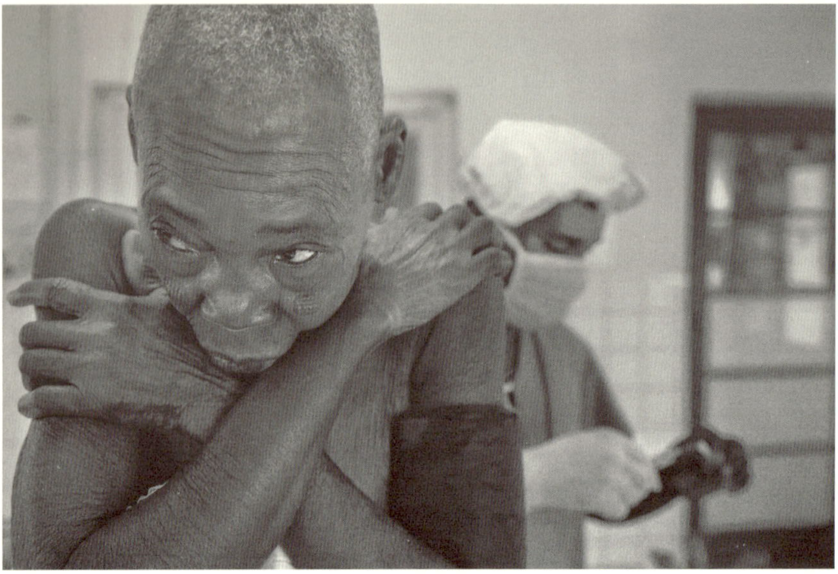

Bosodre Kabandro,
67 anos, aguardando
na sala de operações
do hospital de
Niangara, que conta
com o apoio da MSF
para atender e vítimas
dos conflitos
armados na República
Democrática do Congo
© Robin Meldrum/MSF

James A. Levine

Makass

Para Paulette

ESCREVI ISTO PARA QUE VOCÊ ME ENCONTRE.

Mammon estava mais satisfeita que eu. Ela cantava, na rua, no mercado – em qualquer lugar onde existissem ouvidos para ouvir: "Paulit está se casando com um capitão. Paulit está se casando com um capitão". Minha irmãzinha, Natalie, pensava que Mammon estava doente. Não era normal que estivesse alegre, especialmente comigo. Eu sentia a alegria explosiva dela, porém isso não era nada comparado ao meu êxtase.

Casei-me com um capitão. Mammon o chamava de "capitão Antoine"; Natalie o chamava de "o seu capitão amorzinho". Meu marido não só era um capitão como era filho da riqueza, portanto era rico também. Sua família vivia em Kintambo, onde mora a burguesia. Nós vivíamos em Kasa-Vuba, com os pobres.

Conheci Antoine por acaso. Mammon chamava isso de "milagre".

O milagre foi este: Yvette era minha amiga. O pai dela trabalhava para um dos sindicatos. Ele foi promovido e deu 20 dólares à filha para celebrar. Ela queria nos levar, Saadyah e eu, a Bandal – música, cerveja e rapazes. Os 20 dólares eram suficientes para nós três. Concordei em ir. Isso era inusitado para mim; na maior parte do tempo, eu preferia ficar sozinha. De algum modo, o destino visitou o meu isolamento – "Paulit vai a Bandal".

"Esteja de volta às 10", disse Mammon. Natalie cantava feito uma idiota:

Paulit vai encontrar um amor,
Ele vai beijá-la no banco,
Eles vão ter quatro bebês,
Seu coração de menininha foi a pique.

Saí da casa de Mammon de jeans e uma camiseta azul com a inscrição "Copa do Mundo 2002" na frente. Estava descalça. Mas cheguei à parada do *taxibus*, a um quilômetro de distância, vestindo uma saia amarelo-clara (abaixo do joelho), uma camiseta D&G tão justa que o meu suor aparecia e sapatos pretos, de salto. Escondi meu jeans e a camiseta "Copa do Mundo 2002" atrás do Enrique's Coiffure. No ponto de ônibus, rapazes olharam para mim, mas nenhum se atreveu a falar. Minha aparência era perfeita; uma pantera de corpo alongado, pronta para caçar.

Cheguei ao *taxibus* primeiro. Yvette e Saadyah, quando chegaram, estavam com boa aparência, mas nem de longe tão boa quanto a minha. Saadyah estava de esmalte nas unhas, batom e perfume. Enquanto aguardávamos, ela os compartilhou comigo. Quando me espremi para dentro do *taxibus*, eu era uma pantera pronta para tudo, pintada e perfumada.

Em Bandal, atravessamos o bulevar. Fomos de bar em bar requebrando as cadeiras. Depois do terceiro bar, nossas risadinhas infantis pararam; o embaraço se fora. O quarto bar era sofisticado, o 3615. Tinha um nível principal e uma discoteca no nível superior, de onde se podia ver a rua do alto. Subimos a escada, eu por último. A essa altura, Yvette e Saadyah já estavam prontas para comer.

O bar de cima estava quase lotado. Mas, logo depois que nos sentamos, um grupo de rapazes do exército nos viu. Todas as garotas sabem tudo sobre rapazes do exército. Todas as garotas sabem o que garotas fazem com rapazes do exército. Yvette era esse tipo de garota. Em dez minutos, ela nos deixou. Foi dançar com um rapaz do exército, alto e magro, com um galão no ombro. Parecia uma adulta, empurrando a perna entre as dele enquanto dançavam. O soldado afagou-lhe a mão, e logo eles desapareceram. Nunca fiquei sabendo o nome dele. Quando encontrei Yvette no dia seguinte, ela também não sabia. Para ela, a promoção do pai compensara.

Um soldado de óculos escuros com três galões sentou-se na cadeira que Yvette havia esquentado. Era forte, baixo e atarracado, e mais lindo que Deus. Percebi imediatamente que estava interessado em mim. Ele tirou os óculos e a boina. Fiquei surpresa ao ver como eram claros os seus olhos e como se voltavam vivamente para mim.

Mammon era padeira. Quando abria o forno para retirar os pães, saía uma onda de calor. Foi assim que me senti com Três-Galões; aquela onda de calor passou através de mim. "Qual é o seu nome, *chéri*?", perguntou Três-Galões. Baixei os olhos para os meus sapatos. "Paulit", eu disse. Saadyah mexeu-se em seu lugar. Ergui os olhos para ele. Acenei com a mão displicentemente. "Esta é Saadyah", eu disse. Ele olhou para ela por menos de um segundo e grunhiu alguma coisa.

Quando olhou de novo para mim, sua mão estava na minha coxa. "Sou o capitão Lemoyne". Ele tocou os três galões no ombro. Empurrei a mão dele; dedos longos para o corpo atarracado. Ele riu um segundo e ergueu as sobrancelhas. "Você não gosta de mim", disse ele. Baixei os olhos. "Acho você legal", eu disse. Para quem tem 16 anos, eu não era nervosa. Joguei o jogo dele como uma pantera dá uma patada na areia, no calor; era natural.

"Você é de Kinshasa?", disse o capitão.

"Eu sou...", ia dizer Kasa-Vuba, mas mudei de ideia, "... do lado leste". Apontei para Saadyah. "Nós duas." Mas ela não estava prestando atenção. Estava procurando a sua própria presa. O capitão pôs a mão de volta na minha perna. Outra vez a empurrei. "Ahn", disse ele e sorriu.

Um homem, pesadão, camisa vermelha, sorriso forçado, pele ruim, 30 e tantos anos, aproximou-se de Saadyah. Segurava uma cerveja Primus na mão esquerda. Logo ela saiu, e a mão de Antoine voltou para a minha coxa. "Então, o que você acha de estar com um capitão?"

Respondi ríspida: "Uma vez já estive com um general". Nem sei por que eu disse aquilo.

Ele afastou a mão de mim. As sobrancelhas espessas se contraíram para esconder a luz dos seus olhos e a sua fraqueza. Ele cerrou os lábios. Parecia Mammon quando tirava alguma coisa do meu irmão mais novo. Antoine Três-Galões era fácil de ler e divertido de provocar. Ele certamente era bonitão. Seus galões o definiam. Você não pode ser uma zebra sem listras. Antoine era a minha presa.

Ergui os olhos para ele e sorri. "Eu estava brincando. Gosto de estar com um capitão."

Antoine abriu um sorriso largo. Os dentes eram como teclas de piano. Ele pôs a mão no alto da minha perna (pela terceira vez) e a empurrou ainda mais para cima. Eu sabia que esta pantera lustrosa, longa e macia ia saborear o seu primeiro capitão. Deixei sua mão apalpar a minha coxa. Meu corpo respondeu ao seu toque com a sede de uma mulher.

Cheguei de volta a Kasa-Vuba muito depois da uma. Entrei na casa pé ante pé. Mammon irrompeu para fora do quarto; acordava quando uma mosca pousava sobre a mesa. Ela começou: "Onde você esteve? Por que a sua camiseta está suja?". Eu estava novamente com as minhas "roupas chatas" – se não tivesse me trocado de novo atrás do Enrique's, uma bomba teria explodido.

Mammon passou diretamente ao seu discurso sobre a imprestável que eu era. "Natalie faz mais que você e só tem 10 anos." Já tinha ouvido aquilo cem vezes. Quase disse "Isso não é verdade", mas não estava disposta a discutir com Mammon. Queria ir para a cama e sentir o membro molhado do capitão dentro de mim.

Escorreguei para baixo do cobertor e encostei em Natalie. Ela fez cócegas na minha barriga. "Psiu!", ralhei. "Silêncio", resmungou Mammon do outro lado da cama. Havia mais espaço que de costume. De manhã, descobri que Philippe, meu irmão mais velho, tinha ficado fora de casa a noite toda. Mammon não falou nada sobre isso.

Durante o dia, eu ia para a Escola São Pio; 20 dólares por mês: "Eu asso pão às 4 da manhã para pagar por isso", era o lembrete favorito de Mammon. Normalmente, antes da escola, pego um balde e me lavo. Mas naquela manhã, depois do capitão, eu senti o cheiro dele no meu corpo e não me lavei. Eu o queria ali comigo – nas aulas de francês, nos estudos de T.I. e nas orações. Revivi a nossa noite na cabeça, segundo a segundo. Nos olhos da minha memória, me banqueteei com o meu capitão na traseira da van.

Eu pensava nele como uma criança fingindo-se de homem, bem como eu era, garota fingindo-se de mulher. Ele era rude e tinha mãos ásperas, mas o seu beijo era gentil como o de um menino. Sua rudeza lubrificou o portal para a sua verdadeira paixão; por dentro, ele era uma casa escura de desejo sem esperança. Ele desejava o meu seio. Sussurrei quando ele estava quase acabando: "Você é o meu Senhor". Ele se entregou a mim com uma prece a Deus. Quanto mais ele afundava na minha mente, mais eu o queria. Naquele dia na escola, uma voz disse na minha cabeça: "Você sabe como são os meninos soldados", e outra voz respondeu: "O seu Senhor é um capitão".

Na São Pio, é obrigatório estar com o celular desligado. Mas, naquele dia, o meu estava ligado – o capitão anotara o meu número atrás do seu maço de cigarros. Depois da primeira aula, tirei o telefone da bolsa para olhar. Nada. Mais tarde, ouvi um toque; arranquei-o da bolsa só para encontrar uma falsa esperança. "Paulit!", bradou a professora de matemática.

Evitei Yvette e Saadyah na hora do almoço, me sentei sozinha do outro lado do campo de futebol e fiquei olhando os meninos que chutavam bola. Imaginei o meu capitão com a bola. Com o seu corpo pequeno, rijo, firme, ele seria bom nisso. Minha mente derivou para dentro da vida dele. Perguntei-me como seria ele no comando; seus soldados deviam respeitá-lo. Imaginei-o comigo, de novo, na van. Pensei que o meu capitão já devia ter atirado em pessoas. Como um rio que transborda de suas margens, eu não podia conter esses pensamentos. Mammon tinha me dado um pão, mas não comi. Tirei o telefone silencioso da bolsa e olhei para ele de novo.

Mammon sabia que alguma coisa estava acontecendo; naquela noite, ela foi quase gentil. Disse à mesa: "Paulit, por que você não fala?", "Por que você deixou metade do seu *fufu*[1]?" Meus resmungos solitários se afogaram na tagarelice do meu irmão. Natalie me observava com seus olhos grandes. Ela era boa nisso; observava e juntava as peças. De repente ela disse: "Sua saia amarela desapareceu". Eu não a recolhera atrás do Enrique's. "Emprestei para Yvette", menti. Natalie estava para pipilar de volta quando meu celular tocou.

Nem olhei para ver quem era. Saí correndo de casa tão depressa que quase derrubei o banco. Se não fosse pelo peso dos meus irmãos, Philippe e Jesus, ele teria tombado. Do lado de fora, tive medo de olhar para a tela do celular e pressionei a tecla para atender. Em uma frase, soube que era Antoine. "O seu Senhor está aqui", disse ele. Ouvi o seu sorriso, senti o brilho dos seus olhos.

Ele me perguntou se eu queria ir a Kintambo tomar uma cerveja, mas não era isso que ele queria. Eu sabia do seu desejo, era igual ao meu. Fui até ele de jeans e uma blusa azul folgada. Troquei-a pela minha camiseta D&G atrás do Enrique's; ele gostava dos meus seios. Ali, recuperei a saia amarela, a enrolei e enfiei na bolsa.

Voltei para casa três horas depois com o meu capitão dentro de mim. "Quem é ele?", gritou Mammon. Ela foi maldosa, mas não estúpida. Eu disse: "Ele é um capitão". Isso a calou. Natalie gritou lá do quarto: "Paulit tem um capitão!".

Mammon disse: "Quero conhecê-lo".

"Não", retruquei, e então começamos a gritar.

Eu teria gritado com Mammon por dez horas para ganhar um beijo do meu capitão.

1 N. do E.: massa feita à base de um carboidrato e servida com um caldo grosso.

"Há quanto tempo?", disse Mammon.

Eu estivera com Antoine na maior parte dos dias desde que nos conhecemos, com exceção da última semana, quando ele foi mandado para o norte a serviço. Na sua van, no quartel, e uma vez na mansão dos pais dele em Kintambo. Os dias que passávamos juntos eram de êxtase. Os dias em que estávamos separados eu passava aguardando o beijo do êxtase. A semana anterior, sem Antoine, tinha sido de agonia. Achei que o meu corpo iria se esfarelar, que minha existência se tornaria nada.

"Algumas semanas", murmurei para Mammon.

"Nada? Nem uma manchinha?", ela perguntou.

Balancei a cabeça. Meus mamilos já sentiam mais do que antes o algodão do sutiã.

Mammon estremeceu e se sacudiu inteira. E disse: "Sua idiota. Nunca ouviu falar em camisinha?"

Dei de ombros. Eu o queria dentro de mim. Antoine odiava preservativos. E a igreja dele não permitia.

Mammon virou as costas e foi para o quarto. Ela parou e disse: "Amanhã você vai ver Mama Bernadette".

Todo mundo em Kasa-Vuba sabia quem era Mama Bernadette. Ela cuidava de garotas grávidas com um tubo de borracha vermelha e pasta de ervas. Muitas das garotas que recebiam a visita de Mama Bernadette ficavam doentes e sangravam. Algumas morriam, mas nenhuma teve bebê.

"Nunca", eu disse.

"Você acha que ele quer?", perguntou Mammon.

"Não me importa", eu disse.

"Por que não pergunta a ele?", disse Mammon. "Por que não faz isso agora?"

"Tudo bem", respondi. Não importava. Eu sabia que Antoine não atenderia o celular. Ele estava no norte, combatendo o LRA,[2] sem sinal. Liguei para ele assim mesmo, para mostrar a Mammon que não tinha

2 N. do E: Lord's Resistence Army (Exército de Resistência do Senhor), grupo paramilitar e religioso envolvido na insurgência em Uganda.

medo dela nem dele. Atenderam o telefone. Meu coração parou. E partiu de novo, como um motor defeituoso. Ele martelou no meu peito. "Alô", eu disse. A respiração ficou difícil. Mammon observava. O suor umedeceu meu rosto e molhou meus seios. "Antoine?", eu disse. Normalmente eu o chamava de "Meu Senhor", mas sabia que Mammon não entenderia. Ela nunca esteve apaixonada.

Uma voz respondeu: "Aqui é Papa Lemoyne, o pai de Antoine. Quem está falando?". Rezei com a intensidade dos totalmente desesperados. Rezei para que Antoine tivesse contado ao pai sobre mim.

"Quem é?", insistiu o homem.

"Aqui é Paulit", respondi. Tentei pensar no que dizer. Mas minha boca se mexeu sozinha, e as palavras saíram: "Papa, estou saindo com Antoine".

Não ouvi o que ele disse a seguir. Apesar de ser maior que uma vaca, Mammon atravessou a sala principal como uma gazela e arrancou o telefone da minha mão como um gorila.

"Aqui é Mama Gerard", disse Mammon. "E com quem falo?"

Ela ouviu, o que é raro para ela. Mammon sorriu. "Ah, Papa Lemoyne, é um prazer conhecê-lo."

A decisão de me casar com Antoine foi tomada sem Antoine. Papa Lemoyne decidiu, Mammon concordou, Mama Lemoyne e eu ficamos caladas.

No dia seguinte à conversa de Mammon com Papa Lemoyne no meu celular, ela e eu fomos à casa dele. "Temos uma reunião", disse ela. A reunião seria às seis da tarde. Era uma reunião de negócios, e eu era o negócio.

Antes da visita a Papa Lemoyne, Mammon pôs em mim toda a maquiagem que tinha: sombra para os olhos, batom e até esmalte (eu nunca soubera que ela tinha essas coisas, se soubesse certamente já teria pegado). Ela foi com o seu vestido de ir à igreja – azul-escuro, solto e com aplicações em dourado – e me fez usar o meu – estampado de folhas em preto e dourado, com franzidos nas mangas. Meu vestido me fazia parecer uma vírgula comprida, eu o detestava. Mammon levou seu guarda-chuva marrom. O guarda-chuva era só para se mostrar. Ele não servia para proteger da chuva. Somente metade das varetas estava presa no tecido; se fosse aberto, o cetim marrom ficaria dependurado com um ar desiludido. Mammon carregava o guarda-chuva marrom na frente dela como se fosse um bastão presidencial. O guarda-chuva avisava às pessoas: “Mammon vem vindo”. Como ela, o guarda-chuva era velho e não tinha serventia.

Pegamos o *taxibus* e chegamos à residência Lemoyne cerca de duas horas adiantadas. Mammon disse: “Paulit, vamos dar uma caminhada primeiro”. Isso se somou à estranheza do dia. Foi a primeira vez que Mammon e eu demos uma caminhada desde que eu tinha 5 anos. Nós duas, vestidas com nossas roupas de domingo, fizemos um passeio em Kintambo. Não pareceríamos deslocadas a não ser pelo fato de que, na noite anterior, caíra uma forte chuva e tivemos de contornar pequenos lagos e poças e pular por cima deles. Mas fizemos em conjunto o nosso estranho passeio: o boi, seu guarda-chuva, a pantera e a semente da pantera – dançando e pulando o tempo todo.

“Escute, Paulit”, disse Mammon. Ela não falou com aquela sua voz de “vou-cortar-fora-a-sua-cabeça” e “vou-começar-a-gritar-feito-louca”. Ela falou com uma nova voz, como se eu fosse humana – quase uma amiga.

E prosseguiu: “Você é uma menina muito bonita”. Era verdade.

Minha beleza me separou de Mammon e das outras garotas. Quando eu era pequena, jogava futebol com meus irmãos e os amigos deles. Mas depois que fiquei alta e desenvolvi seios, isso acabou. Os meninos não gostavam de jogar com uma menina mais alta, mais rápida e mais forte que eles. E também, quando colidiam comigo e o corpo deles se apertava contra o meu, ficavam sem saber muito bem o que fazer. Logo me abandonaram para jogar sozinhos.

Fiquei alta, com pescoço longo e maçãs do rosto muito salientes. Meus lábios se avolumaram, como uma banana cortada ao meio. Eu era mais alta e mais vistosa que os meus irmãos e a minha irmã. Não conheci o meu pai, mas tinha certeza de que ele era mais bonito que o deles. As pessoas mexiam comigo na rua, as meninas me chamavam de “*haute*”, tanto por causa da minha altura como do meu distanciamento.

Os meninos me provocavam, mas só de longe. Eles nunca se atreviam a chegar perto, com medo de que eu falasse com eles.

Logo parei de dar ouvidos aos gritos, aos ruídos e às provocações. Coloquei-me no meu próprio lugar. Nele eu era mais feliz – era a pantera. Eu tinha olhos de pantera, olhos que viam tudo, brilhavam e emitiam fogo. Eu fazia a minha ronda sozinha e observava o mundo como se fosse um território de presas.

Meu passeio em Kintambo com Mammon me trouxe de volta aquela sensação de "estou só". Como era boa essa sensação. Mammon seguia falando, e eu não ouvia. Não sabia nada sobre ela a não ser que era minha mãe. Estava mais sozinha com ela do que com qualquer um.

Voltei novamente minha atenção a ela. Mammon disse: "Paulit, muitas mulheres a invejarão. Você sabe, ser uma mulher fina atrai os homens". Concentrei-me em manter os meus sapatos especiais de domingo livres das poças e da lama. Não gosto de ficar com as patas molhadas. Continuou: "Pense, Bébé (ela raramente me chamava assim naquela época), quais são as suas chances de ser feliz, de encontrar um bom homem e um bom lar?" Fez uma pausa para me deixar pensar em como era sombrio o meu destino. Ela parou e olhou para mim. "Paulit, não existe homem perfeito, assim como não existe esposa perfeita."

Olhei para ela. Eu estava sozinha, distante dela; *haute*, separada. Mammon nem sequer conhecera Antoine – meu Senhor, meu Mestre, meu Perfeito. Antoine era o único humano com quem eu não estava sozinha.

A residência Lemoyne era um *Château Grand*. Ficava em Kintambo, maciça, construída em pedra, pintada de branco, cercada por um muro de tijolos de 2 metros de altura, com um portão azul de ferro, um porteiro para abri-lo e dois guardas.

Mammon tocou a campainha do lado de fora faltando dez minutos para as seis. "Esta é a antecedência bem-educada", disse para mim. Plantou o guarda-chuva marrom no degrau de concreto e aguardou. "Bem-vindas", disse o porteiro, jovem, alto e preguiçoso.

Ele nos acompanhou até a porta da frente da casa – foi mais um passeio, muito embora as poças e a água tivessem sido enxugadas.

Um criado, velho, grisalho e encurvado, nos recebeu na porta da frente. A despeito de nossas roupas domingueiras, seus olhos nos trataram com desdém. Ele sabia que éramos de Kasa-Vuba. Levou-nos a uma sala maior que a nossa casa. Fiquei sem fôlego. As feições de Mammon não mostraram nenhuma mudança.

Eu soube no momento em que ele entrou. Ali estava o pai de Antoine. Seus olhos eram claros e penetrantes. Sua aparência deixava transparecer seus pensamentos e seu amor pela comida. O homem era baixo e gordo. Usava um colete, uma gravata vermelho-clara, calças com vincos perfeitos e sapatos pretos novos. Tinha a forma de um ônibus, mas sua classe era imensa. A mulher que o seguiu era duas vezes mais larga e 30 centímetros mais alta que ele. Usava um vestido claro, amarelo e verde, da mais alta qualidade. Uma grande cruz de ouro se aninhava em seu peito. Pendia de uma corrente grossa de ouro. Adivinhei corretamente que a mulher era Mama Lemoyne. Embora houvesse luz elétrica, ela trazia nas mãos uma lanterna de plástico branco. Logo vi que era uma mulher sábia. A eletricidade em Kinshasa falha tanto para os ricos como para os pobres.

Mammon passou o guarda-chuva marrom de um casco para o outro, como que para anunciar que ia falar. Quando falou, sua voz soou diferente; era quase apropriada. Ela ergueu o casco livre. "Boa noite, Papa e Mama Lemoyne", disse ela. "Permitam-me por gentileza fazer as apresentações."

O jeito direto de Mammon fez Papa Lemoyne hesitar. Ele controlou um leve franzir de sobrancelhas, abriu os olhos e acenou com o braço: "Mama, por favor, sente-se", disse para a minha mãe. Não olhou para mim. Para ele, eu parecia não estar na sala. No entanto, para a mulher dele, eu certamente estava lá. Ela me olhou fixamente, como se eu fosse a ceia. De repente fiquei preocupada com a lanterna branca: seria para examinar meu pelo, ou talvez até meu útero?

Mammon sentou-se no sofá. Papa Lemoyne sentou-se em uma poltrona na frente dela. Mama Lemoyne sentou-se atrás do marido, no fundo da sala, sobre uma banqueta baixa de madeira. Agarrava a lanterna branca como se a luz pudesse se apagar a qualquer instante.

Com um cuidado deliberado, Mammon pôs o guarda-chuva marrom ao seu lado e olhou para mim. "Paulit, sente-se", disse ela. Sentei-me ao lado dela. Lá fora, silhuetas de árvores escuras oscilavam. Pareciam se curvar na direção da janela, como que para ouvir do que tratava a reunião.

Papa Lemoyne juntou as mãos. Seus dedos eram limpos, e as pontas das unhas, brancas. Suas mãos se aquietaram. Ele sorria constantemente, dando a impressão de que estava acostumado a sorrir. Vi nele o requinte de Antoine. Eu gostei de Papa Lemoyne.

Sempre que olhava de relance para Mama Lemoyne, lá longe na banqueta, ela estava olhando para mim. Com ela, eu me sentia como comida.

Mammon fez as apresentações de si mesma e de mim. "Papa, sou Mama Gerard. Tenho uma padaria de sucesso no leste. Lamento dizer que sou viúva. Meu amado Pierre-Maurice morreu no exército, que sua alma descanse em paz." Mammon olhou para o teto. Não só sua voz estava diferente, mas a verdade também. Nunca tinha ouvido falar de Pierre-Maurice nem de nenhum amado de Mammon. E ainda havia mais por vir – nova voz, nova verdade. "Papa, quero apresentar minha filha mais velha, Paulit" (verdade, até aqui). "Minha Paulit tem 19 anos e está matriculada no Instituto para estudar contabilidade. Ela é uma moça ambiciosa, porém tradicional." Eu tinha ficado três anos mais velha e era um animal completamente novo. Mas entendi a natureza do negócio. Mammon queria me ver casada; eu queria Antoine. A falsidade pode ser como água num canal para a verdade por trás dela.

Papa Lemoyne se apresentou. Falou do banco onde era gerente regional. Falou dos 11 filhos. Por fim, mencionou a esposa. Ele disse: "Mama Lemoyne é o amor dos meus filhos", e, sem virar a cabeça para ela, acrescentou, "e de Papa". O rosto de Mama Lemoyne se iluminou como se ela tivesse apontado a lanterna branca para ele. Ela pareceu flutuar para fora da banqueta. O louvor de um marido é um fósforo na fornalha do amor da sua mulher. Tive esperanças de que aquilo afastasse seus olhos negros de caçarola de mim, mas eles não se afastaram.

A discussão se desviou para mim. "Paulit é uma ótima moça", disse Mammon. Ela me beijou na bochecha. E continuou, devagar. "Paulit vem saindo com o seu excelente filho há algum tempo." Cada uma daquelas palavras era como mergulhar um dedo numa panela para ver se estava quente.

Papa Lemoyne inclinou a cabeça, virou o pescoço, olhou para mim e sorriu. Rezei de novo para que Antoine tivesse mencionado meu nome. De qualquer modo, Papa Lemoyne parecia gostar de mim. Sorri de volta para ele. Fui pega na luz dos seus olhos. A luz que emanava dos olhos dele irradiou-se através do filho para mim. Ele respirou fundo e respondeu à pergunta que zumbia na minha cabeça como uma mosca numa armadilha. "Eu sabia que a sua filha estava saindo com o meu filho." Ele deu uma olhada rápida para Mama Lemoyne, que o estava observando do fundo da sala. Ela grunhiu. Ela sabia. Papa Lemoyne prosseguiu: "Mama Gerard, você falou ao telefone de alguma novidade urgente".

Minha Mammon retrucou: "Todos nós entendemos como é o amor dos jovens hoje em dia". Mama Lemoyne balançou a cabeça, e seus olhos negros finalmente se desviaram de mim, voltando-se para ela. Mammon falou: "Para mim está claro que a minha filha mais velha Paulit e o seu filho Antoine estão apaixonados um pelo outro". O sr. Lemoyne voltou a cabeça para sua mulher, que assentiu – uma pequena inclinação da cabeça, mas suficiente para que a gordura sob seu queixo tremesse. Mammon prosseguiu: "*Ma cher* Paulit está atrasada em suas regras, e eu gostaria de discutir isso face a face. É claro que o assunto é de grande urgência". Mama Lemoyne assentiu mais uma vez, desta vez o bastante para sacudir a sua cruz de ouro.

Papa respirou lentamente uma vez, e mais uma vez. Ouvi o ar passando pelo seu nariz. Sua mulher olhava só para ele. Senti a sentença chegando. Papa voltou-se para mim. "Paulit, criança, qual é a sua idade?" "Dezenove", eu disse. "E você é uma estudante." Olhei para os sapatos dele e concordei. "Sim, Papa. Estou no Instituto e quero ir para a universidade. Quero ser contadora." Papa sabia as respostas, mas queria ouvir a minha voz e ver a minha disposição. Ele perguntou: "E qual, criança, é a sua ambição?" Se eu fosse contar a verdade, diria: "Tudo o que quero no mundo é estar com Antoine". Mas então ouvi essas exatas palavras encherem a sala: eu falara a verdade em voz alta. Senti minhas bochechas queimarem.

Papa Lemoyne disse: "Você ama o meu filho?". Dessa vez, não pude me conter. "Papa, amo com todo o meu ser. Penso nele o tempo todo. Durmo com o celular embaixo do travesseiro." Mammon tocou na minha perna para me interromper. Mas eu não queria parar. Pus a minha mão sobre a dela. "Vou amar Antoine com todo o meu ser", eu disse, "para sempre." Não falei tudo que passava pelo meu coração; há oito dias eu não via Antoine. Eu o desejava com cada tendão do meu longo corpo. Tinha quase parado de comer. Só pensava no meu Senhor. Minha única vontade era ouvir sua voz. Eu o desejava como a semente deseja a água – como a flor deseja o sol. Antoine era o fogo da minha vida, a razão, a resposta.

Papa Lemoyne ficou em silêncio. Ele sorriu para mim, como se tivesse lido meus pensamentos, vontades, desejos, e cada um dos meus sonhos. Ele sabia que cada letra do meu nome pertencia a Antoine.

Depois de um silêncio, Papa Lemoyne olhou fixamente em frente. Ele mirou o espaço no sofá entre mim e Mammon. Estava pronto para dar o seu veredicto. "Sugiro a seguinte linha de ação", ele falou numa voz lenta e severa. "Primeiro, acho que a sua Paulit devia visitar o dr. Lonsilai. Lonsilai é chefe da obstetrícia na Clínica Particular de Mafuta." Aquilo nunca poderia acontecer – uma simples consulta no hospital público custa 4 dólares e, com os exames, talvez 20. Uma visita ao médico custaria a Mammon mais do que ela ganhava assando pães durante uma semana. Eu não sabia nada sobre a Clínica Particular de Mafuta, mas tinha certeza de que era ainda mais cara que o hospital público. Mammon também sabia disso, mas não vacilou. Papa Lemoyne prosseguiu: "Tomei a liberdade de marcar uma consulta para amanhã às 9 horas da manhã. Se Paulit está...", ele tossiu, "... grávida, então, é claro, arranjos serão necessários".

Quando Mammon e eu deixamos o *Château Grand*, me perguntei que arranjos seriam esses.

O dr. Lonsilai usava um relógio de ouro e estava sentado atrás de uma mesa. Era obeso, e o seu jaleco branco fora engomado até ficar duro. Havia três cadeiras de madeira do outro lado da mesa, e na parede oposta da sala havia uma televisão. Ele estava assistindo ao noticiário da Inglaterra (em francês), sobre um príncipe casando com uma princesa. Quando entramos, ele disse: "Ah, esta deve ser Paulit". A televisão continuou ligada. Seus olhos moviam-se bruscamente de mim para a televisão, para Mammon e de volta para mim. Mammon e eu estávamos usando as nossas roupas domingueiras outra vez. O guarda-chuva marrom também veio. O doutor me fez entrar atrás de uma cortina e passar para ele a minha urina em um copo. Ele gritou, e um homem alto, de jaleco branco sujo, entrou e pegou a minha urina. Aguardamos. O dr. Lonsilai ficou olhando para a televisão. Mammon e eu ficamos olhando para o chão.

O noticiário passou a falar de futebol. O telefone tocou. O dr. Lonsilai disse: "Hã, hã" e desligou. Consultou um livrinho preto e discou um número. E disse ao telefone: "Ah, Papa Lemoyne, sim, a menina está grávida".

Antes de sairmos do consultório, paramos no balcão do caixa. A mulher disse: "São 100 dólares". Mammon pôs o guarda-chuva de lado e abriu a bolsa. Ela foi tirando nota após nota. Minha boca formou um "Oh". Se soubesse que ela tinha tudo aquilo, teria pegado pelo menos um pouco. Logo havia uma grande pilha de francos em cima do balcão. Porém, uma grande pilha de francos resulta apenas em uns poucos dólares. A mulher atrás do balcão sacudiu a cabeça. Ela dobrou o pulso para dizer "mais". Mas, bem quando Mammon ergueu os braços em indignação, a porta atrás de nós se abriu. "Isto já foi acertado", bradou o doutor de relógio de ouro. A mulher do caixa recolheu todos os francos antes que Mammon pudesse pegá-los de volta e, com outra virada de pulso, disse: "Pode ir".

Houve mais uma reunião com Papa Lemoyne, a mulher dele, Mammon e eu. Foi breve. Papa deu o veredicto: "Eles vão se casar". Abençoado veredicto.

A semana seguinte foi uma loucura. Não mais que de repente, nada mais importava a Mammon a não ser eu. Natalie ficou amuada; não havia nada de que ela gostasse mais do que as minhas brigas com Mammon. Agora meus irmãos eram repreendidos se pegavam a comida antes de mim. Eu era a princesa, na mesma casa em que, uma semana antes, tinha sido o capacho.

Na escola, Yvette e Saadyah pareciam felizes por mim, pelo menos na minha frente. Como eram as minhas únicas amigas, os cochichos nunca me incomodaram.

A quarta-feira, cinco dias após o veredicto, foi incrível. Cheguei em casa da escola e havia um banquete. "Paulit!", exclamou Mammon, de braços abertos. A amiga bovina de Mammon, Glenadette, e duas de suas outras camaradas rançosas estavam lá. Meus quatro irmãos e Natalie estavam presentes, e todos foram obrigados a se lavar. Era a minha festa de noivado. Mammon me chamou de lado. "500 dólares", disse ela, como se tivesse engolido o sol. Meu dote era de apenas 500 dólares. Eu valia muito mais do que isso, mas ela era muito burra para perceber.

Mammon se alvoroçava em volta do fogão. Batata-doce, *fufu* (um pacote inteiro), cordeiro, espinafre, dois tipos de peixe, porco e duas cestas de pão. Ela até deixou meus dois irmãos mais velhos, Roberte e François, tomarem cerveja. Todo mundo da nossa rua compareceu. O tio Moiré e alguns outros de quem eu gostava também vieram. Enquanto todos tomavam cerveja, mais gente apareceu. Para os pequenos, Mammon tinha garrafas de Fanta Laranja e Coca-Cola. Isso era coisa nunca vista, e Mammon estava realmente feliz. Sua alegria, ao que parecia, custara apenas 500 dólares.

Eu ainda não ouvira nada de Antoine, meu noivo.

Alguns dias depois do noivado – sábado –, Antoine me ligou.

Eu sabia que ele estava de folga do serviço por um dia inteiro.

Meu celular tocou. Era ele. "Sua puta", disse e desligou.

O casamento foi apressado e de acordo com o plano Lemoyne. Foi marcado para o terceiro mês da minha gravidez; eu já tinha quase parado de vomitar. Àquela altura, Mama Lemoyne e Mammon já haviam travado amizade. Mammon começou a interagir com os ricos. Mama Lemoyne começou a falar. Uma vez, na costureira, até a vi dar risada.

Meu Senhor permaneceu áspero e frio comigo, mas me agarrei a ele. Uma noite, algumas semanas antes do casamento, a pior delas, Antoine me levou no seu jipe do exército. Ele me atacou com tamanha fúria que achei que estivesse tentando matar meu bebê a golpes de lança. Mas eu cavalguei sua força e amainei sua fúria. Por mais que ele tentasse, não conseguiu esconder de mim a breve centelha de nobreza no fundo dos olhos. Ele tentou socar o bebê para fora de mim. E então ele tentou outra vez, e tentou de novo.

Aguentei tudo isso. Meu Senhor era a minha sina e o meu destino. Era a penitência e um preço que eu estava disposta a pagar.

O bebê ficou, e o casamento aconteceu.

No dia anterior ao nosso casamento, Antoine e eu nos encontramos com o sacerdote, padre Peter Nyoka. O padre Nyoka falou do casamento como uma união sagrada entre Deus, Antoine e eu. Ele falou da devoção, do Espírito Santo e da bênção especial dos filhos comprometidos com a Igreja. Todas essas coisas ele disse com prazer. Mas demonstrou o maior prazer quando falou de Papa Lemoyne. "*Lé Président d'eglise; nôtre bénéficiaire aimé*", o presidente da igreja, nosso benfeitor amado.

Antoine estava quase feliz no casamento. Um dia antes, fomos ver a casa que Papa Lemoyne comprara para nós. Era em Kintambo, a dez minutos dos pais dele. Enquanto andávamos pela casa, Antoine disse: "Ela é pequena demais", mas pude ver que estava satisfeito. Ele não segurou a minha mão – mas tudo bem.

A festa do casamento foi no *Château Grand*. Uma tenda opulenta foi montada no jardim. Um após outro, os convidados diziam "*Splendeur*!" ou "*Formidable!*" Música sem fim, bebidas e comidas. Natalie se agarrou à sombra da irmã tanto quanto eu deixei. Ela achava que Antoine era o homem mais lindo do mundo. "Ai, ai, ai", eu disse a ela depois da quarta vez e beijei sua cabeça. Mammon e Mama Lemoyne passaram a noite juntas, olhando para as pessoas de cima. Elas conversaram (principalmente Mammon) quase sem parar. Mama Lemoyne enxotou os outros convidados, parecia gostar da companhia de Mammon, que, por seu lado, nem sequer convidou os amigos. Escalara diversas classes sociais desde o meu noivado. O estranho foi que me comportei exatamente como ela. Nem pensei em convidar Yvette e Saadyah. Eu agora tinha 19 anos (Mammon usou seu dinheiro para alterar minha certidão de nascimento). Deixei os 16 para trás, junto com as minhas duas amigas.

Meus quatro irmãos adoraram a festa. Antoine tinha dois irmãos mais novos. Os seis meninos jogaram futebol atrás da tenda a noite inteira; eles entravam, suando e sorrindo, para pegar Cocas ou Primus sempre que queriam. "Esta é a melhor", disse Roberte, com a camisa empapada de suor.

No meio da celebração, fui até Mama Lemoyne. "Mama", eu disse timidamente, "nunca decorei uma casa antes. Você me ajudaria a decorar a casa de Antoine?"

Mama Lemoyne segurou minha mão. "Eu gostaria, Paulit." Mammon sorriu para mim. Tínhamos ensaiado isso 20 vezes, e o meu desempenho foi excelente.

Durante a festa, Papa Lemoyne ficou longe de mim quase o tempo todo. Reparei várias vezes que ele dava umas olhadelas para mim do outro lado do salão. Seus olhos e seu sorriso não estavam muito bem focados; era como se estivesse olhando através de mim para outra moça. Talvez ele tivesse visto a mulher que eu viria a ser; talvez a garota que eu era. Depois de cortar o bolo, ele se aproximou de mim, pegou minha mão entre as dele e me beijou no rosto: "Espero que o meu filho perceba quanto é afortunado", disse.

Não naquela noite. Antoine passou a maior parte da noite bebendo com os seus amigos do exército. Havia três generais na festa, que Papa

Lemoyne apresentou ao filho. Antoine estava subindo na vida, mesmo que não percebesse.

E assim foi. Eu tinha me casado com o meu Senhor; com 19 anos, grávida de três meses e com uma casa em Kintambo. Meu marido ia subir na vida. E eu era a mulher mais feliz do mundo.

A percepção de que o amor é dor foi crescendo dentro de mim com o meu filho. O coração que me suportara até o casamento tinha sido enganado pela fantasia. Meu desejo pelo meu Senhor era vívido, como se eu estivesse olhando para o sol. Meu corpo estava possuído por um desejo ardente pelo toque de Antoine – tão forte que meus ouvidos ensurdeceram. Ao mesmo tempo que estava cegada pelo amor, fui ensurdecida.

Enquanto crescia a minha barriga, meus olhos se abriam lentamente. A luz machucava. Meu êxtase era um lençol branco manchado de vermelho. Se é nos silêncios entre as palavras que falamos, aqueles que havia entre mim e Antoine eram os mesmos: "Ódio".

Como almejei a feliz cegueira do amor, aquele silêncio isolado. Eu não conseguia conter os meus sentidos, nem os ignorar. A expressão de desprezo de Antoine, as palavras coléricas e os silêncios dolorosos cheiravam à aversão. Senti mas ignorei os perfumes que ele trouxe para casa em suas roupas. Assim é a vida, com todo o ódio, com todo o amor, pela adoração e pelo desprezo – Antoine era o meu Senhor, a minha vida. Descartar o meu amor por Antoine seria abandonar a fé em Deus. Mas era o meu destino: descobrir como Deus se sente quando os fiéis O abandonam.

Mama Lemoyne decorou a minha casa com um bom gosto chato. Fiquei acostumada com as paredes azul-pálidas, com as luzes douradas e as lúgubres tapeçarias nas paredes. Se eu olhava para as paredes por tempo suficiente, as formas apareciam e dançavam. Às vezes eu via uma imagem de mim mesma, uma pantera negra, voando através do céu.

De início, quando Antoine ficava mais em casa, minha família vinha nos visitar. Mas os silêncios taciturnos do meu Senhor, suas ordens vociferadas e rejeições bruscas os desconcertavam. Mammon se regalava com o dote, a julgar por suas roupas. Ela disse: "Você deve permitir que o seu marido mande na casa". Logo ela me desencoraja de ir a Kasa-Vuba para ver Natalie e meus irmãos. Natalie vinha me visitar às vezes, depois da escola, mas ficava aborrecida com a minha melancolia, e rápido as visitas cessam.

Agora eu era de Antoine; uma esplêndida vingança.

As vezes em que Antoine estava longe de mim – longe de casa – foram ficando mais comuns do que o tempo que ele passava comigo. Durante semanas ele seguia para o leste em manobras, ou para o norte a fim de dominar rebeldes. Durante muitas noites ficávamos separados, mesmo quando ele estava em Kinshasa. "É o trabalho", disse ele quando perguntei por quê. A luz ardente – a esperança – queria que ele estivesse dizendo a verdade. Mas o nariz da pantera farejava falsidade.

A única atmosfera na minha casa que parecia mais escura que o silêncio vinha da televisão. A televisão estava cheia de novelas sobre paixões desenfreadas e traições – eu preferia uma tela vazia, totalmente escura.

Minha solidão foi aumentando, do cinzento para o preto. Os três meses viraram nove. Minha barriga estava prestes a explodir.

Ao se aproximar a hora do nascimento, minha principal ajuda foi o dr. Lonsilai. A televisão ainda permanecia ligada sempre que eu me encontrava com ele, mas ele parecia me ouvir. Ele me examinava com delicadeza. Eu tomava comprimidos nutricionais. Tudo ia bem com o bebê. Eu nunca pagava.

Mama Lemoyne passava em casa todos os dias, exceto aos domingos, para se certificar de que a minha governanta, Jeanine, estava cumprindo com seus deveres corretamente e para pagá-la. Mama raramente falava mais do que "Olá, Paulit", mas uma vez ela disse: "Você ainda precisa se pôr bonita e ser feliz". Achei que Antoine havia dito alguma coisa para a mãe.

Quando o bebê estava prestes a nascer, Antoine partiu a serviço outra vez. Ele não estaria em Kinshasa para o nascimento – e isso era bom.

Mammon veio para o nascimento. Eu tinha certeza disso, porque Mama Lemoyne estava lá. Mammon carregava o seu guarda-chuva marrom e usava um vestido de igreja novo. Meu bebê era o primeiro neto de ambas. Fui à clínica particular do dr. Lonsilai para dar à luz. Apesar de toda a água limpa, do ar condicionado e das paredes brancas, o parto foi de dor.

A dor prolongada foi uma penitência. Clamei a Deus durante 14 horas. Deus me castigou naquela cama de parto por desejar Antoine. Deus me castigou por usar a beleza para arrancar do Homem a sua vontade. Deus me castigou por me casar em uma classe mais alta. Deus me castigou por ter o meu bebê contra a vontade do Homem. Deus me castigou por ser *haute*. Mas a despeito de toda a dor – de todo o castigo – jamais me arrependi do meu bebê. Eu o protegera do tubo de borracha vermelha de Mama Bernadette e da lança de Antoine. Eu poderia proteger o meu bebê de qualquer coisa que Homem ou Deus pudessem trazer. O bebê era meu.

Com um grito final a Deus, dei à luz Fellyne, a mais perfeita criação sobre a terra.

"Oh", foi a reação de Antoine quando ouviu que o seu bebê era uma menina. Ele não voltou da viagem por mais uma semana.

Mas, quando Antoine viu pela primeira vez a nossa criança, meus temores e incertezas desapareceram, e o meu amor por ele cresceu e ficou maior do que nunca.

Eu estava amamentando Fellyne, agora com cinco dias. A porta se abriu bruscamente, chocando-se contra a parede. Fellyne virou-se para a interrupção. Antoine entrou no quarto do hospital. Seu rosto ostentava raiva. Suas sobrancelhas estavam franzidas, e a boca, cerrada. Os olhos irradiavam ira.

Isso foi só até ele ver a filha. Os olhos dela encontraram os dele. O lábio inferior de Fellyne descaiu, sua língua escorregou para fora, e ela gorgolejou. Ela chilreou alegria. Uma gota de leite escorreu por seu rosto. Antoine se esforçou muito, mas foi como se estivesse empurrando uma rocha colina acima; o amor triunfou sobre ele. Sua carranca sumiu, e um sorriso perpassou-lhe a face. Fellyne chilreou mais. Antoine sorriu mais. Suas roupas do exército estavam bem passadas. Não me importei. O amor que ele tinha pela minha filha era uma sombra silenciosa do seu amor por mim. Seus ombros se encolheram. Ele estava prestes a estender os braços e pegá-la. Mas Mama Lemoyne entrou. "Fellyne", disse ela. Foi uma das poucas coisas que a ouvi dizer para Antoine; em geral, ela comandava com silêncios. "Filho, a sua filha se chama Fellyne", disse ela. Antoine olhou para a mãe dele. O mesmo tempo que ele levou para ser esmagado pelo amor, levou para empurrá-lo de lado. Foi como se a energia elétrica tivesse voltado e logo depois tivesse sido desligada de novo. Mama Lemoyne fez isso. Não sei como nem por quê. Um amor de mãe pelo filho deve ser mais duro que pedra e mais brilhante que a luz.

Seis meses depois, Fellyne no meu peito, me mudei para a casa de Antoine no exército. Como parte de ser um capitão (agora com quatro galões), uma casa foi concedida a Antoine no quartel próximo ao aeroporto militar. Os recrutas compartilhavam salões de blocos de concreto, mas Antoine tinha uma casa do tamanho de um reboque de caminhão. Não era nada comparável à minha casa de Kintambo. O papel de parede amarelo-pálido estava descascando nas paredes internas, e a pintura branca de fora tinha quase sumido. Ela fedia. "Você e o bebê vão morar aqui", disse ele.

O comentário de Mammon quando lhe contei foi: "Você precisa acompanhar Antoine, ele é seu marido. Antoine é um homem. É o que ele é". Eu sabia que Antoine era um Homem e sabia exatamente o que isso significava. Sabia que não tinha escolha a não ser acompanhá-lo.

Pintura descascando e marido sumido, pouco importava onde eu morava desde que fosse com Fellyne. Ela tinha um vício – o riso. Ria quer estivesse cansada, com fome, alegre ou doente (depois de algumas lágrimas, talvez!). Seu riso era sempre o mesmo – ela deixava cair o lábio inferior, punha a língua para fora e chilreava. O som era como se a alegria tivesse fervido dentro dela e explodido para fora, num jorro.

Fiz amizades através do riso de Fellyne. Todos os que cruzavam com a minha bebê ganhavam um dos seus chilreios explosivos e riam de volta. E, assim, as pessoas ficavam felizes na nossa presença – como ondas que vão e voltam – e eu também. Antoine podia me mandar para o inferno, e eu teria rido o caminho inteiro se Fellyne estivesse agarrada ao meu pescoço. A casa do exército não era assim tão ruim.

Antoine vinha para o quartel duas ou três vezes por semana, a não ser nos meses em que a sua unidade estava fora. Quando vinha ao quartel, ele, antes de mais nada, era o centro das atenções na sua unidade. "Meus *makélélé*",[3] ele os chamava, porque se vestiam de verde e soltavam gritos estridulantes como os dos grilos. Feito isso, o meu Senhor era o centro das minhas atenções. Desaparecia o fingimento. Ao meu lado, o seu ódio era cruel. Ele despejava uma ira impiedosa sobre mim. Todo o brilho alegre dos seus olhos desaparecia. Tudo o que restava era fúria. Quanto mais crescia a sua fúria, menos eu me importava.

Antoine me bateu. Eu não gritei, para que Fellyne não percebesse como era o seu pai. Logo entendi que a dor é uma prisão; um lugar silencioso onde as paredes podem ser maltratadas, batidas, marcadas e arruinadas, porém o ar de dentro pertence apenas ao prisioneiro. Antoine bateu mais forte. Ele me atingiu com a voz enquanto me batia com o punho. Ele começou a me chamar de "macaca".[4] Mas eu sempre o chamei de "Meu Senhor". "Macaca", "Meu Senhor".

Ele gritou: "Está zombando de mim, macaca?!"

Eu respondi: "Eu amo você, meu Senhor".

Antoine estava ficando quebrantado, mas não o meu amor. Eu amava Antoine. Amava a sua fraqueza tanto quanto a sua força – o seu homem tanto quanto o seu menino. Se o amor é ar, era amor que eu respirava. Eu sentia a sua fraqueza enquanto me lembrava da sua grandeza. Entre

3 Makélélé é a palavra lingala para "grilos".

4 Termo depreciativo, historicamente usado pelos belgas para referir-se aos congoleses.

as pancadas do seu corpo no meu, eu sentia o cheiro de marido. Quando eu captava o seu olhar, era como se estivesse olhando para um armazém gigante. Longe, muito longe, havia uma vela minúscula – a menor das luzes. Mas ela estava lá.

A cada vez, depois que ele saía, eu passava maquiagem no rosto – para deixá-lo como era antes. Então, lavava os lençóis. Os vizinhos pararam de perguntar. Mama Lemoyne nunca perguntou nada. Fellyne começou a andar.

Eu era popular com as esposas do quartel. Muitas tinham sido abandonadas lá, trocadas por amantes. Elas vinham a mim. Em geral as mulheres falavam primeiro de trivialidades: "Como você deixa os seus lençóis tão limpos?", "Onde você conseguiu a tinta?" Eu tinha pintado a minha casa com duas latas de tinta amarela que conseguira com Rolande, responsável pelas aquisições. Tive de flertar com ele durante várias semanas e até o deixei roubar um beijo! Quando suas mãos procuraram meus seios, lembrei-lhe quem era o meu marido.

Depois dos primeiros "olás", as mulheres falavam de assuntos sérios – principalmente de maridos. "Mama Paulit, como você consegue?", diziam elas. Elas viam as equimoses, e mulheres mexericam. Suponho que elas sabiam. Mas, com a minha Fellyne constantemente por perto, eu só podia sorrir e usar palavras gentis para ajudá-las em suas batalhas. Elas se embebiam da minha força. Eu não excluía ninguém do meu círculo.

Todas as mulheres tinham queixas similares: dinheiro, maridos ausentes, solidão, espancamentos, doença e a realidade de que Homens eram Homens. Um dia recebi três mulheres na minha casa, uma após a outra. Fiquei falando tempo demais e assim resolvi convocar uma reunião. Foi desse modo que *LaCircle*, como eu chamava, foi formado.

Todas as tardes de quarta feira, *LaCircle* se reunia na minha casa. Cinco, logo depois oito e em seguida catorze mulheres se amontoavam na minha casa. Nas primeiras semanas a conversa era sobre mágoas passadas, mas isso acabou se tornando cansativo. Começamos a rir e então a planejar.

Por exemplo, as esposas do exército tinham direito à gasolina grátis, mas nenhuma de nós tinha carro. Então começamos a guardar recipientes de plástico cheios de gasolina, que vendíamos na esquina, do outro lado da rua. Quando os guardas do portão nos confrontavam, eu lhes contava quem era o meu marido, e eles se escafediam como baratas. Mas eles voltaram: queriam uma participação. Eu ri na cara deles. Tentaram nos deter vezes seguidas, e uma noite, depois que a fúria dele amainou, contei a Antoine sobre um guarda em particular, que ficava nos perturbando. "Meu Senhor", eu disse, "ele me atormenta o tempo todo. Eu disse a ele que você é meu marido, e ele riu de mim. Disse que o capitão Lemoyne não tinha poder sobre ele." Depois disso, os guardas do portão nos deixaram completamente em paz. O negócio da gasolina ia bem.

Comecei a assar pão. Usei a receita de Mammon. Eu já tinha visto mil vezes e conhecia o seu jeito de preparar e sovar a massa. De início fiz uma dúzia de pães somente para os nossos encontros. "*Superbe*", disse uma. "Você devia vender esses pães", disse outra. Usei dinheiro da gasolina para subornar Papa Marcel, chefe das cozinhas do quartel, a fim de usar os fornos à noite. Logo, com Mama Serene e Mama Carbon, estávamos vendendo cem pães por dia junto com a gasolina. Vendíamos tudo, todos os dias! Ganhamos dinheiro; todos os lucros eram divididos entre *LaCircle*.

Minha vida virou uma rotina muito agradável: Fellyne, assar os pães, as mulheres, *LaCircle*. Nós cantávamos e ríamos. Mama Lemoyne vinha visitar Fellyne toda semana. Parei de aceitar os 10 dólares que ela oferecia. Antoine ainda fazia visitas duas a três vezes por semana. Suas pancadas foram ficando mais suaves à medida que a minha força crescia. Logo, nascida sobre um rio de risadinhas, Fellyne estava com 4 anos.

Dei uma grande festa no quarto aniversário de Fellyne.

Ela não parara de rir desde que nascera. O sorriso dela era tão constante que cheguei a pensar que o formato do seu rosto era assim mesmo. Era alta, mais alta que as crianças de 5 anos, mais ereta e orgulhosa – às vezes me imitava deliberadamente. Ela tagarelava o tempo todo e, quando não estava falando, estava correndo de um lado para outro. Tentei falar só francês com ela, mas ela assimilou o lingala com as outras mulheres e os recrutas. Estava interessada em tudo.

Na hora da festa, *LaCircle* havia crescido para 22 pessoas. Éramos conhecidas na nossa esquina, na frente do quartel. Os moradores locais e até lojas compravam pão, gasolina e roupas que fazíamos. Tínhamos dinheiro, porém mais do que tudo, umas às outras. Homens podem ser homens, mas mulheres são mulheres.

Eu, Mama Este e Mama Nadalie, fazíamos 120 pães todas as noites. Fellyne ficava deitada ao meu lado enquanto eu trabalhava na massa. Eu lhe contava histórias, principalmente para fazê-la parar de tagarelar e tratar de dormir. Muitas vezes eu separava uma bolinha de massa e deixava que ela fizesse o seu próprio pão. Nós o comíamos, quentinho do forno, no desjejum. Eu disse a ela: "O seu pão é mágico". Disse que, quando ela comia o seu pão especial, podia estar em qualquer lugar. "Até Paris?", disse ela. Agora, como ela sabia sobre Paris? Essa era Fellyne, uma inteligência sorridente.

Fellyne conhecia o pai por causa das suas visitas duas vezes por semana, que continuavam como antes. Ele começou a sorrir para ela e acariciar-lhe a cabeça. Algumas vezes lhe trazia doces. Senti que eu era de serventia para Antoine – e minha casa, a serventia dele para mim.

Mama Lemoyne ficou mais gorda no decorrer dos quatro anos de Fellyne. Suas visitas das sextas-feiras ao quartel eram constantes, sempre precisamente às 11 horas. Quando eu via a Mercedes preta, sabia que o fim de semana estava próximo. Mama Lemoyne falava pouco com Fellyne. Sentava-se embaixo da árvore no quintal da minha casa e ficava olhando a neta brincar. Eu lhe trazia chá para bebericar e seguia com as minhas tarefas. Fellyne às vezes se aproximava da avó e dançava ou cantava. Fellyne persistiu até a face de Mama Lemoyne abrir um sorriso. Se Mama Lemoyne gostava de comandar com silêncios, ela também amava com eles. Nunca falhava em suas visitas, nunca esquecia aniversários, Natal e a necessidade das menininhas de serem mimadas. Seu amor por Fellyne era evidente como se ela o declarasse. A única vez em que Mama

Lemoyne falou comigo foi sobre Fellyne. “Ela precisa de um corte de cabelo”, disse ela, e me forçou a aceitar uma nota de 10 dólares. “Ela é muito esperta”, Mama dizia frequentemente.

Todo mundo veio para a festa de aniversário.

Antoine chegou cedo; ele se comportou como se fosse um marido apaixonado. Seus *makélélé* estridulavam atrás dele. Trouxe um presente para Fellyne: uma bicicleta cor-de-rosa com fitas prateadas presas no guidão. O prateado capturou o sol quando ele a empurrou em volta do quintal. O sorriso gigante de Fellyne e os fragmentos esvoaçantes de luz do sol refletida faziam a menina parecer um ser celestial que nasceu montado no seu pônei cor-de-rosa. Mammon ficou a maior parte do tempo em pé ao lado de Mama Lemoyne, falando. Mama Lemoyne não estava mais interessada na voz afetada de Mammon e em sua conversa falsa. Mama Lemoyne ficou olhando silenciosamente para o filho e Fellyne. A despeito de seu fingimento, Antoine adorava brincar com a filha de 4 anos.

Natalie veio para a festa. Ela tinha nos visitado no quartel logo que nos mudamos para lá, mas as minhas equimoses a desconcertaram, e ela parou de vir. Na festa, ela sentiu a minha vitalidade e relaxou. Dançou comigo ao som da música no rádio. Natalie estava crescendo, gorducha e simples como Mammon. Ela disse: “Sinto falta de você”, e pude ver que era verdade. Trouxe uma boneca para Fellyne, mais ou menos do tamanho da minha mão. Tinha a pele clara e um cachinho de cabelo castanho. Fellyne adorou. “Como se chama a boneca?”, perguntei a Fellyne. “Poppi”, sorriu a minha filha e abraçou a boneca de plástico. Daquele dia em diante, Fellyne e Poppi nunca mais se separaram.

Perto do fim da festa, Mama Lemoyne se aproximou de mim. Com os olhos nos meus, ela disse: “Tenho uma vaga para Fellyne na Académie International”. L’Académie International era uma escola particular em Kinshasa. Os sonhos de Mama Lemoyne para Fellyne eram os mesmos que eu tinha. Agarrei suas mãos gordas e as beijei. Elas estavam gordurosas de creme. Mas eu teria beijado o chão. Eu sabia que a minha filha ia aprender. Eu sabia que a minha filha ia ler. Eu deitaria mil noites embaixo de Antoine para saber que um dia a minha filha Fellyne poderia ser uma doutora, ou uma advogada, ou uma jornalista. Talvez até em Paris. Mama Lemoyne foi embora.

Papa Lemoyne também veio para a festa. Eu o tinha visto somente duas vezes desde que Fellyne e eu nos mudamos para o quartel – e, em ambas as ocasiões, não por muito tempo. Suas expressões na festa eram como antes, transparentes para mim e fáceis de ler. Seu rosto era de saudade misturada com amor, ausência misturada com separação, plenitude misturada com perda. Seu sorriso era o mesmo de sempre, pleno e sincero, mas seus olhos haviam ficado baços. "Paulit, criança, como vai você?", perguntou ele.

Eu o beijei no rosto. "Um pouco cansada", eu disse.

Papa tocou minha mão, e seu sorriso aumentou. "Nós precisamos dessas boas novas", ele disse.

Olhei para ele.

Papa inclinou a cabeça de lado. "Fellyne já tem 4 anos; quem sabe este pequenino é um irmão para ela?" Sua cabeça calva brilhava ao sol.

Papa pensou que eu estivesse grávida. Assim como eu li sua expressão, ele leu meus desejos. Sim, eu rezava todas as noites na esperança de estar grávida. Eu queria outra criança. Sim, mais de Antoine. Além de punhos fechados, insultos e conspurcação, eu queria a sua luz dentro de mim. Eu, a eterna amante, sob o seu Senhor.

Com Fellyne, tive enjoos desde o começo da gravidez. Mas eu não sentia enjoos e não estava atrasada, apenas cansada. Sorri para Papa. Muito embora o visse tão pouco, eu o amava. Ele era a coisa mais próxima que eu tinha de um pai. Eu disse a ele: "Sinto muito, Papa. Não estou grávida, só cansada". Os cantos do seu sorriso vacilaram, e os olhos se tornaram ainda mais baços.

Algumas semanas depois da festa, a Mercedes preta dos Lemoynes apareceu. Mama Lemoyne me avisara que viria: às oito da manhã em ponto. Era o primeiro dia de Fellyne em L'Académie. Mama trouxe o uniforme com ela; blusa branca radiante, saia plissada azul-escura e um lenço de pescoço azul. Fellyne estava hesitante; ela nunca ficara longe de mim. "Bébé, é só por quatro horas", eu disse. "Vou estar aqui esperando por você. Estou tão orgulhosa de você." Minha filha sentiu a minha alegria, e seu sorriso luziu de novo. "Divirta-se muito", eu disse. Beijei-a na boca e entreguei-lhe um lanche – pão mágico e chocolate. Ela se sentou ereta ao lado da avó no carro, segurando Poppi em uma das mãos e acenando a outra para mim.

A Mercedes preta se afastou. Perturbada, esperei. Minha preocupação era como suor num dia quente.

Minha ansiedade desapareceu no momento em que Fellyne irrompeu para fora do carro depois do almoço. Ela era uma erupção de tagarelice jubilosa. Parecia falar sem respirar – por uma hora! Ela me contou das figuras na sua classe, da professora Brianna, da comida, das tintas, dos livros e das outras crianças. Enquanto falava, seus braços se agitavam. Por um momento, até pensei que Poppi também estivesse sorrindo.

Foi a mesma coisa em todos os dias que se seguiram. Fellyne voltava da escola, agarrada a Poppi e explodindo em novidades. Mas à medida que Fellyne aprendia mais, meu cansaço piorava. Era como se os seus novos conhecimentos estivessem sugando os meus. Fui enfraquecendo contra o corpo violento de Antoine, e, estranhamente, seu interesse em mim diminuiu. Por que espancar um cão se ele não gane?

As semanas viraram meses, e a minha filha começou a ler. Fellyne não preparava mais a massa comigo à noite; ela precisava do seu sono – e eu também. Muitas vezes eu estava cansada demais para fazer pão e dormia ao lado dela.

A cada dia Fellyne vinha com uma nova história. Sua melhor amiga era Sophie; Sophie vivia em Kintambo. Ela e Sophie não gostavam de meninos. Fellyne queria um cachorro (Sophie tinha um). "Para comer?", perguntei a ela. "Mama, *não*!", gritou.

Fellyne estava na escola há quase seis meses. Minha filha conhecia todas as letras e podia contar até 20. Ela lia no Nível 1 e estava pronta, eu achei, para o Nível 2. Fellyne chegou em casa da escola. Eu podia perceber que alguma coisa estava acontecendo, ela estava inquieta há dias.

Ficou mudando de posição no mesmo lugar e olhando para o chão. "Mama", disse ela. "O que, Bébé?", disse eu. "Na sexta-feira, posso dormir na casa de Sophie?"

Suspirei. "É claro que pode", eu disse. Sorri e beijei-a.

Ela olhou para mim. "Mama, você vai ficar bem?"

Eu ri. "Fellyne, é por isso que você está desligada a semana toda?" Ela assentiu.

Beijei-a e a peguei no colo. Disse olhando para o cabelo dela: "É claro, Bébé, que eu vou ficar bem. Eu amo você do mesmo jeito, onde quer que você durma. A sua pele é o cobertor de amor com que eu a enrolei no dia em que você nasceu. Onde estiver a sua pele, ali estará o meu amor".

Ela se remexeu. "Mama, você tem certeza?"

Assenti. "Toda a certeza."

Senti os ombros dela relaxarem. Fellyne pulou de tão entusiasmada. Poppi também pulou. Então fiz uma cara séria. "Fellyne, mas, se você dormir com Sophie na sexta-feira, quem vai lhe pôr na cama? Quem vai contar uma história na hora de dormir? Quem vai lhe dar um beijinho?"

"Mama!", ela gritou. Minha menina estava crescendo.

Aquela sexta-feira sem ela foi como pão sem fermento.

No sábado de manhã fui buscar Fellyne. Fui cedo – exageradamente cedo. Não que tenha tentado enganar a mim mesma; fui a Kintambo para ver a minha antiga casa – a minha antiga vida.

Espiei através de uma rachadura no portão de ferro. Ele estava enferrujado – apesar de toda a sua força, o metal é comido pelo ar. Até onde eu podia ver, minha casa era a mesma de antes, mas o jardim havia crescido. Ele era bem cuidado, e imaginei que Mama Lemoyne ainda o visitava. Mama Lemoyne era boa em rotinas silenciosas; eu sentia inveja. Atravessei a rua e fiquei olhando.

Depois de uma hora, fui e bati no portão. "Sim", disse o menino-

-porteiro. "Mama Lemoyne", eu gritei com mais força do que me supunha capaz. O portão se abriu, olhos olharam para fora. Vi a surpresa. O menino me reconhecera, e seus olhos se arregalaram. "Olá", eu disse. Tinha esquecido o nome dele. Ele hesitou. Empurrei.

A mesma cortina de renda branca cobria o vidro da porta da frente. Bati forte. A porta foi atendida por uma mulher. Grávida.

Corri o mais depressa que pude, mas o cansaço me deixou sem fôlego – cada respiração era curta e rápida. Parei, tossi e fui andando o resto do caminho para pegar Fellyne. Minha cabeça também ficou mais lenta. Era como se os meus pensamentos tivessem sido triturados. A imagem da mulher em forma de pote queimava em meus olhos. Tanto quanto eu era alta, ela era rechonchuda. Tanto quanto eu era delgada, ela era larga. Minha pele era a minha aparência; a pintura era a dela. Assim como eu era reservada, ela era impudente. Sua abundância era "mulher", em comparação com a minha promessa perdida.

Os olhos da mulher eram poços negros de piche. Eles me olharam como se eu estivesse embaixo do seu sapato.

"Eu sou Mama Lemoyne", eu disse.

A mulher riu. A sonoridade profunda fazia pouco de mim. Suas grandes pernas a sustentavam. Seus seios projetavam-se através da túnica vermelha. A barriga dela estava intumescida com o jorro de Antoine, saliente como se gritasse "Olhe para mim, Paulit. Sou o que você não é". A mulher piscou com os longos cílios postiços. Ela respirava calmamente. O porteiro veio atrás de mim. "Mama", ele disse, mas eu não tive certeza a qual de nós duas ele se dirigia.

Não foi a aparência da mulher que me arrasou, foi o seu cheiro. A pantera conhece o cheiro da presa, como conhece o cheiro do caçador, como conhece o cheiro do filhote. Mais ainda, a pantera conhece o cheiro do seu parceiro. Senti o cheiro de Antoine na mulher e fugi da minha casa. Naquela noite Antoine me visitou no quartel para expelir a sua ira para cima de mim. "Nunca apareça na casa de novo", disse ele. Seus olhos, outrora castanho-claros, ostentavam o escuro dos dela.

Na manhã seguinte, visitei a enfermeira do exército. "Não consigo engravidar", eu disse. Ela não perguntou sobre as equimoses. "Estou cansada o tempo todo", eu disse. A enfermeira me pesou. "Você perdeu 20 quilos", disse ela e me mandou fazer exames.

Uma semana depois a enfermeira disse: "Aids". O ódio de Antoine veio morar dentro de mim. Eu tinha aids.

Não contei a ninguém sobre a visita à enfermeira, mas as notícias correm depressa. Duas horas depois que a enfermeira disse "aids", fui posta para fora do quartel. Tentei voltar; Fellyne estava em casa. Mas os guardas do portão, por fim, conseguiram se vingar de mim. A vingança, se deixada sozinha, cresce como o amor. Coronhadas e pauladas expulsaram Fellyne dos meus lábios.

Acordei num canto da rua, de cara para um pé. Olhei para cima. Longos dedos pálidos se projetavam no céu amarelo da manhã, como juncos à beira de um rio. Meus olhos conseguiram focalizar: pães. O cesto estava equilibrado na cabeça de Mama Carbon, uma das minhas padeiras. Cuspi o pó e olhei para cima. "Fellyne", eu disse para ela. O pé da mulher ficou tenso. Ela chutou areia na minha cara e foi embora.

Corri para os portões do quartel. Estava fraca do espancamento na noite anterior. Minha face esquerda era só dor. Mas à luz do dia os guardas miravam melhor. "*Bosoto, bosoto*[5]", eles gritavam, chute após chute. Mas eu não saí, e eles não pararam.

Esperei pela Mercedes preta de Mama Lemoyne. Naquele dia ela não veio. Esperei mais; no dia seguinte também não. "*Bosoto*" era o grito

5 N. do E.: termo em lingala que significa sujeira, porém, quando usado para pessoa, quer dizer que ela está contaminada.

dos espancamentos. Eu não comia. Bebia água das poças. Veículos do exército entravam e saíam. Imaginei que Antoine estava usando um daqueles veículos para levar Fellyne à escola.

Fiquei com medo de que Fellyne tivesse me visto daquele jeito – suja e ferida.

Fiquei olhando para os muros em volta do quartel durante horas. Começou a chover. A água encharcou o pó nas grandes pedras, e ficou parecendo que os muros choravam lágrimas pretas.

A segunda noite chegou depressa. O terror substituiu o medo. Cheirei o ar. A pantera conhece o cheiro da sua cria. Minha Fellyne se fora, e com ela toda a alegria.

"Padre, são grandes os meus pecados", eu disse para a cortina vermelha com flores brancas bordadas.

Padre Nyoka, o padre que nos casara, disse: "Confesse, criança. Deus perdoa a todos".

Foi a primeira vez que falei do meu casamento. Contei à cortina tudo sobre Antoine, mim e Fellyne. Levei meia hora para contar a minha vida à cortina. No fim eu disse: "Padre, eu tenho aids. Antoine passou para mim".

O padre tossiu. Ele deixou a igreja preencher o silêncio com sua sacralidade. "Criança", ele disse, "o seu marido também tem aids?"

"Ele não foi testado", disse eu.

O padre respondeu: "Então, criança, não é verdade dizer que ele tem aids". Suas palavras foram ficando mais incisivas à medida que falava.

Baixei os olhos. "Não."

O padre disse, rispidamente: "Então, que perversidade é essa que compele uma mulher a profanar o nome do marido, o nome de um herói nacional?"

As palavras então se despejaram para fora de mim como se não quisessem mais ser minhas. "Padre, tenho sido uma mulher honrada."

O padre prosseguiu: "Se você tem sido uma mulher honrada, como explica essa perversidade que entrou em você?"

Fiquei em silêncio. Como uma lágrima que cai, minha fé começou a deslizar para longe de Deus.

O padre Nyoka falou: "Não apenas o capitão Lemoyne é um herói da República Democrática do Congo, como o seu pai é o amado presidente desta mesma igreja". Ele fez uma pausa, e o Sagrado Silêncio se interpôs entre nós. Quando falou de novo, sua voz era forte. "Maldita seja você por profanar o nome deles desse modo abominável, pois é o diabo dentro de você quem fala. É Satanás quem embebe o seu sangue com essa perversidade maléfica. Satanás está nas suas veias. Você é filha do diabo – uma filha da aids. Você não pertence mais a Deus."

A cortina vermelha abriu-se bruscamente. O longo rosto do padre me encarava. Ele respirou fundo três vezes. Senti minha alma sendo sugada. "Saia deste lugar santo." Ele se pôs em pé, acima de mim, e bradou: "Satanás, fuja desta igreja sagrada!" Ele apontou o dedo para a porta. E, da casa de Deus, eu fugi.

Eu não sabia em que lugar de Kintambo ficava L'Académie International. Tive de perguntar a quatro ambulantes antes de encontrar um vendedor de peças de automóvel que sabia. Fui para a Rua da Revolução. Não estava com pressa, já era tarde. Tinha a noite inteira para esperar.

Achei a escola antes da última luz do sol. Era cercada por muros de tijolos pintados de amarelo-pálido, com 2 metros de altura. Os portões eram cinzentos e, como os muros, recém-pintados. A placa, "L'Académie International", falava de excelência – letras pretas perfeitas sobre uma prancha pintada de branco. Minha Fellyne ia à escola ali.

Virando a esquina da escola, havia alguns bares abertos. A luz estava acesa no supermercado Peloustore, ali perto – um grande edifício laranja com letras verdes. Carros, de alto padrão, entravam na área guardada do estacionamento. Eu não comia há três dias. Observei por algum tempo.

Eu estava pronta. Calcei minhas sandálias, sacudi a poeira e tentei entrar no supermercado. "Não, Mama", disse um guarda e esticou o braço para bloquear a minha passagem. Uma mulher de vestido impecavelmente limpo vinha atrás de mim e entrou sem problemas. Apenas uma semana antes, aquela era eu, uma mulher de vestido limpo que podia ir a qualquer lugar. Não mais. Não fiz objeções ao guarda; encurvei as costas e fui embora.

No estacionamento, vi um pedaço de papel de embrulho se projetando para fora de uma lixeira. Sem diminuir o passo, enfiei a mão na lixeira. Puxei para fora um sanduíche meio comido, apertei-o contra o meu corpo como se fosse um tesouro e fui embora depressa.

Sentei-me na frente do estacionamento do Peloustore e comi. Não comi depressa como uma mendiga, mas devagar, mastigando bem cada pedaço. Era de presunto e queijo.

Havia mais comida assim para pegar. É uma bênção que as pessoas desperdicem tanto. Dei a volta no quarteirão e entrei no estacionamento do supermercado pelo outro lado. Fui direto para a mesma lixeira. Com as duas mãos. Uma garrafa vazia – que droga. Mas um prêmio: uma maçã quase inteira e um resto de bolo. O gosto era bom.

Onde fui criada, em Kasa-Vuba, o ruído da noite continuava até as duas ou três da manhã, mas não em Kintambo. O dinheiro faz você dormir. As pessoas ricas vão para a cama mais cedo. O relógio do lado de fora do Peloustore chegou às 10 horas, e a loja fechou. Uma hora depois, as ruas estavam quase silenciosas. Dormi com menos fome e menos dor que na noite anterior. Mas os meus sonhos esvoaçantes foram torturados pela ausência do ronronar de Fellyne.

Às 6 horas eu estava pronta, na frente dos portões cinzentos. Às 8, os portões cinzentos da escola se abriram; um guarda ao lado de cada um. Então vieram os carros, um após o outro. Logo cedo, as crianças eram mais velhas que Fellyne. Lembrei-me de que no quartel a Mercedes dos Lemoyne nunca chegava antes das 9h30. O jardim da infância de Fellyne devia começar às 10 horas.

De vez em quando eu voltava ao supermercado para conferir as horas. Por fim, 9h30. Às 9h45 eu estava pronta, uma pantera tensa, preparada.

Uma Mercedes preta.

O carro dobrou a esquina e seguiu na direção da escola. Esperei que ele passasse pelos portões. Corri com todas as minhas forças, peguei os guardas de surpresa e entrei perseguindo o carro. Chequei à porta da Mercedes quando ela se abriu. "Fellyne!", gritei. Duas meninas bonitas, ambas com contas nos cabelos, desceram do carro. Elas me viram e entraram de volta correndo. Nenhuma delas era Fellyne. "*Mon Dieux*", clamei. Mas, para Deus, eu estava perdida.

Os guardas caíram em cima de mim. Espancaram-me com seus cassetetes. Bateram forte. Eu tinha passado por eles. Estavam envergonhados e seriam castigados. Portanto, eu tinha de ser ainda mais castigada. Depois que terminaram, eles me arrastaram para fora dos portões e me atiraram na sarjeta do outro lado da rua. Cinco minutos depois uma Mercedes preta entrou na escola. Roguei pela minha Bébé, mas, principalmente, roguei que Fellyne não tivesse me visto.

Depois de passado algum tempo, parei de soluçar. Fiquei deitada, quieta, e dormi na valeta. Minha prece final foi pela morte, mas Deus estava ocupado demais para responder, Ele precisava atender aos ricos.

Dormi e acordei. Continuei deitada quieta e esperei pelo entardecer. Os carros entraram para buscar as crianças. A pantera ficou encolhida, humilhada, com o pelo molhado de água da sarjeta, lama e sangue. Pensei que estava suficientemente encolhida, mas o meu corpo é longo. Um guarda me avistou; gordo, feio, um olho vidrado. Ele gritou para os outros. Eles não seriam envergonhados de novo. Eles estavam preparados. Eles tinham cordas.

Fui levada para uma casinha na extremidade do campo de futebol e castigada. Enquanto eles derramavam sua vingança em cima de mim, desejei que o meu sangue de diabo recaísse sobre eles.

Não lembro como fui parar de volta na sarjeta do outro lado da rua, mas acordei lá. Devia ter chovido, pois o meu cabelo estava molhado, mas o sol me aquecia. Eu era um pedaço de pau feito de dor. Uma silhueta sombreou a luz ardente do sol. Eu estava sendo observada. Encolhi-me.

"Quem é você?" Era uma voz de criança – um menino. Era mais velho que Fellyne, talvez 7 anos. Sua cabeça era calva. Ele usava o uniforme de L'Académie: short azul, gravata, camisa e sapatos brancos. Não consegui discernir mais do que isso.

"Mama Lemoyne", sussurrei.

"O quê?", disse ele.

Repeti meu nome.

Ele perguntou: "O que você está fazendo aqui?"

Não consegui falar.

"Por que você está dormindo aqui?", disse ele.

"Minha Bébé está lá dentro", eu disse para o menino. Tentei erguer a mão para mostrar a escola, mas não fui capaz.

O menino me observava do mesmo jeito que um menino observa uma barata – seus grandes olhos castanhos olhavam para dentro de mim. Ele fungou. Virei-me de costas para baixo. Fechei os olhos.

Acordei. Não tinha certeza de quanto tempo se passara, mas ainda havia luz. O menino não se mexera.

"Por que você não está na escola?", perguntei. Já podia ver mais claramente. Sua camisa tinha manchas de terra. A gravata era grande demais, parecia a de um homem adulto. As barras do short azul estavam rasgadas.

Ele baixou os olhos para os sapatos enlameados. "A escola acabou", disse ele. Levantou-se da sarjeta e saiu correndo.

Logo perdi o menino de vista e olhei de novo para os portões cinzentos fechados da escola. Nenhum carro chegou. O sol começou a descambar.

Tentei me levantar, mas minhas pernas fraquejaram. Afundei novamente na sarjeta e bebi. Minha barriga doía. Senti que tinha sido chutada entre as pernas. Agachei-me para evacuar. Sangue. Arrastei-me para longe daquilo, deitei e dormi mais.

Um pedaço de pau me cutucou e acordei.

A luz era ao mesmo tempo do dia e da noite; os últimos raios do sol lutavam contra os primeiros da lua.

O menino me cutucou de novo.

Senti-me pior do que antes.

O menino disse: "Estou com fome".

Não consegui me mexer. "Vá para a sua casa", eu disse.

Ele não se mexeu. Eu fiquei deitada, quieta. O ar da noite esfriou.

"Você foi à escola hoje?", perguntei.

O menino disse: "A escola acabou". Ele baixou os olhos para os sapatos sujos. "Estou com fome", disse ele.

Fechei os olhos. Respirei três vezes, cuspi o pó, dobrei as pernas e levantei. Quase caí. Estendi o braço direito tentando me firmar. O menino não se mexeu, mas ficou me observando. "Vá para casa", eu disse. O menino era bonito. Magro. Ele não disse nada.

Tentei sorrir. Meu rosto doeu. Os homens na casinha tinham feito alguma coisa com ele. Caí algumas vezes, mas consegui sair cambaleando da sarjeta. Desci a rua mancando em direção ao supermercado. O menino não se mexeu. Voltei-me para ele. "Venha", eu disse. Ele me seguiu a uma certa distância.

Alimentar um menino é diferente de se alimentar. Eu tinha irmãos; eles eram capazes de comer por uma eternidade. O lixo do supermercado não seria suficiente. Caminhei, toda encurvada e devagar. Passei o supermercado e segui para os bares próximos. O menino me seguiu a uns 10 metros de distância.

Havia vários casais e grupos sentados do lado de fora de um bar chamado Mama Colonel. Mesas de plástico. Moradores locais. Eles bebiam e comiam. A comida era principalmente pão, tigelas de cozido, hambúrgueres, batatas fritas e cerveja. Eu sabia que, se chegasse até eles, eles me enxotariam. Mas eu sou uma pantera. Caminhei lentamente passando o bar, fingindo não olhar. Sentei-me encostada a uma parede um pouco abaixo na rua, observei e esperei. O menino sentou-se ao meu lado.

Um casal riu e se levantou para partir. Havia uma abundância de restos sobre a mesa. O menino se encolheu. Coloquei a mão sobre o braço dele. "*Attend*", espere, eu disse. Eu estava de olho em uma mesa de seis. Estavam bebendo mais do que comiam. O menino obedeceu.

Depois de 20 minutos, a mesa de seis pediu a conta. Cadeiras foram arrastadas, eles estavam prestes a sair. Sussurrei ao ouvido do menino: "Está pronto?" O menino olhou para mim e assentiu. Tentei levantar. Ele empurrou as minhas costas.

Os seis se afastaram da mesa. "*Allez!*", eu disse para o menino. Corri para o bar. Cada passo era uma dor maior que o anterior. Meu vestido marrom pendia encharcado. Eu parecia mais uma ave marrom gigante e titubeante do que uma lustrosa pantera negra. Caí sobre a mesa, agarrando toda a comida que podia e enfiando-a em uma dobra do vestido. "Pegue a comida", gritei para o menino. Outros fregueses começaram a gritar. Com o canto do olho, vi o dono se aproximando. "Corra!", gritei para ele.

Minhas pernas me aguentaram. O menino seguiu atrás. O proprietário gritou enquanto eu fugia, mas isso pouco importava.

Voltei à sarjeta diante da escola fechada. O menino e eu comemos.

Foi um banquete. A comida estava toda esmagada e misturada, mas estava boa e ainda quente. O menino conseguira agarrar uma garrafa de Coca-Cola. "Beba", eu disse, mas ele não quis. Ele a ergueu para mim. Eu bebi, e depois ele.

O alimento afundou no meu corpo. "O que você está fazendo aqui?", perguntei ao menino.

"Eu frequento L'Académie", disse ele.

"Você está perdido?", perguntei.

Ele sacudiu a cabeça.

"Onde estão os seus pais?", eu disse. Ele ficou calado.

"Qual é o seu nome?" Ele não disse nada.

Como se a eletricidade do menino tivesse sido subitamente ligada, ele se levantou da sarjeta.

Gritei para ele: "*Arrêt!*" Pare! Mas ele saiu correndo. Empurrei os restos de comida para fora das dobras do vestido. Mas era tarde demais. Ele desaparecera na noite.

Dormi onde estava seco até o sol me acordar.

Acordei no meio do que pensei ser um sonho. Contra o céu branco havia a silhueta escura de um menino – um menino com uniforme da escola. Ele olhava para mim. "Estou com fome", disse ele.

Sentei-me. Estava com dor suficiente para saber que estava acordada. Meu corpo doía, mas eu estava inteira. O ar já estava morno, ia ser um dia quente. A silhueta brilhava contra o sol atrás dela, mas o menino era real. Seu uniforme escolar estava mais sujo que no dia anterior. "Você está sujo", eu disse, "não pode ir para a escola assim."

Ele fungou. "É sábado", disse ele. "Não tem escola hoje."

"Em que direção fica o rio?", perguntei.

Ele apontou.

Levantei, e o menino me seguiu até o rio.

Caminhei lentamente. Ele seguiu atrás de mim. Tive de parar várias vezes por causa da dor e da dificuldade para respirar. A cada vez que parava, olhava para trás. Ele estava sempre lá, seus gigantes olhos castanhos fixos em mim.

Levou algumas horas. O sol despejava calor sobre a rua de asfalto rachado. A dor melhorou, mas não cessou. O rio, nossa mãe, estava diante de nós, gigantesco e gentil. "*Allez ici*", venham cá, chamou o rio. O Congo tinha o seu próprio sol, que flutuava na sua pele molhada. A água gigante ondulava contra as margens de areia como se quisesse acariciar a terra. Nós sofremos como um povo – sem as carícias da nossa mãe, teríamos perdido a esperança. O Congo sorriu para mim. "*Allez*", eu disse para o menino, mas fui eu quem procurou as carícias da água.

Caminhamos pelas margens de areia. Eu disse ao menino: "Tire os sapatos e deixe-os aqui". Escondi-os ao lado das minhas sandálias em um tufo de grama.

Entrei na água. Ele me seguiu. "Não vá fundo demais", eu disse.

Eu me ajoelhei na água e lavei o rosto. O torvelinho do rio cantava docemente:

Minha filhinha,
Venha para cá e dance.
Deixe-me lavar os seus desejos
No morno abraço das minhas águas,
Para que não se esqueça de onde eu venho,
Aonde eu vou.
Pois isso é tudo o que vive em mim.

O menino ficou em pé à beira do rio e observou. Fui em sua direção. Meu vestido estava encharcado e se arrastava como se o rio quisesse que eu continuasse sendo dele. Parei na frente do menino e peguei água nas mãos em concha. O menino se encolheu, mas não se mexeu. Lavei a sua boca; lábios grossos e quietos. Lavei seu rosto e sua testa. Os olhos não desgrudavam de mim. Peguei mais água e lavei seus ouvidos.

"Você precisa parecer em ordem para a escola", eu disse. "Tire a gravata e a camisa." Ele hesitou. Ergui as sobrancelhas. Ele obedeceu. Eu disse: "Me dê o seu short". Ele obedeceu. Nu, ele ficou me olhando enquanto eu lavava as suas roupas no rio. Estendi as roupas lavadas sobre as pedras ali perto e voltei a ele. Lavei o corpo do menino. Ele não se mexeu nem uma vez.

"Vire-se", eu disse a ele.

Tirei o vestido. Minhas roupas de baixo tinham desaparecido. Lavei o vestido e estendi-o nas pedras ao lado das roupas dele. Lavei o meu corpo e fui sentar-me numa pedra para secar. Ergui os joelhos até os seios. O menino estava em pé, olhando para a outra margem do rio, de costas para mim. Era cedo. Não apareceu mais ninguém. "Você pode se sentar ao meu lado", eu disse, mas ele pareceu não ouvir.

De roupas secas e limpas, o menino e eu atravessamos o banco de areia, encontramos nossos sapatos e voltamos para a rua.

Segui andando de volta a L'Académie, o menino como minha sombra – aonde mais eu haveria de ir?

“Qual é o seu nome?”, perguntei a ele. Ele olhou para mim com grandes olhos pretos, sem uma palavra; mas dessa vez não fugiu correndo.

A cantoria veio de uma igreja; uma cruz de madeira fincada na terra do lado de fora. A igreja, num sábado, estava cheia. A estrutura era de estacas de madeira, e a cobertura, de retalhos de encerado amarrados um no outro. O chão era de terra batida. O menino foi e postou-se atrás da multidão compacta. Eu fui e fiquei ao lado dele. Um hino começou. A multidão participou. O menino e eu ficamos em silêncio.

Quando o hino terminou, um pregador, impecavelmente vestido de preto e colarinho clerical, subiu numa plataforma diante da multidão. Era um homem jovem, alto e magro. Tinha cabelos e uma barbicha no queixo. Seus braços compridos se agitavam como uma aranha ligada na tomada; o mesmo quanto às pernas, ele saracoteava de um lado para outro enquanto falava. Falava em lingala. Falava como se a verdade fosse um rio, uma força sem controle que fluía através dele e saía pela boca. Disse que Deus estava em todos nós. Eu pensei: “Se Deus está em todos nós, então a aids deve ser Deus”. Não falei isso. Então todo mundo cantou “O Senhor é meu pastor”. Eu conhecia o hino e comecei a cantar. O menino mexia a boca, mas não creio que ele soubesse as palavras.

Eu tinha julgado mal o menino, ele era mais inteligente do que eu pensava. Quando o serviço terminou, serviram comida: *fufu* e caldo de carne. Comi uma segunda porção, e o menino comeu quatro. Sentamos juntos no chão para comer. Uma menina mais velha, com cerca de 10 anos, veio e olhou para o menino, mas ele não olhou para ela – somente para mim. O pregador andou saltitante pelo meio da multidão que comia, elétrico e sorridente. “Não tinha visto vocês dois antes”, disse ele. Ergui os olhos para ele. Não falei nada de Satanás. “Somos novos”, eu disse. O pregador arreganhou um sorriso. “Deus abençoe. Venham de novo, rezamos todos os dias. Todos os filhos de Deus são bem-vindos.” Ele jogou os braços para a frente e então se dirigiu saracoteando para outros comensais.

Depois que a comida acabou, a multidão se dispersou como folhas secas em um vento morno. Respirei fundo, de barriga cheia. Levantei-me. Deus me chamara, minhas pernas nasceram pela Sua vontade. Segui para a casa de Papa e Mama Lemoyne. O menino não perguntou aonde estávamos indo, mas seguiu atrás. Levei cerca de uma hora para chegar ao portão do *Château Grand.* Sem hesitação, chamei através do buraco no ferro pintado de vermelho. "É Mama Lemoyne. Estou aqui para ver Fellyne; ela é minha filha."

"Espere", respondeu o portão, e esperei.

Uma cortina na casa foi puxada de lado. Uma silhueta apareceu e desapareceu.

Eu esperei.

O ar estava horrivelmente quente. O trânsito no fim de semana era leve.

Bati no portão de novo. "Estou aqui para ver a minha filha."

O portão respondeu: "Eu disse para esperar".

A casa me olhou de volta com um silêncio de pedra frio e insolente. Veículos vinham e passavam. Não prestei atenção. Bati no portão. "Estou aqui para ver minha filha." Não vi nem ouvi uma van cheia de homens parar atrás de mim, mas ouvi um som conhecido: estridulante, como o de grilos.

Luz e trevas. Momentos rubros. Estrídulos loucos. Labaredas amarelas. Explosões azuis com fendas alaranjadas. Verdes, todos os tipos de marrom. Pretos e cinzas misturados. Por fim, preto.

Sou uma choça feita de retalhos de madeira unidos a marteladas pela história. A choça é apenas uma casca, dentro vive o meu espírito. Eu era um espírito alojado unicamente em dor. Meu lugar no mundo era somente algo passageiro como uma rajada de vento. Que eu devia me tornar um espírito para agasalhar a minha Fellyne em amor celestial, não me dizia respeito. Que eu nunca mais a tocaria – minha razão para suportar.

Uma mão cutucou minha barriga – os fragmentos de carne que me conectam a este mundo. A mão pressionou mais. "Estou com frio", disse o menino. Tentei mover a mão na direção dele – para senti-lo. Mas meu braço não se mexeu. Tentei dobrar as pernas. Elas não obedeciam. Fechei os olhos e rezei para que ele fosse embora. "Estou com frio", disse o menino outra vez.

Abri os olhos para a noite escura. Tempo havia passado, o menino se fora. A vida se fora, mas senti tristeza por sua partida. A vida era uma amiga adorada que eu jamais veria de novo. Tentei chorar por ela, mas o meu peito doía quando eu respirava – mil facas cravadas no meu peito –, "nunca respire outra vez", clamou a dor. Quis que a última palavra a cruzar minha mente fosse "Fellyne", pois era ela a minha razão de viver. Assim, mexi a boca, "Fellyne".

"Ela está conosco", disse uma voz. Abri os olhos. O Anjo da Morte, a sombra escura da vida, debruçava-se sobre mim. O anjo era alto e negro. Tentei estender a mão para a Morte, mas nenhuma parte de mim se mexia. "Leve-me agora", eu quis dizer. Atrás dele, estava o menino. Eu jazia às portas do Paraíso, para aguardar meu fim, com o menino ao meu lado. Os braços da Morte se agitaram, e seus pés saltitaram.

"Espere aqui", ordenou a Morte, e o menino se ajoelhou ao meu lado. A Morte foi embora. Eu sabia que ela retornaria. Os olhos do menino eram tigelas marrons de madeira vazias, sem fundo.

Fechei os olhos e esperei pela volta da Morte.

Do céu noturno, uma nuvem azul-escura desceu. Toquei a minha testa. Encolhi-me, mas depois relaxei; a água estava fria. A nuvem pairou acima de mim e tocou o meu ombro. Meus pés, direito e esquerdo, minhas mãos, meu corpo. Abri os olhos. O menino ajoelhado sobre mim me tocava de leve com sua gravata azul molhada com água da poça. Pensei em detê-lo, mas não pude. Minha barriga se contraiu sob o toque da gravata fria. Ele não falou nada. Senti o mesmo frio que o menino.

Eu jazia naquele frio da noite e sentia que havia escuridão dentro de mim. Esmague a casca física, e o que resta? Meu espírito – preto total.

Eu sabia que em algum lugar lá dentro devia haver uma luz – uma chama pequenina que fosse, mas eu não podia vê-la. Tateei as trevas dentro de mim mesma. Cambaleei enquanto procurava. Sabia que havia uma luz, mas não podia encontrá-la.

O chão estrondeou. Terror. Uma van.

"Ela está aqui", gritou a Morte.

Implorei às minhas pernas: "Arrastem-se. Preciso encontrar a luz". Um solavanco de medo explodiu atravessando o meu corpo. Eu saí cambaleando.

"*Arrêt!*", pare!, gritou a Morte.

Mais alguém – companheiro da Morte – se aproximou de mim em passos rápidos. "Mama", disse ele, "*arrêt ici*, pare aqui. Está tudo bem." Ele falou de novo, uma certa voz: "Mama, pare. Estamos aqui para levá-la".

Aquilo piorou o meu terror. Encontrei meus pés. Saí cambaleando pela terra. Pedrinhas minúsculas arranhavam meus pés. O menino passou correndo na minha frente. Ele parou de mão estendida como um policial. "*Arrêt*", disse ele.

Acordei num quarto. No céu, a pintura está descascando; havia menos manchas de tinta cor de canela nas paredes que fora delas. Grandes pedaços da pintura se soltavam do reboco como se procurassem escapar. Meu corpo jazia sobre um colchão. Ruídos estranhos, pancadas e sons de motores, mas fora isso o céu era silencioso.

Uma mulher rotunda com longos cabelos pretos entrou. Estava usando um gorro verde. Forcei meu corpo contra a parede.

"Mama", ela falou. Sua voz era firme. "Eu sou Maggie, a enfermeira."

"Preciso ir", disse eu. Tentei me sentar. "Escola", eu disse, mas não consegui sentar. Quando curvei o corpo, alguém me empurrou de volta.

"Não", disse a enfermeira de gorro verde-claro.

Houve um movimento abaixo. O menino, de camisa branca, short azul, sem gravata, rolou de debaixo da cama para fora.

Se os espancamentos – o quartel, a casinha e os *makélélé* estridulantes – eram os capítulos, reconheci o sono como as páginas viradas.

Acordei para um novo volume – o último – atrás de um sorriso. Lábios grossos sorriam para baixo, para mim. O homem era a única pessoa no quarto, assim não pude avaliar o seu tamanho, mas parecia ser um gigante. Ele falou. Era a voz da noite anterior – a voz do companheiro da Morte –, uma certa voz.

"Então, você tem aids", disse ele.

Ergui os olhos. Os olhos marrom-avermelhados dele captaram a luz da janela. Assenti com a cabeça.

"*Moi aussi*", eu também. Ouvi buzinas de carros do lado de fora. Ele disse: "Eu me chamo Papa Jean".

"Paulit", eu disse.

"*Bien venue*", retrucou Papa Jean e sorriu. Ele farejou o ar como se a aids tivesse cheiro. "Makass", ele disse e saiu. Tinha um jeito singular de andar; pernas arqueadas, braços bem afastados do corpo, contraído como se esperasse uma briga de rua.

Reclinei-me. O teto estava rachado. Tijolos expostos apareciam em vários pontos.

Deixei cair o braço por sobre a cama. Queria sentir se o menino estava lá. Senti o chão – concreto frio –, mas nenhum menino. Estiquei o pescoço para procurá-lo. Ele se fora. Uma página virou, e eu dormi.

Maggie, sempre usando o gorro verde-claro, me contou depois que dias se passaram até eu acordar. O menino entrou e saiu. Páginas viraram, comecei a beber; pequenos goles no começo. Havia um tubo plástico conectado ao meu braço, que foi retirado depois que comecei a beber em goles normais. A comida consistia em *fufu* e caldo de carne. Comecei a beber café. Na primeira vez, me queimou a boca. O menino era uma sombra que esvoaçava.

Depois de mais dois dias, comecei a me sentar na beira da cama. Maggie me ajudou a ficar em pé. Eu era meio metro mais alta que ela. Dei o meu primeiro passo. "Mantenha a cabeça baixa", disse ela.

Fomos andar do lado de fora. O sol era cruel, brilhante e quente. Ergui os braços na frente dos olhos – ele me cegava. Quando os abaixei, um fragmento semovente de sombra veio rapidamente na minha direção. O menino correu para mim. Ele agarrou o meu pulso. Sua força era tanta que ele quase me empurrou para trás. Maggie firmou as minhas costas. O menino me abraçou com tanta força que achei que ia espremer o que restava de forças para fora de mim. Pus a mão em cima da cabeça dele; era para ele como se fosse um chapéu. O menino não me soltava.

Ajoelhei ao lado do meu pequeno salvador. Abracei o menino cujo nome eu não sabia, e ele me abraçou. Juntos, estávamos juntos.

"É seu filho?", perguntou Papa Jean por cima do meu ombro. Virei e me endireitei. Eu me agigantava acima dele. Estava quase dizendo "não" quando ele pôs um dedo sobre os meus lábios. "Ele pode ficar aqui, se é seu filho", disse ele. O dedo dele tinha gosto de sal.

Assenti. "Sim, o menino é meu filho."

"Está calor", disse o menino.

Maggie disse: "Paulit, você devia voltar para dentro". Peguei a mão do menino e segui Maggie de volta para o quarto. Papa Jean seguiu atrás de nós. Papa Jean disse nas minhas costas: "Isso é bom".

Sentei-me na cama. O menino sentou no chão de costas contra a parede. "Isto é um hospital?", perguntei. Minha voz estava fraca.

Papa Jean sacudiu a cabeça. "Não, o hospital é na sexta-feira", ele disse. Ele viu o meu olhar confuso e acrescentou: "Daqui a dois dias".

Eu disse: "Então, o que é este lugar?"

Ele sorriu e abriu os braços. "*Chez moi*", minha casa.

Papa Jean perguntou: "O que você faz para viver?"

Baixei os olhos. "Não tenho trabalho. Eu tenho aids."

Papa Jean disse: "Eu sei que você tem aids".

"Como você sabe? Fez o exame de sangue?"

Papa Jean olhou para a enfermeira e disse: "O menino precisa sair".

O menino disse: "Está quente lá fora".

Respirei e declarei: "O menino pode ficar".

Papa Jean assentiu para a enfermeira, e Maggie ordenou: "Paulit, tire a bata".

Eu disse para o menino: "Vire-se", e ele olhou para o sol do lado de fora.

A bata era um lençol azul-claro com um buraco no meio. Eu a levantei e tirei. Sentei-me na cama de roupas de baixo, a parte de cima do corpo envolta em ataduras. Maggie pegou um par de tesouras, cortou a atadura e a removeu. Estava de ponta-cabeça, mas era fácil de ler: A-I-D-S. As letras não eram perfeitas. Os camaradas do meu Senhor, os grilos loucos, não tinham sido treinados em caligrafia. O "A" fora cortado no meu seio direito e o "D" no esquerdo.

Cobri o peito com os braços. O instinto levou meus olhos para o menino. Ele deve ter sentido meus olhos na sua nuca, porque se voltou. Seus olhos encontraram os meus. Ele não baixou os olhos – para o meu corpo. Uma segunda lágrima seguiu-se à primeira, escorrendo pela sua face. Ele não soluçou, mas seguiu-se lágrima após lágrima. Eu trouxe a minha dor de volta para mim; ela era só minha para guardar.

A enfermeira ergueu o lençol azul acima da minha cabeça, e deixei o tecido cair sobre mim.

"Menino, qual é o seu nome?", perguntei a ele.

"Mwãna", disse ele.

"Isso não é um nome", falei. "Isso quer dizer apenas 'criança', em lingala."

O menino encolheu os ombros. Ainda estava olhando para mim, os olhos molhados. "Venha cá", eu disse. Ele veio, e eu o abracei. "Isto é bom", eu disse e beijei a sua cabeça inclinada. Apertei-o mais. "Nós somos um." Desta vez, ele não passou os braços em volta de mim. Ele ficou quieto, com os meus braços em volta dele.

Papa Jean disse: "Paulit, qual é o seu trabalho?!"

Olhei para ele e disse vivamente: "Eu tenho aids. Minha filha foi tirada de mim, fui posta para fora da minha casa e perdi o meu trabalho. Agora vivo na sarjeta".

Papa Jean interrompeu. "Mas em que você trabalhava?"

"Eu era padeira, mas agora me alimento em lixeiras. Milha filha não sabe mais nem se estou viva. Eu não trabalho. Eu não tenho uma vida. Você não entende? Eu tenho aids."

Os lábios do homem estavam cerrados. Não havia sorriso. Seus ombros estavam tensos. Seus braços eram magros, mas dava para ver os músculos por baixo. "Então você é uma padeira?"

Ele acenou o braço para a enfermeira e depois para a porta. "Todos nós temos aids." Ele pôs as mãos na cintura. "Todos nós trabalhamos."

Meu olhar irado não foi dirigido a ele, mas ao mundo do lado de fora daquela porta.

"Estou com fome", disse o menino, olhando para o meu pescoço.

Papa Jean balançou a cabeça. "Padeira." Ele se virou e saiu do quarto.

Eu tinha lembranças fragmentadas do que acontecera na van estridulante, mas as lembranças eram só farpas de uma tábua pesada demais para carregar. Era o bastante por ora. Deitei-me. O menino se virou para sair. Eu o chamei. "Mwãna, volte mais tarde." Ele olhou para mim e saiu.

A vida é simples. Sem farpas, estilhaços, pedras e sombras. Todo mundo trabalha. Eu sou uma mãe. Eu sou uma padeira.

Dois dias depois era sexta-feira. Sentei-me sob a sombra da árvore no pátio. Mwãna vinha e voltava correndo para fora da vista, enquanto brincava com outras crianças que viviam no complexo de Papa Jean. Eu não o tinha visto dar risada; tinha um riso profundo para o seu tamanho. Não senti que ele tivesse muita experiência com risos. Sempre que eu lhe perguntava sobre a sua família, ele baixava os olhos em silêncio, ou saía correndo.

Uma van branca chegou; tinha o desenho de um fuzil atravessado na lateral. O ruído do motor me deixou tensa. Joe – o porteiro – abriu os portões. Ele tinha aids – todos os adultos tinham aids. Um homem desceu da traseira da van; dois metros de altura com um sorriso de um metro. Vestia uma camisa laranja-vivo e branca, com filetes dourados.

Ele seguiu em direção a Maggie, eles se beijaram, ele falou, ela apontou para mim.

Ele veio a mim. "Você é Paulit?", perguntou. Assenti. "Eu sou Papa

Clemente, estou aqui para levá-la à clínica." Ele foi para a van. "Venha", ele me chamou por cima do ombro.

Levantei e fui atrás dele. Eu conseguia andar mais depressa a cada dia, mas ainda não estava recuperada. Subi na traseira da van. Papa Clemente estendeu a mão e me ajudou.

Mwãna estava chutando uma bola feita de trapos amarrados com barbante. Sua camisa branca e seu short azul estavam sujos de terra. Sua gravata pendia para fora do bolso. Ele correu para a van.

"Espere aqui", disse Papa Clemente para o menino.

"Não", eu disse, "ele vem comigo." Mwãna subiu.

A van rodou por ruas de pedras e terra. Reconheci onde estava; Ngaba, perto do matadouro. Nas ruas havia bancas de feira, cores, vendedores de água, poeira e vida. Senti cheiro de diesel, ouvi gritos, motores e buzinas. "Não tenho dinheiro", eu disse. Papa Clemente riu. "É de graça." Seu riso constante escondia o tipo de dor que a compaixão traz a um homem grande.

Passamos pelo aeroporto militar. As pessoas ainda cortavam metal de um avião derrubado anos atrás. Não era mais um avião porque não podia voar; seu passado moldava o seu presente. Pensei no meu capitão – Antoine –, a sombra do meu amor.

Chegamos à clínica uma hora depois. Uma faixa branca com letras vermelhas, "PROJETO AIDS", estava pendurada do lado de fora de um conjunto de edifícios. Saí da van com Mwãna. Papa Clemente disse para entrarmos, e a van se afastou.

Entramos. Havia uma escrivaninha com um letreiro de papel pendurado acima dela, "Recepção". "Eu sou Paulit Gerard", eu disse.

Uma mulher jovem consultou uma lista e ticou. "Bem-vinda, Mama Gerard. Por favor, sente-se", disse ela e apontou para a sala de espera. A sala estava quente. Pouca pintura restava nas paredes. O chão estava empoeirado, as cadeiras enferrujadas. Havia muitos pacientes. Alguns tossiam. Alguns estavam magros. Alguns pareciam normais. Havia uma mesa baixa com revistas esfarrapadas. Mwãna pegou uma revista, sentou-se no chão com as costas contra as minhas pernas e folheou as páginas.

"Quer que eu leia para você?", perguntei a Mwãna. Ele não respondeu. Observei os seus olhos. Ele passava pelas páginas como uma mosca. Não sabia ler.

Fui chamada por uma moça de uniforme branco. "Mama Gerard." O menino entrou comigo no consultório.

A doutora era uma mulher de óculos. Seu olho direito piscava, abrindo e fechando. Ela disparou perguntas para mim e escreveu o que eu dizia. Não havia relógios de ouro nem televisões. A médica não mudou a sua expressão neutra quando lhe contei sobre Antoine, Fellyne, aids e os *makélélé* estridulantes. Ela me disse para subir na maca de exames. "Mwãna, vire-se", eu disse.

A doutora auscultou as minhas costas. Quando viu o que tinham entalhado em mim, suas mãos se congelaram por um instante. Ela fingiu não notar e me disse para deitar de costas. Pressionou a minha barriga de leve e com força. A doutora olhou entre as minhas pernas.

O olho da doutora tremeu, e ela me deu um pedaço de papel. "Você vai para o laboratório agora."

Lá, eu cuspi em uma vasilha, e uma garota enfiou uma agulha no meu braço. "Temos de fazer exames", disse ela. Ela falava como se estivesse cantando. Mwãna ficou interessado no sangue de um vermelho profundo que ela sugou do meu braço. "Você quer ser médico?", perguntei a ele. Seus olhos escuros se voltaram para mim. Seu balançar de cabeça foi leve.

A farmacêutica me entregou um tubo de comprimidos e perguntou se eu sabia ler as horas. "Sim", eu disse. Eu também sabia álgebra, mas não falei nada. Ela me disse para tomar duas pílulas, às seis da manhã e às seis da tarde, todos os dias. "Precisamente às seis", ela repetiu, e fui liberada.

A van branca estava esperando do lado de fora. Papa Clemente sorriu, mas a van branca não voltou para Ngaba. Ela seguiu para o aeroporto.

Ouvi histórias sobre mulheres e menininhos levados ao aeroporto. Promessas de coisas boas, rumores de pecado. De um jeito ou de outro, eles não voltam.

Estendi a mão para Mwãna. Ele a empurrou de volta e ficou olhando para fora da janela. Talvez soubesse de algumas histórias. Reduzimos a marcha em um posto policial. Nosso motorista entregou-lhes dinheiro. Seguimos em frente. Havia um homem morto no meio da rua, com um quarto da cabeça cortado fora. Estava lá como aviso, provavelmente de alguma gangue. As pessoas andavam pela rua na frente dele sem parar – devidamente avisadas. Em Kinshasa as pessoas continuavam andando. Se você parasse, estava morto, e ninguém reparava.

A seta para o aeroporto indicava à esquerda. Reduzimos a marcha, fiquei tensa. A luz voltara. A pantera estava preparada para lutar.

Mas nós não desviamos para o aeroporto. Seguimos em frente. Da traseira da van, vi o aeroporto desaparecendo atrás de nós; não era aquele o nosso futuro. A estrada seguia para o lado, mas a van continuou em frente. Logo ela virou à direita e subiu por uma estrada de terra. Papa Clemente estava dormindo, a cabeça resvalando no ombro. Quando a van chegou às pedras, a cabeça caiu para a frente, mas ele não acordou. Abri um sorriso para Mwãna, que riu de volta. Fiquei olhando Papa Clemente descansar – um homem bom dorme profundamente.

Seguimos até mais alto nas colinas, onde não existe sequer uma trilha. Logo depois, paramos. Os olhos de Papa Clemente, ao se abrirem, captaram o meu olhar; sua única reação foi um sorriso. Ele abriu a porta traseira da van e saiu para o sol da tarde. Mwãna, inquieto, pulou para fora em seguida. Eu, por último.

Silêncio. Eu nunca tinha ouvido o silêncio. O ar da tarde estava quieto. A grama estava quieta. Ouvi e cheirei. O ruído de Kinshasa se fora. Papa Clemente saiu andando. Mwãna e eu fomos atrás. O motorista ficou.

Minha respiração era dolorosa, mas Papa continuou andando. No topo da colina havia uma grande casa de blocos de concreto semiconstruída. A maior parte das paredes tinha apenas a altura do menino, e não havia telhado. Em volta da casa havia 11 cabanas feitas com palha e sapé. Tinham telhados de encerado, madeira ou chapa metálica corrugada. Além das cabanas havia uma árvore com um círculo de cadeiras plásticas em volta.

Mwãna e eu chegamos à casa de blocos de concreto.

De dentro do silêncio, uma mulher gritou: "Ah-aah", e me voltei na direção do grito. Uma voz selvagem, enlouquecida, bradou: "O que vocês estão fazendo?" Fomos atacados pelo borrão dourado de um leopardo voador.

Papa Clemente também se virou; o leopardo dourado estava em cima dele. Sua força era tão grande que o jogou de costas. Ele o cobriu de beijos na bochecha: "Pah, pah, pah".

"Ah-aah-Papa", gritou o leopardo.

Ele (ela) gritou por cima do ombro: "*Tout le monde, allez!*", venham todos! – sua voz seria capaz de despertar o pó.

Ele (ela) se voltou para mim; leopardo para pantera. Ela ergueu a boca para o céu. "Ah-aah", e correu para mim.

Eu a vi chegando, voando – um passo, depois cinco, mais depressa. Eu não sabia o que fazer. Não importava, ela pulou. "Ah-aah", gritou de novo. "Padeira, você está aqui." Seus olhos eram puro júbilo.

Ela tinha só metade da minha altura. Seus olhos de leopardo eram fogo branco; seu rosto era quadrado, a mandíbula forte, o sorriso jorrando alegria. O véu sobre a cabeça e o vestido eram dourados. Sorri para ela – não pude me conter. Ela me agarrou pela cintura e levantou meus pés do chão. "Ah-aah", rugiu ela. Dei risada, uma risada profunda. Eu não ria há muito tempo, não estava mais acostumada com isso. Doeu. Ela me girou em volta dela. O leopardo era forte.

Tão rápido quanto me agarrou, ela me soltou. Tinha avistado Mwãna. Vi seus olhos selvagens o captarem. Ela levou as mãos à boca. "Você é o menino?", gritou ela. Ela se agachou, pernas separadas, olhos arregalados. Pela primeira vez, vi Mwãna em pânico. Como eu, ele não sabia se fugia dela, ou se corria para ela. Foi capturado em seu poder. Ela correu para ele, ele ficou parado, quieto como uma pedra. Ela caiu em cima dele. Antes que ele pudesse piscar, se viu envolvido em seu abraço. Ela beijou-lhe a cabeça – não gentilmente como eu –, cem beijos disparados nele num ataque de amor instantâneo. Não vi a cara dele, estava enterrada nas dobras douradas da mulher-leopardo.

Ela olhou para mim. "Ele é tão lindo", disse. Dei risada outra vez (que escolha tinha eu senão rir?) e falei: "Sim".

Ela olhou além de mim. "Ah-aah", gritou ela. Era o seu rugido. Virei-me para seguir seus olhos de leopardo. Outros vieram – não era um bando de leopardos selvagens, mas gazelas de andar lento, bois e veados. "Venham!", gritou ela. "Eles chegaram." Ainda estava com Mwãna em suas garras. O rebanho veio trotando ao seu comando.

Papa Clemente riu de tudo isso. Os outros, onze mulheres e quatro homens, chegaram. Um após outro eles vieram e o abraçaram, depois se juntaram em volta de Mwãna e de mim. Um homem chegou por último, sozinho, o décimo sexto. Era um homem pequeno, comum, forte. Ele caminhava com segurança. Vi o seu sorriso antes de saber quem era. "Papa Jean", bradei. Ele juntou as mãos acima da cabeça. "Padeira", ele bradou de volta.

O rebanho, liderado pelo leopardo, passou pelas cabanas e veio até a árvore com o círculo de cadeiras em volta.

Havia lugares para todos em cadeiras de plástico amareladas, outrora brancas. O sol declinara no horizonte, mas ainda estava claro e quente. A cidade a distância e o rio através dela ardiam em laranja. Uma mulher levantou-se e entrou em uma das cabanas. Ela saiu carregando uma bacia de plástico azul. Veio primeiro até mim. Na bacia havia garrafas de vidro de Coca-Cola e Fanta Laranja. Peguei uma Coca-Cola. O leopardo disse para Mwãna: "Venha, sente-se aqui". O menino atravessou o círculo e sentou-se aos pés dela. Sorri para ele através do círculo. Ele sorriu de volta. Aquele era um lugar feliz, um que eu nunca conhecera.

"Apresentações, apresentações!", gritou o leopardo dourado.

Papa Clemente sentou-se a duas cadeiras de distância dela. Ele sacudiu a cabeça. "*Non*", disse ele e arreganhou o seu sorriso gigante para ela. Ele ergueu sua longa mão direita no ar. O círculo fez o mesmo. Todos estalaram os dedos. Papa Clemente começou o chamamento: "Makass, Makass, Makass", entoaram todos a uma voz. O leopardo estendeu o braço para baixo e ergueu a mão de Mwãna; ele também estalou os dedos. Eu fui a última. "Makass, Makass, Makass", nós gritamos e estalamos os dedos juntos.

Papa Clemente baixou a mão, e o silêncio da colina predominou. Ele falou através do círculo para mim. "Paulit, estes são os 15 membros da Colaboração Masina." Ele apontou para o leopardo dourado: "Mama Bernadette é a presidente". A multidão assobiou, bateu palmas e estalou os dedos. "*Présidente*", eles gritaram repetidamente. O leopardo dourado sorriu, radiante. Um a um, os membros da Colaboração Masina se apresentaram: Mama Bijoux, Mama Orthie, Papa Aimé Dorian, Mama Auréa, Mama Versyl, Papa Ray, Mama Irina, Papa Severin, Mama Paulvie, Mama Elfie, Mama Helena, Mama Helischa, Mama Vinesly, Papa Patrick, Mama Gildevie. Mama Irina era a tesoureira, e Papa Ray o Vice-Presidente. Todos os demais eram "*les membres*".

Papa Clemente sorriu. "Todos eles também têm aids." Olhei em volta do círculo. Aids é o vírus que tornava aquelas pessoas felizes.

Papa Clemente acenou a mão para Papa Jean. "E para a apresentação final, Papa Jean – o presidente de todas as colaborações." O sorriso gentil de Papa Jean durou mais tempo até do que os vivas, aplausos e estalos de dedos. Depois que se fez o silêncio, Papa Jean acenou a mão para mim e disse: "Esta é Mama Paulit, ela é a sua padeira".

As palavras de Papa Jean deram início a um tumulto; a Colaboração Masina pôs-se em pé de um pulo e investiu para mim. Levantei-me. Minha cadeira de plástico tombou para trás. Todos eles, a presidente, a tesoureira, o vice-presidente e os outros 12 membros me agarraram. Cada um me tocou e me beijou. Eu era mais alta que todos eles. Cheirei as cabeças deles e inclinei a minha por cima da multidão. Eu era a sua padeira.

Quando todos se sentaram, olhei em volta; Mwãna tinha desaparecido.

Présidente Bernadette, o leopardo dourado, pegou uma vela e me levou em uma excursão. Fomos primeiro às cabanas. "Esta é a sua", disse ela apontando para uma cabana com cobertura de madeira. Era a última do grupo. As paredes de capim eram verdes, ainda não amareladas como as outras. A entrada era do lado. A distância estava Kinshasa. Aquilo era paz.

Descemos a colina até os campos cultivados. Papa Ray assumiu a excursão. Antes, no círculo, ele ficara calado, mas ao falar sobre a terra a empolgação jorrou para fora dele como um rio transbordando das margens. Ele era tão alto quanto Papa Clemente, porém mais largo. Tinha um longo rosto oval e olhos injetados. Suas mãos não eram as de um lavrador. Era como se ele fosse uma planta, feliz somente no solo.

Papa Ray disse: "Cada um tem uma faixa de 12 metros, formando um retângulo perfeito de 12x2 metros". Suas palavras jorravam mais depressa quanto mais ele falava. "Cultivamos seis colheitas por ano", disse, "espinafre, legumes, abobrinhas, feijões." Ele apontou para um canteiro. "Isto é batata-doce." E para outro, com plantas mais altas: "Isto é milho". Apontou para um terceiro canteiro, não plantado: "Este canteiro está descansando". Ele falava sobre os canteiros como se fossem joias, cada qual mais preciosa que a outra.

"E quanto à água?", perguntei.

Papa Ray sorriu. "Venha cá, Paulit", disse ele e saiu apressado. O leopardo dourado e eu o seguimos até a parte de trás dos canteiros. Papa Ray parou junto de um muro de tijolos baixo que circundava um buraco do qual saía, serpenteando, uma corda. Eu estava sem fôlego. Papa Ray puxou a corda. Mãos macias e braços fortes puxaram metros e mais metros da velha corda puída. Ruídos chapinhantes vieram do buraco, e no fim da corda havia um balde plástico amarelo cheio de água. "Água", disse ele.

"Você irriga a terra com isto?", perguntei. Havia mais de 20 canteiros.

Ele disse: "Nós nos revezamos para puxar e carregar a água. Alguns de nós têm problemas respiratórios, portanto fazemos isso devagar". A grande cabeça de Papa Ray sorriu. "Descansar é importante." Olhei para o canteiro vazio. Aqui, descanso não era morte, mas parte da vida.

Bernadette interrompeu: "Mama Paulit, isto não é para você", ela gritou mais do que falou. "Siga-me", disse ela e caminhou de volta na direção das cabanas. Perto do topo da colina, olhei para baixo. Papa Ray estava ajoelhado no solo e borrifava água com a mão, planta por planta. "Paulit, venha", o leopardo dourado gritou. Ela já tinha chegado às cabanas. Estava impaciente.

Alcancei-a. Ela passou apressada pelas cabanas rumo ao edifício que eu havia visto primeiro, aquele semiconstruído com blocos de concreto. Parecia abandonado. Havia pilhas de entulho. O leopardo dourado me olhou com olhos penetrantes. "Esta é a sua padaria."

O leopardo silenciou. Vi no entulho e no edifício inacabado a minha própria história – surrado, desmoronado, mas de concreto e em pé. Aquilo viria a ser uma padaria. Aqui, eu iria alimentar os outros. Aqui eu seria uma padeira.

O sol havia começado a puxar o cobertor da noite sobre o seu calor. Ouvi um som de batidas metálicas, alguém golpeando metal com metal. Bernadette estava plantada atrás de mim. "São quase seis", disse ela. "Venha."

Segui Bernadette para o círculo de cadeiras. Ela rugiu. "Venham! Venham!" As pessoas – *les membres* – vieram das cabanas, das plantações e de outros lugares. Todos se sentaram nas cadeiras de plástico amarelado. Bernadette ficou olhando para o chão até todos se acomodarem. Sentei-me ao lado dela. Papa Clemente e Papa Jean estavam conversando. Foram os últimos a sentar.

La Présidente esticou o braço direito no ar. Nós a acompanhamos. Ela começou a estalar os dedos. Nós também. "Makass", ela bradou três vezes. Fizemos o mesmo e então ficamos em silêncio. Mama Gildevie trouxe uma jarra de água e uma coluna de copos de papel empilhados. Passamos em volta os copos de papel. Mama Gildevie foi de pessoa em pessoa servindo água. Papa Aimé Dorian veio em seguida; um homem frágil, encurvado, gentil. Ele entregou a cada um duas pílulas de um recipiente laranja. Algumas pessoas tiraram comprimidos extras dos bolsos. Papa Jean tomou comprimidos. Papa Clemente, não. Nós os pusemos na boca e engolimos.

Olhei em volta procurando Mwãna. Ausente.

Bernadette correu os olhos pelo círculo. "Assuntos de hoje", disse ela.

Os membros falaram. Alguns falaram da necessidade de reparos em equipamentos. Outros discutiram um plano para construir um sistema de irrigação. Eles debateram os preços de mercado para as hortaliças e os legumes – preços melhores poderiam ser obtidos, porém mais longe. Mesmo enquanto as pessoas falavam de agricultura, Papa Ray ficou em silêncio. Bernadette inclinou o corpo para a frente e olhou para mim. "Paulit, como vai a padaria?", ela perguntou.

"Tenho de começar a construir o forno", disse eu. Falei com naturalidade – como se tivesse ficado amarelada como a cadeira na qual me sentava.

"Do que você precisa?", ela perguntou. Eu disse que faria o melhor possível com os blocos de pedra que já estavam lá. Expliquei que iria precisar de uma pá e de um meio de conseguir madeira.

"E para assar o pão?", perguntou Bernadette.

"Vou precisar de farinha e de um pouco de fermento para começar."

Mama Vinesly falou: "Paulit, por quanto se pode vender um pão no mercado?"

"Duzentos francos", disse eu. Seguiu-se uma discussão. Queriam saber quantos pães eu poderia fazer com um quilo de farinha, e em quanto tempo. A questão principal era se valeria a pena para a Colaboração comprar farinha. A Colaboração plantava milho, mas a produção era pequena, insuficiente para um negócio de padaria. *La Présidente* ergueu a mão, e a discussão parou. Ela se voltou para uma velha senhora de face enrugada e maquiagem de um verde-pálido nas duas bochechas. "Mama Irena, o que você acha?" Mama Irena encolheu os ombros. "Comece e veja como se sai no mercado. Se o pão vender, vamos precisar de mais farinha." O assunto estava resolvido. No dia seguinte eu receberia dois quilos de farinha e o fermento inicial. Ninguém comentou que eu ainda precisaria construir um forno.

Uma buzina de carro tocou no sopé da colina. Papa Clemente e Papa Jean se levantaram para sair. Eu queria agradecer àqueles dois homens, porém, quando as palavras me vieram, eles já tinham partido. Papa Jean andava em passadas elásticas ao descer a colina – os ombros fortes sempre prontos para uma briga. Papa Clemente, meio metro mais alto, ria.

O luar iluminou a minha padaria.

Construí um forno similar ao de Mammon, só que maior.

Papa Ray me emprestara uma pá enferrujada, porém afiada. Cavei o buraco que iria precisar para queimar madeira. A terra estava seca e deu trabalho. Fiz uma pausa na escavação e comecei a carregar as pedras que usaria nas paredes do forno e nas duas plataformas onde o pão seria assado. A maioria dos pedaços de entulho era pequena, e eu podia carregá-los com facilidade. Havia blocos maiores; esses exigiram mais esforço. Eu parava frequentemente para descansar. Bebia água do poço. Eu mesma tirara. Era doce e fresca.

Mwãna apareceu do nada; outros dois meninos vinham atrás dele. De joelhos esfolados, suados e sujos. Dei-lhes água para beber. E então eles ajudaram.

O trabalho mais duro foi erguer grandes pedras até o terceiro nível, acima da segunda plataforma. Uma quase caiu no pé de Mwãna. Empurrei-o de lado. "Cuidado!", gritei. Os outros meninos riram e então voltaram ao trabalho.

Caí no sono na minha casa de paredes de capim e acordei cedo, antes do sol. Mwãna dormiu encostado em mim. De início eu não me mexi. Afaguei sua cabeça. Ele tinha cheiro de menino. Ele se mexeu, e eu me afastei.

Havia três pequenas lamparinas no círculo de cadeiras. Peguei uma. Fui para a minha padaria, para terminar o forno. Estava bom. Com as duas plataformas e um cálculo cuidadoso do tempo, poderia assar 80 pães por dia. Em algum momento eu iria querer revestir de barro o lado de fora das paredes do forno. Mas isso podia esperar. Eu estava pronta para começar.

Ouvi um rugido: "Paulit!". Levei um susto. Fiquei preocupada com o menino. Os membros estavam reunidos em volta da árvore, sentados nas cadeiras desbotadas que já foram brancas. Estavam aguardando por mim. O ritual de Mama Gildevie e Papa Aimé Dorian do dia anterior se repetiu. Ela serviu a água, ele entregou as pílulas. A Colaboração estalou os dedos, gritou "Makass" três vezes e engoliu as pílulas.

"Planos", *La Présidente* bradou. Um por um, cada membro descreveu seu plano para o dia: principalmente cultivo, umas poucas visitas à clínica e uma ida ao mercado. Quando Bernadette se dirigiu a mim, eu disse: "Hoje, vou assar o meu primeiro pão". O círculo murmurou aprovando.

Papa Ray ergueu a mão. "Mas, Mama Paulit", sua voz era suave como o vento, "como você vai construir um forno?"

Então contei a eles sobre o meu forno. "Ele está pronto", eu disse. "Tenho duas plataformas para assar, e é maior que o da minha mãe." A multidão estalou os dedos e deu vivas. O leopardo dourado disparou através do círculo e esparramou beijos nas minhas bochechas. Seguiu-se uma confusão. Fui beijada por todos. O mais gentil foi Papa Ray. Ele passou um grande braço pelas minhas costas e beijou meu rosto. Seus olhos injetados brilharam nos meus. Dentro de mim, acendeu-se um forno que eu julgava morto para sempre.

Crianças apareceram; incluindo Mwãna, 11 delas. Estavam sonolentas.

Terminada a reunião, acompanhei os outros membros. Eles caminharam em fila indiana colina abaixo, para trás dos canteiros, onde havia um espaço livre. As pessoas pegaram pratos numa pilha e se serviram de uma grande panela preta de ferro: cozido de legumes e *fufu*. Havia água, e todos beberam. Algumas pessoas sentaram-se em famílias, algumas sozinhas. Eu me sentei com Mwãna. Mama Auréa veio e sentou-se conosco; ela era a cozinheira. Queria saber a que horas teríamos pão. Expliquei: "Mama Orthie irá hoje ao mercado para comprar a farinha e o fermento. Quando ela voltar, eu avisarei. Cinco horas depois disso, você terá pão".

Depois do desjejum eu disse para Mwãna: "Venha me ajudar a pegar lenha". Procuramos do outro lado dos canteiros de vegetais, onde havia galhos e gravetos. Juntamos o que podíamos carregar e levamos para a padaria. Fizemos mais duas viagens. Se era para assar 80 pães por dia, precisaríamos de um sistema melhor para pegar lenha, mas por enquanto estava ótimo.

Quando voltamos à padaria com os braços carregados de lenha, Papa Jean estava lá. De camisa xadrez e sorrindo, ele admirou o forno. Ergueu as sobrancelhas. "*Formidable*", disse ele. Pus a lenha no chão e apertei a mão dele. "Makass", eu respondi.

Mwãna e eu estávamos empapados de suor. "Volte mais tarde, e teremos pão", eu disse.

Papa Jean disse: "Venha comigo agora no carro".

"Papa", eu disse, "Mama Orthie foi buscar farinha e fermento no mercado hoje. Já está tudo encaminhado".

"*Allez*", disse ele. "Venha. Mudança nos planos." Ele se virou e seguiu em suas passadas ágeis e elásticas colina abaixo. Agarrei o pulso de Mwãna, e fomos atrás.

Quando vi o veículo de Papa Jean, fiquei espantada por ele ter conseguido chegar até o sopé da nossa colina. Era um carro vermelho pequeno e enferrujado. A pintura descascara onde a ferrugem a atravessara – era metade vermelho, metade ferrugem. Papa Jean sentou-se ao lado do motorista, Mwãna e eu atrás. Bati a cabeça uma dúzia de vezes enquanto o carro seguia pulando pela estrada de terra e pedras.

Entramos em Kinshasa, passamos o aeroporto, passamos a base militar e atravessamos Kasa-Vuba, onde eu crescera. Era como se eu estivesse retrocedendo através da minha própria vida. Perguntei-me se a minha família havia chorado por mim. A despeito das brigas, Mammon me alimentara e me educara. Eu sentia saudades de Natalie, e até dos meus irmãos. Os vidros do carro estavam abertos; reconheci os cheiros e, quando passamos pela parada dc ônibus, lembrei-me da longa e lustrosa pantera negra que não entendera a maldição da sua beleza nem o poder da sua vontade.

Logo, os ruídos das pessoas na rua desapareceram. As casas tinham muros em volta delas, e o barulho era de construções. Estávamos em Kintambo. Chegamos ao Peloustore Supermarché; meu corpo ficou tenso, minha boca secou. "Papa Jean", chamei do banco de trás. Ele ergueu a mão. Meus pensamentos foram apunhalados por cem cutiladas, mil lembranças, estrídulos loucos que tentei esquecer. Mesmo de manhã, o letreiro do supermercado estava iluminado. As lixeiras estavam em pé e vazias. Meu peito palpitava depressa.

Mas passamos direto.

Portões de ferro cinzento. A placa, perfeitas letras pretas sobre branco, L'Académie International. Meus olhos se arregalaram. Empurrei as pernas contra o piso do carro. Era como se o meu sangue fosse um rio que fora secado num segundo. Tentei gritar, mas minha garganta se fechara.

O carro seguiu para o portão. O guarda se levantou. Quinhentos francos depois, ele nos sinalizou para passar.

Estacionamos ao lado de carros reluzentes. Papa Jean, Mwãna e eu saímos. Uma mulher gorda saiu apressadamente da escola e veio na nossa direção. Ela era mais larga do que alta. Usava um vestido azul com grandes flores em laranja e branco. Era um dilúvio de cores saltitantes, as flores dançavam. A mulher soltou um grito e abraçou Papa Jean. "Makass", eles disseram ao se separar. Papa Jean estava com batom na bochecha quando se virou para mim. "Mama Angelique, esta é Mama Paulit." Eu estava em pé ao lado do carro, Mwãna se escondera atrás de mim; seu uniforme escolar estava imundo.

A mulher veio na minha direção – seu sorriso sumiu. Sem introduções – "Venha", disse ela.

Respirei pouco. Esqueci muito.

Corredores azul-claros. Talvez cinzentos.

Ao longo das paredes havia desenhos de criança e pôsteres. Lembro-me de um mapa-múndi.

Subimos degraus de pedra. Viramos à esquerda e seguimos em frente. Paramos. Eu não podia sentir nada e sentia tudo. Mama Angelique cheirava a perfume barato. Olhei através do vidro. Crianças atrás de carteiras – uma professora na frente delas.

A mulher de vestido azul com flores dançantes bateu. A professora se virou e acenou. A porta se abriu. Nós entramos. Num instante, olhei em volta da sala; uma pantera preparada.

Uma menina pequena se levantou perto do fundo da classe. De sua mão pendia uma pequena boneca de pele branca. Seu lábio inferior tremeu, a língua saiu para fora. Fellyne.

Vi a confusão dela. "Mama", disse ela.

Fui tropeçando nas carteiras enquanto corria para ela. Ela ergueu as mãozinhas. "Mama", gritou ela. "Fellyne", gritei eu. Agarrei-a e levantei-a no ar. Apertei-a contra o meu peito, tão apertado. As cem cutiladas, as mil lembranças, os gritos estridulantes – nada daquilo importava mais.

"Fellyne", gritei e girei-a no ar.

"Mama, Mama, Mama", gritou Fellyne em resposta.

Continuei a girá-la no ar. Ela cheirava a sabonete. As crianças murmuraram, mas um cobertor cobria a mim e a minha filha.

Com o canto do olho, vi uma sombra branca e azul se mover.

Muitas vezes eu havia pensado que Mwãna não era real – o menino tinha sido posto na minha cabeça por Deus para me trazer através do rio. Mwãna me sustentara nas suas pequenas costas. "Mwãna!", gritei.

Mwãna era real. Era tão real quanto a carteira, quanto a sarjeta, quanto a pedra. O menino parou. Ele olhou para trás com os seus gigantes olhos escuros. Eu gritei para ele: "Aonde você vai?" Ele encolheu os ombros. "Venha cá", eu disse.

Ele veio andando na nossa direção, a gravata azul pendurada para fora do bolso. Pus a minha filha no chão. "Esta é Fellyne", eu disse. "Ela é sua irmã." Ele a olhou como se ela fosse uma das pedras que tínhamos carregado juntos. Ele estendeu as duas mãos. Elas tremiam; inseguras. Suas mãos tocaram o rosto da menininha – como se estivesse prestes a erguê-lo. Fellyne relanceou para mim. Eu sorri. "Fellyne, este é o seu irmão Mwãna", eu disse. O rosto dela encarou o dele. O lábio inferior dela descaiu, e a língua saiu, e ela deu uma risadinha. Fellyne abriu os bracinhos curtos e deu um passo na direção do menino. O primeiro abraço deles foi desajeitado.

Papa Jean aguardava junto à porta. Olhei para ele. Juntei as mãos e ergui-as acima da cabeça. "Makass", murmurei para ele. Ele ergueu as mãos de volta para mim. "Makass", respondeu.

Ajoelhei e envolvi as minhas crianças nos braços. Puxei-as para perto e chorei.

Saímos da L'Académie International, Papa Jean primeiro, depois eu. Minha mão direita segurava Fellyne, a esquerda segurava Mwãna. Fellyne saltitava enquanto andava – a mais perfeita criação de Deus.

Segurei aberta a porta de trás; "Para dentro do carro", eu lhes disse. Fellyne, segurando Poppi, pulou para dentro. Mwãna não se mexeu. Ele ergueu os olhos para mim. Pisquei para ele e ergui as sobrancelhas. "Mwãna, para dentro do carro", eu disse. Ele não se mexeu. "Preciso ir para a escola", disse ele. Papa Jean olhou para mim por cima do teto vermelho enferrujado do carro e sorriu.

Seis meses depois, numa colina 7 quilômetros a oeste de Kinshasa, nós, os membros da Colaboração Masina, construímos uma escola.

Se você for um professor, ou uma professora, me encontre.

Advertência e agradecimentos

Todos os eventos e pessoas descritos neste conto são reais. Os nomes e locais foram mudados para proteger suas identidades. A narrativa está apenas na cabeça do autor.

Agradeço a Marina Berdini, Corinne Benazech, Robin Meldrum, Papa Clement e à equipe da Unidade de Kinshasa da Médicos Sem Fronteiras. Minha gratidão a Papa Jean Lukela, presidente da RNOAC-GS/PVVH – uma organização que constrói cooperativas para sobreviventes com aids que vivem em Kinshasa.

James Levine, Orenoco, Minnesota, junho de 2011

TRADUÇÃO DE RICARDO GOUVEIA

•

República Democrática do Congo

O HIV/aids é uma doença que mata muitas vítimas na África se não for rapidamente diagnosticada e tratada com medicamentos antirretrovirais, que, se usados corretamente, permitem às pessoas infectadas levar uma vida normal. Mas ser soropositivo em Kinshasa, a capital da República Democrática do Congo, não é algo tão fácil, em parte devido ao estigma a que essas pessoas estão sujeitas.

A MSF oferece um programa gratuito para a prevenção e o tratamento do HIV/aids no centro hospitalar de Kaninda, no centro de Kinshasa, a 2 631 pessoas (850 novos pacientes apenas em 2010) que vivem nos bairros mais pobres da cidade. Além disso, a MSF apoia a associação RNOAC,[6] que atua nessas regiões, conscientizando as pessoas sobre o HIV, ajudando a evitar que os portadores do vírus sejam expulsos de suas famílias e comunidades, e também realizam o acompanhamento do tratamento com antirretrovirais.

A MSF atua na República Democrática do Congo desde 1981.

6 RNOAC é o acrônimo para Réseau National des Organisations d'Assise Communautaires des Groupes de Support des PVVS (Rede Nacional de Organizações de Base Comunitárias de Grupos de Apoio às Pessoas Soropositivas).

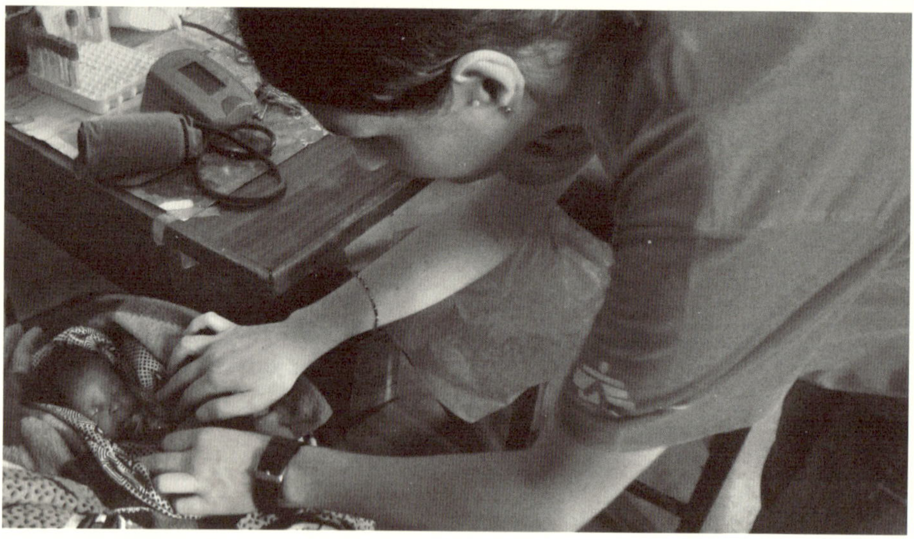

Programa de prevenção
de transmissão
do vírus HIV de mãe
para filho, centro
de saúde de Namitembo,
ao sul do Maláui
© Isabelle Merny

Esmahan Aykol

Minha vida como uma bolsa

EI! EEEEEI! ESTOU SUFOCADA! Estou dizendo que não consigo respirar. Não estão ouvindo? Eeeei!

Que azar! E ainda por cima, ao meu lado, há algo com cheiro de podre. O que é isso? Olha em que estado estou enquanto todos os meus conhecidos vivem em mansões, em restaurantes de três estrelas no Guia Michelin, naquele maravilhoso L'Ambroisie, em Paris.

De verdade. O que estou fazendo aqui? Não posso acreditar no que aconteceu comigo. Só vou dizer que é uma desgraça terrível.

Eeeei! Não tem ninguém aí?

A coisa fedorenta ao meu lado começa a rosnar. Está dizendo que não fiquei calada nem um minuto desde que subimos a bordo do navio.

Mas estou decidida, não vou descer ao nível dela respondendo. Isso não combina comigo.

Alguém que está por perto dá razão a ela. "Ela está certa! Fica quieta!"

Ah, olha para a ralé. Está na cara que são ralé. E vão conspirar contra mim. Não, não vou aguentar mais. Alguém tem que mostrar o lugar deles.

"Desculpe-me, mas...", digo da minha maneira mais orgulhosa, "as senhoras sabem o que sou?"

"Não estou nem aí para o que você é", diz a fedorenta.

"Sim, eu também não estou nem aí! Todas estamos no mesmo navio", diz uma voz estridente. As gargalhadas aumentam.

"Vamos lá, diga o que você é...", diz outra, em tom sarcástico.

"Uma bolsa modelo Carnaby, da Marc Jaco..."

Não consigo terminar a frase. A malcheirosa ao meu lado começa a dar risadas como se estivesse engasgando. Assim que acaba, fala devagarinho, com palavras galanteadoras, como se estivesse me imitando.

"Sou a bolsa *fin fin fon fin* da *Tarlc Djeibâs*..."

"Sinceramente, não entendemos, querida. O que é que você é?", alguém diz, de longe.

Queria ver o dono dessa voz, mas o lugar está tão lotado que não consigo vê-lo.

"Marc Jacobs", digo.

"Eu o conheço. É famoso. Um estilista", diz alguém cuja voz demonstra mais classe.

"Isso mesmo!", gorjeio com alegria. "Sou uma das bolsas que o famoso Marc Jacobs desenhou. Modelo Carnaby. Além do mais, fui feita na Itália."

"Uau!", alguém grita. "Ou seja, *made in Italy*."

"Olha a coincidência. Eu fui comprada na Carnaby Street, em Londres", diz uma voz que soa como uma corneta.

"O que você é?", pergunto com curiosidade.

"Uma camiseta Muji cinza, de gola redonda."

Cá entre nós, como são banais! Se o melhor deles é uma camiseta Muji, imagine o resto...

Não dou mais um pio.

Muji interpreta mal meu silêncio. "Que foi, não gostou?!", diz com raiva. Ela vai me destruir se ninguém a segurar. Sua voz está estridente de tanta raiva.

"Quem é ela para não gostar de você? Seu dono deve ter pago 15 libras por você", alguém diz. Não consigo ver quem é, mas suspeito que seja um amigo de Muji. Se eu fizer um ou dois amigos, não será nada mal. De outro modo, esta jornada não vai passar.

"Não, longe disso! Por que eu não ia gostar?", digo com uma voz fraca. Se souberem que na minha etiqueta estava escrito 1 595 dólares, na época, vão me destruir na mesma hora.

"A ordinária da Jacobs tomou as medidas, e veja como se recompôs", diz a fedorenta, debaixo do meu nariz.

"Se me permite perguntar, o que você é?"

"Sou uma holandesa de origem alemã", diz. Há arrogância na sua voz?

"Minha nossa! Que combinação extraordinária! É a combinação de que mais gosto...", diz alguém com ironia. Não sou eu, claro. Há pouco decidi me dar bem com meus vizinhos.

"O que você é?", responde a fedorenta, querendo desafiá-la.

"Sou uma francesa parisiense. E daí?"

Interrompo.

"Na verdade eu tinha perguntado o que você é, e não sua nacionalidade", digo à malcheirosa.

"Sou uma sapatilha da C&A. Há pedras brilhantes em mim. As pessoas se viram para olhar para mim de novo de tanto que sou atraente. Ainda não entendi por que minha dona me sacrificou."

"Mas isso nenhuma de nós consegue entender", diz uma voz chorosa.

"A minha não deve ter me usado nem três vezes ao todo. Depois me jogou de lado."

"Como um lenço sujo...", uma outra completou a frase dela.

"Você deve ter saído de moda, querida."

"Que nada, sou um suéter preto. Existe moda do suéter preto?"

Não consigo me segurar. "Claro que existe", digo.

"A sabichona da Jacobs inventou de novo", disse a carcaça C&A.

"Companheiros! Companheiros!", alguém gritou. Diante desse discurso esquisito, todos nós ficamos quietinhos. "Vamos continuar brigando assim? Nenhum de nós está numa situação melhor que a do outro. Todo mundo aqui se encontrou no contêiner de roupas de segunda mão antes do tempo. Nossos entes queridos, nossas donas nos abandonaram..."

"Sim, nos abandonaram", disse a voz chorosa.

"Minha dona me pôs numa sacola feia e me jogou fora..."

"Ah, nem me fale, nem me fale...".

"Irmãos, irmãs! Companheiros!", novamente berrou a voz autoritária de há pouco. Num instante predominou novamente o silêncio. E somos todos ouvidos a ela.

"Não vamos retornar aos cabides dos guarda-roupas cheirando a lavanda. Afinal, cada uma de nós é um pedaço de tecido velho. Vocês não percebem que o destino de todos nós é o mesmo? Por que brigam por razões fúteis?"

"Tem razão", diz alguém. Acho que a parisiense.

"Desculpe, não tem nada a ver com a nossa conversa, mas fiquei curiosa em saber de onde você é."

"Para quem você perguntou? Para mim?"

"Sim, para você."

"Isso não tem mesmo nada a ver com a nossa conversa", diz alguém falando entre os dentes.

"Originalmente sou brasileira, minha senhora", disse a da voz autoritária, ignorando a que protestou contra a pergunta. "Mas fui fabricada na China."

"Adoro brasileiras. Por acaso você é uma tanga?"

Essa foi a voz da que conhece Marc Jacobs.

"Sou uma blusa de babado branco na gola e mangas compridas. Tem uma mancha marrom no lado esquerdo do meu peito."

Agora a voz estridente que conhece Marc Jacobs grita: "E como blusas brancas combinam comigo!"

"Sou uma calça jeans com boca estreita de tamanho 24. Se você me vir, vai perceber imediatamente que fomos feitas uma para a outra."

"Não vamos ficar nesta escuridão para sempre. Um dia ela vai te ver", interfere uma velha.

"Quantos dias será que a viagem vai durar?", pergunto.

Todas começam a murmurar. Percebo que ninguém sabe ao certo. E não há ninguém que saiba aonde estamos indo.

"Tanto faz quantos dias vai durar. O primeiro dia está quase acabado."

"Posso contar uma piada para vocês?", diz Muji, atirando-se. "Assim passa o tempo." Dessa maneira, é declarada a paz entre nós; porém as piadas começam a se seguir umas às outras. Instantes depois, a escuridão, as conversas e as gargalhadas começam a confundir minha mente. As lembranças começam a se desenrolar na minha frente. Pippa, ah, Pippa... Eu me lembro do barulho dos seus saltos ao passar diante da vitrina da loja cuja parede da frente era de tijolos vermelhos e ficava na N. Damen Avenue. Eu estava num cantinho da vitrina. Primeiro fui eu que gostei dela. Fiquei olhando para as suas costas. Rezei para ela voltar. E ela voltou. Deu alguns passos para a frente e, de repente, parou e voltou para trás. Andou na minha direção. Olhou de soslaio para mim. Acho que ela gostou mais da flor de mica afixada na minha alça. Sorri quando a vi colocar sua mão involuntariamente no coração. Ela também me amava! Pippa não percebeu que eu tinha sorrido. Imaginei suas mãos lindas tocando em mim e tive calafrios.

Pippa contou 1 595 dólares sem piscar os olhos. O amor é assim. Não conhece obstáculos. Nós, italianos, sabemos bem o que é o amor. Pippa foi o meu primeiro amor... E eu? O que eu significava para ela? Agora meu coração está partido.

Nenhuma de nós sabia quantos dias e noites passamos naquela escuridão. Penso que chegou perto de um mês. C&A choramingou, dizendo: "Que é isso, querida, foram, no máximo, dez dias". Encerramos o assunto. Ficamos exaustas de tanto brigar.

Um dia, nos assustamos com uma terrível sacudida. Apreensivas, nos achegamos umas às outras para buscar apoio. Todas prenderam a respiração. O silêncio era total.

Ao ouvir um burburinho no convés, a brasileira disse: "Isso quer dizer que chegamos"; ela achava que sabia de tudo, considerando suas interferências durante a viagem.

"Tudo bem, mas aonde?", perguntei. Minha voz tremia.

"Aonde seria? A um porto. Daqui seremos despachadas para todos os cantos." "Aí fala a experiência em pessoa", sussurrou C&A. Eu estava cansada das ironias dela. "Afinal, em sua juventude ela foi da China até o Brasil", disse.

A longa viagem me deixou irritadiça. "Onde estamos?! Onde estamos?!!", gritei feito uma louca.

No mesmo instante, a porta do contêiner, que havia permanecido bem fechada por dias, se abriu com um estrondo. Desta vez, todas gritaram. A luz do dia!

Já estava quase ficando cega. Foi pavoroso. O interior se encheu de uma luz bem amarela com um calor sufocante. Nossos gritos não cessaram até que jovens robustos vestidos de jaquetas de couro preto começaram a nos empilhar a esmo em pacotes esfarrapados e rasgados.

Na verdade, não era tão ruim. Pelo menos era melhor do que o depósito do navio. O ar úmido e a luz do dia se infiltravam pelos rasgos do pacote. Ademais, por uma coincidência maravilhosa, eu havia caído num lugar na parte superior e não fui esmagada.

Não tendo a oportunidade de olhar ao redor para ver quem estava ali, ouvi a voz da calça jeans de boca estreita tamanho 24.

"Ei, minha brasileira! Você está por aqui?!"

Ouviu-se uma voz rouca vindo de lá do fundo do pacote. Era a brasileira.

"Ei, vocês de cima, será que vocês poderiam se mexer um pouco? Nós daqui de baixo estamos esmagadinhas aqui!"

Nós nos apertamos tanto quanto pudemos.

"Obrigada, companheiras! Que vocês tenham uma vida longa! Viva a nossa solidariedade!"

Alguém subindo das barras da calça jeans tinha se enrolado na minha alça. O cheiro não era nada mal. Aliás, nada poderia cheirar tão mal quanto C&A.

"Ai, olhe o destino. Caí no mesmo pacote que a brasileira", sussurrou a calça jeans. Eu não queria ser incluída nessa história de amor. Não respondi.

"Aonde estamos indo agora?", sussurrei.

"Você é muito curiosa", respondeu alguma coisa do meu lado esquerdo. Eu conhecia aquela voz, era uma das que contaram piadas durante a viagem.

"Olá", disse. "Sou o modelo Carnaby da Marc Jacobs…". Ela me interrompeu.

"Sim, sim. Assim como todo mundo, sei quem você é e de onde vem."

"Você?…"

"Sou uma legging bege da Zara. Tirando um rasgo pequeno na minha perna direita, estou em perfeitas condições."

"Muito prazer", eu disse.

"Vocês podem fazer silêncio, minhas amigas? Estamos tentando ouvir as conversas lá fora!" Com a bronca, nos calamos.

Eu ouvia as vozes provenientes lá de fora, mas por mais que inclinasse meus ouvidos não conseguia entender sequer uma palavra.

"Alguém consegue entender o que está acontecendo?", perguntei.

"Vão nos transportar de caminhão a Blantyre", alguém respondeu.

"E onde fica esse lugar?", algumas de nós perguntamos ao mesmo tempo.

"Sim, alguém sabe onde fica Blantyre?", eu, para falar a verdade, ouvia esse nome pela primeira vez.

"No Maláui", disse a legging bege da Zara ao meu lado.

"E Maláui fica onde?", perguntou alguém rindo. "Que nomes mais estranhos: Blantyre… Maláui…"

Zara começou a falar de modo sabichão.

"O Maláui é um país situado na África central." Fez uma pausa por alguns instantes. "Não, acho que sudeste seria mais correto. Faz fronteira com Moçambique, Zâmbia e Tanzânia. Não tem costa. É um dos países mais pobres do mundo. Acho que o quarto. Ou entre os cinco mais pobres."

"Ah", eu disse. Não vou mentir para vocês, eu estava perplexa. "Como você sabe de tudo isso?"

"Se tivesse passado a vida com um especialista em história da África e da diáspora africana, você também saberia", ela disse.

"Como assim?", perguntei.

"Com uma professora que dava aulas de história na universidade."

Quando se diz "professora", você não pensa num tailleur? Na verdade, fui forçada a imaginar uma professora de história com uma legging bege. Mas não disse isso a ela.

"Então estamos em outro país. Em qual será?", perguntou a brasileira.

"Da onde você tirou isso?", disse a calça jeans de pernas justas, tomando a palavra. Se você me perguntar, ela deve ser um tipo bem ingênuo. Inclusive bem idiota.

"É porque foi dito que Maláui não tinha costa..."

"Provavelmente chegamos ao porto de Beira, em Moçambique. É um porto localizado na costa do oceano Índico", Zara acrescentou, sorridente. "Alguém mais tem perguntas?"

"Eu", disse, envergonhada. "Quantos dias dura o nosso itinerário?"

"Dias? Imagina, não são nem dias; no máximo quatro ou cinco horas... Embora... a situação das estradas na África não seja lá muito boa. Mas mesmo assim eu não acho que dure muito."

Pelo menos ficamos aliviadas. Como não tínhamos um Muji para contar piadas para passar o tempo, começamos a nossa jornada caladas.

Por fim, o caminhão que nos transportava parou. Ouvimos o barulho das correntes que prendiam a porta do cofre se abrirem. "Alguém consegue enxergar aonde nós estamos indo?!", Zara gritou. Não foi ela que me chamou de curiosa?

"Você também tenha um pouco de paciência, querida", repreendeu a calça jeans de pernas justas.

"Se eu me enxergasse sendo pendurada num cabide... Faz dias que estou toda amassada de ficar me arrastando no caminho", disse a brasileira. A pobrezinha tem razão, afinal ela é uma blusa.

"Ficou escuro lá fora, amigas. É noite... Mas não tem nenhuma lâmpada na rua em frente", disse alguém.

"Nossa!", disse eu. "Desde que estamos na estrada nunca conseguimos nos salvar da escuridão." Não consigo expressar como sinto falta dos dias ensolarados em que saía com Pippa para longas caminhadas.

Descemos do caminhão. Não conseguimos enxergar nada através dos buracos, passamos aquela noite dentro dos pacotes, num lugar que parecia ser um depósito. Com os primeiros raios do dia, alguns negros começaram a abrir os pacotes e a nos puxar para fora. Fomos separadas de acordo com nosso tipo. Tomei fôlego dentro de uma pilha de bolsas. E o pesadelo começou! Todos os meus lados, minha direita, minha esquerda, estavam repletos de bolsas falsificadas gastas e surradas. Vocês podem imaginar como elas me invejavam? A criatura ao meu lado, que parecia uma bolsa de feira, disse, rangendo os dentes: "E você, quem é?".

"Eu...", comecei e parei. Estava indecisa se dizia a verdade ou não. Uma mentirinha podia proteger minha paz. E se eu dissesse que era falsificada?

"Então? Me diz quem você é", insistiu a sacola de feira.

"Além disso, o que você está fazendo aqui?", acrescentou uma mochila da Hello Kitty. Meu Deus, que coisa mais cafona era aquilo! Toda cor-de-rosa.

Minha hesitação durou mais alguns segundos, e, por fim, renovei minha arrogância. "Sou a bolsa de camurça modelo Carnaby da Marc Jacobs...", eu disse.

"Você está brincando! Isso não pode ser verdade", disse a de couro artificial, de segunda categoria. No mundo das bolsas havia falsificações de todas as marcas famosas, por isso não me surpreendi ao ver que até a bolsa mais brega conhecia a marca Marc Jacobs.

"Uau!", disse uma mochila de cor bordô.

"Não acredito nessa história", disse alguém.

"Que foi? Que foi? Contem para mim também", disse outro alguém.

"Para falar a verdade, sou a falsificação dela", acrescentei apressadamente.

"Ah, não diga!", disse a sacola de feira. Todas respiraram aliviadas. "No fundo deste montinho há várias LV e duas bolsas da Prada. Então vocês podem formar uma quadrilha de bolsas falsificadas."

Todas racharam o bico com essa brincadeira.

Meu único desejo é ser salva logo dessas bolsas medonhas, feias e invejosas e encontrar uma nova dona, que vai me amar e que eu vou amar.

Após todos os pacotes serem abertos e separados de acordo com seu tipo, iniciaram as transações de preços. Colaram etiquetas em cima de todas. Estava escrito K4 000 sobre mim. Eu não tinha a menor ideia do que isso significava.

Na manhã seguinte arrancaram o anúncio em letras garrafais que estava grudado na vitrina: "Os produtos da DAPP recém-despachados chegam em 2 de abril (este sábado): não perca roupas especiais da última moda", e escancararam as portas da loja.

O dia inteiro observei com ansiedade as pessoas que entravam e saíam da loja. Poucas delas se dirigiam à seção de bolsas; a maioria estava procurando roupas. No primeiro dia não vi ninguém que eu desejasse para ser minha dona, portanto nem tentei parecer atraente. E, aparentemente, K4 000 era muito dinheiro. Os que liam minha etiqueta ao me pegar nas mãos rapidamente me largavam e se viravam para outras bolsas.

Exatamente 6 dias depois, entrou na loja uma mulher de que gostei de imediato. Ela tinha um rosto rechonchudo e muito bonito. Sua pele era lisinha. Tinha os cabelos compridos de rastafári num rabo de cavalo e usava brincos de minúsculas pérolas falsas. Eu amei a elegância do toque de suas mãos na bolsa e de seu pulso sinuoso para segurar a alça pendurada em seu ombro. Eu quis que essa mulher tocasse em mim. Que ela me amasse...

Por um momento estremeci com a força dessa imagem.

"Que houve? Estou vendo que você ficou bem entusiasmada", disse um dos trapos que estava ao meu lado.

"Ficou fresco aqui", tentei disfarçar.

"Fresco? Acho que você está brincando", disse, dando risada.

Deixei meu peito todo ereto para mostrar a flor de mica, que acreditava ser meu ponto mais atraente, mesmo que uma das folhas estivesse quebrada, e me deitei com um olhar arrasador. "Mexa-se um pouco, minha amiga! Estou esmagada!", gritou a sacola de feira feita de pano preto. Ela era uma bolsa simples. Eu não queria discutir com ela naquele momento tão importante. Não falei nada nem me mexi.

Comecei a tremer mais ainda quando a minha bela começou a andar em minha direção. Minhas alças se batiam com entusiasmo. Ao me ver, ela disse para a mulher ao seu lado: "Olha só, que bonita é esta bolsa!" Ela começou a me acariciar.

"É bonita, mas não é muito cara?", disse outra mulher.

"Quatro mil kwacha", murmurou minha bela. "Mas vale a pena."

"Se você está dizendo isso, então está bem, Mercy." Mercy... Mercy... repeti. Que nome lindo! Era quase tão lindo quanto Pippa. Claro que ninguém pode ser comparado com Pippa. Ela era meu primeiro amor...

"Se você me perguntar, esta outra bolsa será mais útil para você", disse a amiga tola da Mercy. Ela estava segurando uma porcaria que se achava uma bolsa.

Mercy lançou um olhar para a bolsa e para a mulher; como eu esperava, era um olhar que dizia que o assunto não era para ser discutido. "Não, eu gostei desta bolsa, vou comprá-la", disse.

Mercy era tão doce. Sua pele tinha aroma de chocolate. Adorei quando ela acariciou a folha quebrada da minha flor: ela não só amou minha beleza como também compreendeu minhas falhas. Eu decidi naquele momento que queria viver o resto da minha vida, envelhecer e morrer com ela.

Mas a vida é assim. As decisões mudam.

Pegamos algumas lotações, andamos alguns quilômetros numa estrada de terra e finalmente chegamos naquela tarde ao vilarejo de Magombo. Passamos por plantações de milho durante o caminho, e em nosso vilarejo também havia plantações de milho.

Paramos em frente a uma casa de um andar, cuja fachada não estava pintada e que tinha uma tela branca e suja de moscas na porta de madeira, que estava escancarada. No jardim, havia tanto crianças quanto sabugos. Vinte, trinta, quarenta... não consegui contar exatamente. Ao adentrar, tive mais um ataque de surpresa: a casa pequena estava cheia de crianças também. Crianças de todas as idades... no início pensei que eram os filhos da Mercy. Havia sete meninas e dois garotos, de todos os tamanhos. A criança mais jovem era uma menina dócil de 3 anos. Tudo bem, mas aquelas pessoas não conheciam controle de natalidade?

Em pouco tempo, percebi que somente duas crianças chamavam Mercy de mãe. As outras... quatro delas eram filhos da irmã do seu marido Gani, que tinha falecido; três delas eram filhos do irmão de Mercy, que tinha falecido. A maioria das crianças que estava brincando no jardim entre os sabugos era órfã. O que eu não entendia era por que havia tantas crianças órfãs naquele país, por que seus pais morriam.

Tinha encontrado um estilo de vida a que eu não estava acostumada: até nos fins de semana todo mundo dormia assim que o sol se punha; e se levantavam com os primeiros raios do sol. Ao anoitecer, nossa casa, como o resto do vilarejo, ficava numa escuridão total. Não havia eletricidade. Não havia televisão.

De vez em quando escutávamos um rádio que funcionava a pilhas. Tocavam músicas que eu não conhecia.

A coisa mais estranha era a falta de água. As meninas mais velhas, Pilirani e Estere, sumiam com barris vazios, que carregavam sobre a cabeça, e horas depois apareciam com barris cheios d'água.

Na manhã da segunda-feira Mercy acordou de novo na madrugada; vestiu uma camisa xadrez, uma saia preta e justa; pôs os chinelos nos pés, me colocou no ombro, e saímos para a rua. Eu não sabia aonde estávamos indo.

As ruas estavam cheias de pessoas andando, naquela hora da manhã. Nós também andamos até a estrada de terra onde passavam as lotações. A lotação estava cheia de passageiros; havia um cheiro pesado dentro. Fiquei sabendo após algum tempo que as pessoas secavam os peixes pequenos que pescavam no rio. Aquele cheiro horrível era dos peixes secos.

A lotação continuou numa estrada de terra cheia de buracos e obstáculos. Todo tempo estávamos pulando, e, durante um solavanco, caí do colo de Mercy no chão. Eu não acho que nasci para enfrentar condições tão adversas. Mas não havia nada que eu pudesse fazer; era obrigada a aguentar. Por fim, consegui respirar quando chegamos à estrada asfaltada.

Descemos da lotação em frente a um prédio de cor terracota e com grades em seu entorno, onde estava escrito Hospital do Distrito de Thyolo. Fiquei preocupada por um momento. Por que estávamos num hospital? Será que Mercy estava doente? Na minha opinião, era uma mulher que parecia bastante saudável, mas não dá para saber essas coisas. Uma vez fomos visitar uma amiga da Pippa no hospital que também parecia bem saudável; ela morreu algumas semanas depois.

Fiquei um pouco aliviada quando Mercy cumprimentou os seguranças na entrada. Ela não estava doente; ela trabalhava no hospital. Acho que ela era médica. Sabia que eu era uma bolsa que merecia ser usada por uma médica. Mercy entrou em quartos diferentes, cumprimentou e conversou com as pessoas. Eu queria que ela vestisse seu uniforme branco e começasse suas consultas. Enquanto isso, eu queria ficar no canto principal da mesa e observar os pacientes. Espero que ela não seja uma pediatra; eu já estava cansada do barulho de crianças. A melhor opção seria uma psiquiatra; adoro escutar histórias de vida das pessoas. Fui duas vezes a uma psiquiatra com Pippa: numa consulta ela estava sofrendo de insônia; ela foi medicada com pílulas para dormir. Na outra, ela tinha se separado do seu namorado imbecil; encontrou a solução nas pílulas antidepressivas. Era um homem horrível, obviamente torturava a pobre menina. Tudo bem... tudo ficou no passado agora. São lembranças de outra vida. Vamos parar por aqui.

Sentamos num dos bancos que ficavam em frente ao prédio. Mercy estava me segurando no colo. Eu estava gostando de ficar tão perto dela. Logo depois, uma mulher se sentou ao nosso lado. Começou a conversar com Mercy. Havia uma bolsa velha feita de couro sintético e de cor preta, toda enrugada e com dois bolsos grandes na frente.

A mulher não estava segurando sua bolsa com amor como Mercy fazia, ela estava somente segurando as alças para a bolsa não cair no chão. Por um bom tempo eu e a outra bolsa ficamos olhando uma para a outra sem dizer nada. Finalmente eu disse "Olá" para ela. Sua primeira frase foi: "Você é nova por aqui, não é?". "Sim, faz uns dez dias que cheguei". "Hmmm!", murmurou. Aparentemente não era muito faladora. Mas eu estava curiosa para saber coisas sobre ela.

Comecei perguntando de onde ela era.

"Isso não é importante", disse com voz cansada. "O importante é para onde vamos. Todas nós vamos parar dentro de uma lixeira no final."

"Isso com certeza", eu disse. "Mas não é importante saber o que vivemos até entrar na lixeira?"

Ela não respondeu. Ficamos caladas por um bom tempo.

Foi ela quem começou a falar de novo. "Você sabe aonde estamos indo?"

Primeiro pensei que ela estava se referindo à metáfora das lixeiras e, como eu nunca fui boa com metáforas, preferi não responder.

"Estamos indo para o vilarejo de Sandama. Fica a 5 quilômetros da fronteira de Moçambique..."

Pelo jeito ela estava falando como uma bolsa normal. "Nós viemos de Moçambique", eu disse com entusiasmo e contei nossa viagem como se fosse um filme de ação. Nem que fosse um pouco, consegui atrair sua atenção. Ela fez perguntas sobre meu passado e Pippa. Ela nunca tinha saído do continente africano. Foi feita na África do Sul, chegou a Maláui por transporte terrestre e passou a vida inteira com uma mulher só.

"Ela é uma pessoa boa?", perguntei. Ao mesmo tempo, estava observando a mulher. "Muito", ela disse. "É médica também?"

Ela ficou surpresa. "Médica? Quem é médica?"

"Minha Mercy é médica." Ela deu risada. "Não entendi se você está brincando ou se é realmente muito ingênua", disse. "Deve ter uns 250 médicos em toda Maláui. Mas a sua Mercy é enfermeira como a minha Winnie. O trabalho delas é distribuir remédios nos vilarejos. Elas saem juntas daqui todos os dias e distribuem remédios para o povo nas clínicas dos vilarejos."

Não vou esconder nada de vocês. Estava decepcionada.

"Que pena! Então Mercy não é médica", respondi. "Que remédio é esse?"

"Triomune", ela disse.

"Sim, claro... Triomune", eu disse. Por um momento hesitei, mas estava muito curiosa. "Para que serve esse Triomune?"

"Para quê?", ela respondeu furiosa. "Você não está brincando, obviamente você não sabe nada. Você é um tipo de Alice que vagueia no mundo das maravilhas. Tem um nome para os que são como você. Acho que era *petit bourgeois*, ou algo assim."

Eu não era *petite*, mas obviamente uma *grande bourgeoise*, mas não quis responder a ela.

"Triomune é um remédio que pessoas com HIV usam. Ele controla o vírus para não se espalhar pelo corpo inteiro. O nome geral desse tipo de remédio é antirretroviral, ou ARV..." Se eu deixasse, ela ia continuar. Não aguentei e a interrompi.

"Tudo bem, mas qual é a relação disso com a gente?", disse e me calei. Eu realmente era muito ingênua. "Os pais das crianças que estão na nossa casa... Será que é por isso que há tantos órfãos?... Será que há tantos casos de HIV/aids aqui? As pessoas morrem?" Eu não sabia o que dizer.

"Bom diaaaaa! E você estava se gabando de ter viajado o mundo inteiro, de Chicago até Paris..."

"Sim, mas...", murmurei. "Não dá para ver a África nem da América, nem da Europa. Fiquei sabendo da existência de Maláui nesta viagem."

"Claro que não dá para ver daqueles lugares; este é um país onde pessoas morrem como moscas!"

"Morrem como moscas", repeti. Pessoas estavam morrendo, deixando para trás seus filhos e entes queridos. Que aterrorizante.

Por um bom tempo não falamos nada. Eu estava pensando. Voltei a mim quando Mercy me colocou no ombro. O que estava acontecendo?

"Chegou o carro da MSF", disse a africana.

Eu não estava mais ligando para as ironias dela. Perguntei o que significava MSF. Era a sigla de Médicos Sem Fronteiras.

Havia tantas siglas, primeiro ARV, agora MSF. Nós nos sentamos na traseira de um Land Cruiser. Havia outras pessoas no carro. Ainda bem que nos sentamos uma ao lado da outra.

"Por quanto tempo vamos viajar?"

"Por umas duas horas. O caminho é horrível. Se segure bem para não cair."

"Nós vamos fazer essa viagem todos os dias?"

"Sim, mas o destino será diferente. Vamos para uma clínica em vilarejos diferentes todos os dias. Você vai se acostumar, não se preocupe", ela disse.

No início repeti sem parar que eu ia me acostumar. Não havia outra saída senão se acostumar. Além disso, eu amava Mercy. Minha relação com Pilirani, a filha mais velha da casa, era boa também. Porém, escutar os pacientes, testemunhar o desespero no rosto deles ficava cada dia mais insuportável. A maioria dos pacientes de HIV/aids era mulheres. Minha amiga africana dizia que, devido à estrutura do órgão genital feminino, elas se contaminavam mais facilmente com doenças sexualmente transmissíveis. Pobres mulheres, não têm sorte nem com as doenças.

O remédio tinha efeitos colaterais horríveis; após um tempo os braços e as pernas do paciente ficavam muito finos, e o peito e a barriga cresciam. Em alguns meses eu conseguiria dizer há quantos meses alguém estava usando o remédio só de olhar para o corpo dos pacientes que esperavam na fila para conseguir a medicação.

Minha amiga africana dizia que os remédios caros utilizados nos pacientes ocidentais de HIV/aids não tinham os mesmos efeitos colaterais. "Isso é injustiça!", eu gritava. Na verdade, eu queria chorar aos soluços, mas infelizmente não possuía esse dom.

A africana dava risada nessas horas. "Você é tão ingênua", ela dizia. "Isso não pode ser chamado de injustiça. A injustiça não é ter remédio caro ou barato, bom ou ruim. O problema é que até a entrada do remédio barato, da Índia à África, está ameaçada. Existem tantos jogos sujos que nós nem imaginamos. Os governos, as empresas farmacêuticas, os direitos de patente, a margem de lucro, dinheiro, dinheiro, dinheiro... Há até a possibilidade de deixar milhões de pacientes de HIV/aids morrerem."

Eu não conseguia entender e me surpreendia comigo mesma. Eu tinha vivido dentro de uma redoma de vidro. Fui a vários clubes e restaurantes com Pippa. A maior dor da minha vida foi quando perdi uma folha da minha flor de mica num acidente. Que miserável.

Uma sexta-feira, enquanto esperávamos o carro da MSF no colo das duas mulheres, eu disse que não aguentava mais.

"O que significa não aguentar?", perguntou a africana. O tom de preocupação na voz dela era óbvio.

"Quer dizer que não quero mais esta vida."

"Que frase ridícula. Olhe para mim; estou totalmente estourada, uma das minhas alças está quase se rompendo, eu sou barata, feia, velha... Eu era feia até quando era nova. Porém, você é muito bela, feita de camurça, tem uma flor maravilhosa mesmo com uma folha quebrada. E você está dizendo que não quer mais esta vida. Você está bem?"

Ela nasceu naquela vida, a primeira e única dona dela foi uma enfermeira. A única coisa que conhecia era o que vivia com ela. Mas e eu?

"Não quero viajar por quilômetros no colo da Mercy e ver mulheres com braços finos e peitos grandes todos os dias. Não aguento ver olhos cansados e desesperados. Eu não quero ter uma vida cheia de dores e mortes."

Ela pensou por um bom tempo. Finalmente disse em voz bem baixa: "Você tem razão, porém não há solução. Esse é seu destino."

"O destino não existe, eu vou fugir. Hoje é o último dia que viemos aqui juntas."

"Não fale besteira", ela gritou. "Você esqueceu o que você é? Você é uma simples bolsa. Não pode andar, não pode correr, não pode fugir."

"Mas posso ser abduzida, não posso? Posso ser roubada."

"Bravo, tinha esquecido que você era tão inteligente. Como você vai conseguir ser roubada?"

"Vou fazer um ladrão gostar de mim na feira", eu disse. "Todos os fins de semana vou para a feira com Mercy. Eu já vi mulheres cujas bolsas foram roubadas."

"Seja um pouco sensata. E se acontecer alguma desgraça com a Mercy? Se o ladrão arrastar a Mercy pelo chão para roubar você? Além disso, como vai conseguir fazer um ladrão gostar de você?"

"Eu tenho o dom de fazer as pessoas gostarem de mim."

"*Mfiti*", disse ela, parecendo cuspir.

"O que isso significa?"

"Feiticeiro."

A africana não conversou comigo pelo resto do dia. E não disse nada ao partir.

Naquela noite me despedi de Pilirani. Ela não entendeu nada. Eu não queria deixá-las. Realmente não queria.

No dia seguinte, quando Mercy estava escolhendo um cacho de bananas numa barraca, um homem me agarrou e começou a correr. Ele me apertou contra o peito com toda a sua força e correu sem parar por algumas horas. O que ele ia fazer? Talvez fosse me queimar depois de tirar tudo que havia dentro de mim. Ou ia me jogar em algum lugar e continuar correndo. As crianças iam me encontrar de manhã. Nenhuma possibilidade parecia tão ruim como ver todos os dias pessoas que esperavam a morte.

O homem jovem parou em frente de uma casa cujo jardim estava cheio de sabugos. "Mumderanji!", ele gritou. Mumderanji, repeti para mim. Era um nome bonito. Uma mulher grávida apareceu. Vozes de crianças vinham de dentro da casa. E assim começou a minha nova vida.

TRADUÇÃO DE MARCO SYRAYAMA DE PINTO

•

Maláui

Em 2010, o Maláui foi atingido pela pior epidemia de sarampo desde 1991: 105 mil casos e 251 mortes.

Entre abril e agosto, a equipe da MSF (1 800 pessoas) ajudou as autoridades de saúde a lidar com a epidemia por meio da realização de uma campanha de vacinação de 3,3 milhões de crianças entre 6 meses a 15 anos, em nove distritos. Além disso, tratou cerca de 23 mil pessoas, em particular no sul do país, mais afetado pela doença.

O Maláui tem escassez de pessoal médico: são dois médicos para cada 100 mil habitantes.

Desde 2007, a MSF tem colaborado com as autoridades locais de saúde para manter o acesso universal aos medicamentos antirretrovirais para a população do distrito de Thyolo, no sul do país (entende-se como universal o acesso de pelo menos 80% dos pacientes). Isso foi conseguido pela descentralização dos serviços, pela formação de enfermeiros, pelo treinamento e pela simplificação de testes e protocolos. Até dezembro de 2010, mais de 29 mil pacientes com aids começaram o tratamento antirretroviral em unidades de saúde locais, com o apoio da MSF.

A MSF atua no Maláui desde 1996.

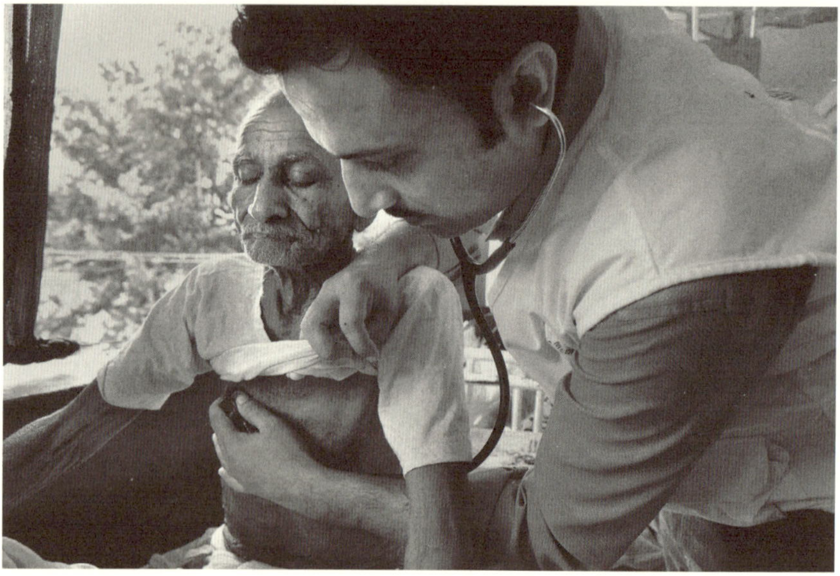

Desde julho de 2007,
a MSF mantém um projeto
para o diagnóstico
e o tratamento do
calazar no distrito de
Vaishali, no estado
indiano de Bihar
© Anna Surinyach/MSF

Tishani Doshi

Uma cidade chamada Mon

I. Galos

OS GALOS EM MON PÕEM-SE A CANTAR antes da aurora. É difícil dizer exatamente quando. Talvez às três, talvez às quatro da manhã. Seu canto é irregular, mas insistente. Primeiro ouvem-se os galos, depois os cães, depois os porcos, depois as crianças. A distância, um celular toca "Baby, don't break my heart". A voz dos galos soa mais alto do que tudo o mais. Talvez cantem a manhã inteira. É difícil de dizer. Chega um momento em que você para de prestar atenção; o ruído que eles fazem funde-se com os demais e retornam apenas no dia seguinte, com cíclica certeza.

Mon não é uma cidade de muitas certezas. É uma remota cidade na encosta de uma colina, no Estado de Nagaland, no nordeste da Índia, situada na tríplice junção de Índia, China e Mianmar – não é um lugar de acesso fácil. Para os habitantes da Índia continental, Mon é um lugar tão distante e estranho quanto o Tibete. A maneira mais rápida de chegar lá é voar para Calcutá ou Délhi, pegar outro voo que faça a conexão com Jorhat ou Dimapur e, a partir daí, enfrentar estradas esburacadas e numerosos postos de controle, ao longo de oito a dez horas. Até janeiro de 2011 indianos e estrangeiros precisavam requerer permissões especiais a fim de viajar para qualquer local no Nordeste. Muitas dessas exigências foram suspensas, mas os postos de controle permanecem abertos; homens uniformizados ainda patrulham essas áreas, e você será solicitado a sair de seu veículo, sentar-se numa sala caindo aos pedaços e exibir sua documentação oficial. Acrescente a isso as estradas traiçoeiras – repletas de buracos e ladeadas por precipícios profundos, que oferecem vistas fantásticas, mas que também são causa de acidentes frequentes. Nagaland é uma das zonas mais militarizadas do país, com problemas de tráfico de drogas, armas e crianças. Tem também a duvidosa honra de ser o cenário da mais longa rebelião em curso na Índia.

Em Mon pode faltar eletricidade a qualquer momento, assim como água, empregos e governo. A cidade vive em outra época. O jornal, o *Correio de Nagaland*, chega às 16h30, e as pessoas parecem pertencer a outro tempo – mulheres carregando nas costas cestas de lenha, vestígios de homens guerreiros com as faces tatuadas. Poderia perfeitamente ser desconectada do mundo, não fosse o fato de que cada casa se debruça sobre uma encosta com uma antena parabólica no telhado apontando para o céu.

Além dessas há outras contradições. Nagaland é um Estado onde vigora a lei seca, mas é mais provável que se tope com um vendedor de bebidas alcoólicas clandestino do que com um abstêmio. Diversamente do resto da Índia, onde predomina o hinduísmo, mais de 90% das pessoas que aqui vivem são cristãs, predominantemente batistas. No entanto, se entrar em qualquer igreja num domingo, verá que talvez nem a metade dos lugares estará ocupada.

Não se leva muito tempo para notar que, tirando os galos, bem pouco é o que se sabe ao certo sobre Mon.

II. O Hospital Civil, Mon

É NO HOSPITAL CIVIL que passo a maior parte do meu tempo em Mon. Foi construído em 1965, e, ao que parece, desde então nada se fez para melhorá-lo. É um estabelecimento dotado de 50 leitos que se espalha por uma encosta; uma série de construções interligadas e pátios, tudo dilapidado e gangrenado. Duas ambulâncias avariadas permanecem sem uso do lado de fora do hospital, à maneira de uma pungente instalação artística.

Cheguei a Mon num dia lindo de janeiro. A equipe habitual e mais o grupo recém-chegado da Médicos Sem Fronteiras estão ocupados, entrando e saindo dos quartos, subindo e descendo corredores, dando ordens, ouvindo pedidos. Caminhei pelo labirinto de prédios, observando as placas: "Por favor, mantenha limpo o seu hospital"; "Drogas e álcool matam o corpo e a alma"; "Cuidado, tenha cautela, use apenas agulhas esterilizadas"; "É proibido cuspir aqui".

É claro que todo mundo cospe. É uma epidemia. Mulheres e homens, jovens e velhos, ricos e pobres. Até a enfermeira-chefe Hon Kai, que trabalha aqui há 25 anos, com seu impecável uniforme branco, meias brancas, sapatilhas pretas, lábios vermelhos e sobrancelhas como pontos de interrogação, é viciada em *paan* – a danosa mistura de folha de bétele, noz-de-areca e tabaco, com um cheiro adocicado de madeira, que deixa quem a masca numa espécie de barato estimulante e exige que ele interrompa uma conversa para cuspir.

A equipe de MSF instalou, ao longo dos corredores, cestas forradas, para que as pessoas cuspam nelas, e lavatórios com recipientes de sabão líquido, para que lavem as mãos com frequência. Mudaram muita coisa aqui. A diretora, conhecida como "A Chefona" por colegas e conhecidos, conta que, quando eles chegaram, o pessoal estava reutilizando luvas e agulhas, depois de esterilizá-las, por falta de material hospitalar. Conta também que havia pilhas de lixo ao redor do hospital em tal quantidade que mal dava para ver o prédio. Agora engenheiros de MSF estão construindo duas fossas profundas, que, nos próximos 20 anos, poderão receber os detritos hospitalares. Estão também construindo uma nova ala adjacente à antiga, que será mais bem equipada e, segundo se espera, mais bem gerida.

Mas o hospital que estou visitando – o Hospital Civil – tem sido o único centro de atendimento médico dos moradores de Mon por quase meio século. A aldeia vizinha de Wakching também tem um hospital, mas um habitante local o descreveu para mim como "um estábulo glorificado". Aos olhos de um forasteiro, o Hospital Civil de Mon, sem água corrente e com frequentes faltas de energia elétrica, é apenas ligeiramente melhor, com suas poucas enfermarias, suas sujas paredes verde-ervilha e suas cortinas, quase no mesmo e deprimente tom de verde, penduradas de qualquer jeito diante das janelas gradeadas. Cada enfermaria tem armários de aço onde são guardados os preciosos suprimentos médicos. O pavilhão feminino e o pediátrico são salas encardidas. O pavilhão masculino é maior e, até certo ponto, mais arejado, mas a infraestrutura é, essencialmente, a mesma: leitos com colchões de espuma de borracha se desfazendo; estacas de bambu amarradas com corda a cada canto da cama, para sustentar mosquiteiros e frascos de medicação intravenosa; uma instável mesinha de cabeceira de metal, para que nela o paciente guarde sua miscelânea de objetos pessoais.

Quando cheguei, o hospital tinha dez pacientes. Suas mazelas variavam de choque elétrico acidental a problemas respiratórios. Cada um é acompanhado por ao menos um membro da família. Quanto mais grave a doença, mais familiares. Não cheguei a tempo de testemunhar a "temporada de grande movimento" na época de Natal, quando acidentes de caça provocados por excessos alcoólicos atingem o ápice. No dia em que cheguei havia uma menina que fora admitida para receber uma transfusão de sangue. Sua família inteira alugara a sala destinada aos visitantes por 100 rúpias (1,50 euro) por dia. De noite se reúnem na sala para rezar. A coisa soa como um protesto contra a guerra: um homem gritando e os demais o ecoando em uníssono. Dias mais tarde, naquela mesma semana, a família de um policial instalou-se e repetiu a mesma rotina, por causa de um problema um pouco menos sério: tosse comum.

Um dos médicos da MSF – a parteira – me leva para ver a sala de parto. Tem duas mesas de operação cobertas com lençóis de linóleo azul berrante, que mais tarde serão lavados com Dettol e água. À entrada pedem-me que tire os sapatos e calce chinelos, por razões higiênicas. Debaixo de cada mesa há um balde de plástico. A parteira me diz que a maioria das mulheres do distrito tem os filhos em casa. No Hospital Civil não fazem mais de 40 partos por mês, exceto em agosto, quando os partos dobram. "É porque as pessoas fazem mais sexo nos meses frios", explica a parteira. Faço-lhe perguntas sobre controle da natalidade e infanticídio do sexo feminino, ambos problemas graves na Índia continental. A parteira admite que muitas mulheres consideram o aborto um método de planejamento familiar, mas que ele não é praticado como meio de favorecer os bebês do sexo masculino. Como em muitos lugares, os preservativos não são muito populares, e a pílula realmente não funciona, porque as mulheres se esquecem de tomá-la. Como alternativa, oferece uma injeção de hormônios de três em três meses, e o governo oferece 10 euros às mulheres que optam por um DIU. Tirando isso, há muito pouco incentivo ao planejamento familiar.

O verdadeiro problema, diz a parteira, é não haver no hospital instalações para a realização de cesarianas. Para isso, eles precisam encaminhar as pacientes ao grande hospital de Dimapur, a uma distância de dez horas pela estrada – muito longe e muito caro. À parte isso, há o problema básico da eletricidade. Eles não têm um inversor, de modo que fica muito difícil refrigerar as vacinas. A coisa mais moderna que eles têm em matéria de tecnologia é um extrator a vácuo – um aparelho que é aplicado à cabeça do bebê, a fim de sugá-lo para fora. Eles não têm água corrente, nem autoclave, nem anestesista.

"Bom, *havia* um anestesista", diz a parteira. "Mas houve umas complicações, e ele precisou se mandar."

Mais tarde meu tradutor, Pholei, o professor de inglês, me contou a história do anestesista. Contou que os konyaks são bastante ferozes e, como bem se sabe, capazes de perseguir alguém por muito tempo, por vezes até a morte.

III. Breve explicação da caça de cabeças

PARA ENTENDER MON é preciso entender que as pessoas que vivem aqui são principalmente tribais. Oficialmente há 16 tribos em Nagaland, dentre as quais os konyaks são os mais numerosos. Em Mon, os konyaks constituem a maioria da população.

Os nagas acreditam que a alma de um homem vive em sua cabeça e que se pode ter mais de uma alma. Acreditam também que a potência da alma pode ser obtida pela decapitação. O guerreiro que caça cabeças sempre deve perguntar o nome de sua vítima antes de decapitá-la, de modo que possa incorporá-lo a seus antecedentes familiares. A cabeça das mulheres era mais valorizada, porque se acreditava que a "força vital" residia na cabeleira. Era crença comum que uma cabeça humana trazia boa sorte à aldeia e afastava epidemias.

Um homem que trouxesse para a aldeia cabeças de vítimas feitas nas guerras com outras tribos tinha o direito de exibir tatuagens na face e no peito e também de usar um colar com cabeças de metal, em número correspondente às cabeças por ele cortadas. Alguns antropólogos alegaram que essa caça levou a uma "cultura do ego": quanto mais cabeças um homem tivesse caçado, maior seria a estima que desfrutaria na sociedade.

Pouco a pouco a caça de cabeças foi sendo abandonada, à medida que os nagas abraçavam o cristianismo, no começo do século XX. Ainda há cerimônias que imitam a caça que lhes deu origem, nas quais se empregam efígies de madeira como substitutos das cabeças de verdade. Atualmente, encontram-se à venda imitações baratas dos colares de guerreiro, e, para comprar um deles, não é preciso ter caçado cabeça alguma. Já houve quem dissesse que a proscrição da caça de cabeças emasculou a tribo naga, induzindo os homens a se entregar à bebida, às drogas e a outras atividades indesejáveis. Essa ideia foi ecoada pela líder da Associação de Mulheres Konyaks, Yumah, a quem conheci no último dia que passei em Mon. "O senhor vê nossos homens", disse-me ela, "cada um deles sempre andando por aí, com seu *dao*, como se um tigre estivesse para saltar para fora da floresta. Já não há tigres por aqui, e, portanto, não há necessidade de proteção, mas, ainda assim, ele carrega sua arma. São as mulheres que fazem todo o trabalho: são elas que carregam a lenha, são elas que carregam uma criança nas costas e dão a mão a outras duas. A saúde das famílias naga depende da saúde de suas mulheres."

IV. Pholei, o professor de inglês

É A SRA. MONICA, uma das administradoras de MSF, que toma as providências para que Pholei seja meu tradutor. A casa dele fica a cinco minutos a pé do hospital. Para chegar lá, é preciso descer um caminho pedregoso. Como muitas outras casas da vizinhança, é pequena, com um pátio, uma cozinha comunal, sem água corrente, com TV a cabo e, naturalmente, galos. Quando chegamos, a mãe de Pholei está sentada na sala, vendo televisão. Ela é apaixonada por tênis. Sabe o nome de todos os jogadores e suas respectivas colocações.

Pholei obteve o ph.D. em Inglês na Universidade de Délhi. Seu livro preferido é *Dom Quixote*. Sua tese foi sobre *O deus das pequenas coisas*, de Arundhati Roy. Ele acredita que ela não voltará a escrever um livro de ficção. Dos 17 aos 28 anos, ele praticou uma forma livre de artes marciais, que, segundo diz, foi sua paixão até se casar. Tem uma pequena cicatriz no rosto, não em consequência das artes marciais, mas sim de uma caçada, pois a caça é, sem dúvida, o passatempo nacional em Nagaland.

Pergunto a Pholei se alguma vez ele se sentiu tentado a permanecer em Délhi. "Aqui", responde ele, "as coisas são assim: o filho mais velho tem que zelar pela propriedade ancestral da família. Por isso vou cuidar de meus pais. Meus irmãos terão de adquirir a própria casa, e minhas irmãs, quando se casarem, se mudarão para outra casa."

Pholei tem dois filhos: uma filha de 2 anos, sua menina dos olhos, e um filho de um mês, que sua jovem mulher carrega suspenso às costas. Pholei tem muitas ocupações. Ele ajuda o pai nos negócios agrícolas e de mineração. Uma vez por semana ensina inglês aos funcionários do Hospital Civil e dedica parte do seu tempo como voluntário na Konyak

Union.[1] Trabalha também como secretário de campo, ajudando a fazer cumprir a National Rural Employment Guarantee Act (NREGA) [Lei Nacional de Garantia do Emprego Rural] (um dispositivo governamental que visa garantir cem dias de horas de trabalho por ano a 100 rúpias/1,5 euro por dia). Pholei diz que muita gente escolhida para se beneficiar desse dispositivo não recebe nem a metade daquilo a que faz jus. Se alguém vive numa família grande (o que é o caso de muitos), somente um membro da família tem direito a ser beneficiado por esse dispositivo. Além disso, inúmeros trabalhadores pagos por jornada de trabalho têm problemas relacionados com o uso de drogas: ou fumam ópio e vão trabalhar completamente drogados, ou são viciados em anfetaminas. Não é um sistema perfeito.

Pholei acredita que o problema das drogas nesta cidade é decorrência de frustrações pessoais e falta de oportunidades. "Há sempre uma promessa que jamais se concretiza", diz ele. "Na escola nos dizem que, se estudarmos com afinco, conseguiremos bons empregos. Mas é claro que isso não é verdade. A igreja é outro tipo de mentira. Eles nos dizem que, se praticarmos os dez mandamentos, se formos bons cidadãos, viveremos uma vida sem preocupações... Não é irônico? O boteco é bem em frente à igreja."

Pholei e eu damos uma volta pelo hospital detendo-nos para falar com alguns pacientes. Há homens que sofrem de problemas respiratórios e disenteria, mulheres que sofrem de distúrbios no baixo ventre, náuseas e pressão arterial. Uma mulher idosa está aqui há um mês com um polegar infeccionado. Todas as manhãs ela vai até o pátio e se deixa ficar de cócoras ao sol por algumas horas.

Muitos dos pacientes aqui estão sendo tratados de mazelas menores, porque o hospital não está equipado para enfrentar nada de muito sério. Na sala de operações, contudo, as coisas ficam sangrentas. Um rapaz, deitado na cama com um braço engessado, nos conta que estava fazendo um trabalho numa aldeia, tentando resolver um problema elétrico, mas o

1 N. do E: Konyak Union é a autoridade máxima que representa a tribo Konyak, nativa do distrito de Mon.

fornecimento geral de energia não havia sido desligado, de modo que, no momento em que pôs as mãos no cabo condutor, recebeu uma enorme descarga elétrica e foi arremessado colina abaixo. Outro foi caçar à noite, caiu num desfiladeiro e quase perdeu o lábio superior, que foi dilacerado. Ele está sentado num canto, tentando comer arroz através de uma grande bandagem de esparadrapo que lhe cobre a boca de fora a fora.

"Deixe-me perguntar uma coisa", diz Pholei, quando saímos do pavilhão. "Como o senhor vê, temos muitas árvores... mas não há pássaros nelas. Por quê?"

"Porque vocês caçam todos eles?", respondo-lhe, rindo.

Pholei faz que sim com a cabeça. "Nem os pardais escapam!"

Como se tivéssemos combinado, damos de cara com um homem que vinha na direção do hospital com uma das mãos apertada contra um olho, que estava sangrando, e o rosto enegrecido. "Deve ter sido um acidente de caça", disse Pholei, com um suspiro. "As pessoas aqui costumam brincar com armas de fogo."

Fora do hospital o sol brilha forte. Um homem, encostado numa árvore, está falando com dois meninos novinhos. O nome dele é Lekai. Lekai está no hospital há um mês. Pisou num pequeno espinho de planta rasteira enquanto amanhava a terra, e agora o pé todo está infeccionado. Ele precisa de uma bengala para caminhar e não sabe quando vai melhorar. Lekai é de Okha, uma aldeia próxima. O simples transporte até o hospital acarretou uma despesa considerável. Desde que chegou aqui já gastou 5 mil rúpias (80 euros), uma quantia que ele tomou emprestada com juros de 10%. É muito dinheiro para Lekai, e ele não sabe como fará para restituí-lo. Tem quatro filhos e teve também duas filhas, mas elas morreram. Ele não nos diz como as perdeu.

Os dois meninos que estão com ele são seus primos. Logo voltarão para Dimapur. "Alguém tem que ficar com ele", explica o mais velho, "todo mundo está trabalhando, e eu estou de férias. Foi por isso que eu vim."

Não há dúvida alguma de que, em Mon, os laços de família são sólidos. Todos parecem ser aparentados: uma característica muito indiana. Tios, tias, primos, primas, sobrinhos e sobrinhas. É uma rede de conexões que pode parecer excessiva e impeditiva dos movimentos, mas, nos momentos difíceis, como fica evidente no hospital, ela também pode ser um conforto.

Pholei me leva para um giro pela cidadezinha onde ele cresceu. A rua principal do comércio é estreita, com as portas das lojas pintadas de um azul vibrante, de ambos os lados da rua. Ao longo do caminho, Pholei vai encontrando gente conhecida – a irmã e um amigo, que gerem uma clínica, perto dos Assam Rifles,[2] na qual o atendimento não requer hora marcada; mais tarde iremos visitá-la. Ele aponta para o Gaylord's Café – a mais antiga casa de chá em Mon, onde tradicionalmente se bebe chá sem leite, pois a geração mais velha acredita que "não se deve beber o leite dos animais". Fotografo o nome das lojas, cuidadosamente pintados nas soleiras: Ambition Computer Centre, Sanity Boarding House, Jack n Jill Fashion Corner. Mulheres com lenços na cabeça espalharam suas mercadorias: abacaxi, taro, gengibre e *raja mirchi* – o pimentão mais ardido do mundo. Outras vendem colares de contas e bolsas tecidas à mão. Há lojas que vendem panelas de alumínio e baldes de plástico. E há um mercado de roupas de segunda mão imensamente popular, cheio de produtos da Coreia.

"Esta é uma cidade pequena", diz Pholei. "Aqui todo mundo se conhece. Todo mundo sabe quem está tendo um caso e com quem está tendo; todo mundo sabe o que cada um está comprando e o veículo que cada um está dirigindo. Eles estão sempre a par de tudo: das coisas ruins, assim como das boas."

Ele aponta para uma rua que começa na rua principal: "Ali é uma zona proibida para mim", diz. "São os fumadouros de ópio. Se alguém vê você andando por ali, imediatamente começa o disse que disse."

O ópio é um problema sério no nordeste da Índia. Foi introduzido pelos britânicos, no século XVIII, e ainda há um comércio ativo através das fronteiras da China e de Mianmar. Outra droga muito difundida em Mon é um analgésico chamado Spasmo-Proxyvon, produzido a partir de um opioide sintético. Pholei me diz que as pessoas o dissolvem em água e,

2 N. do E: Força paramilitar ativa desde 1835, atualmente sob o comando do governo indiano.

em seguida, o injetam no corpo. É um problema sério, porque elas compartilham as agulhas, de modo que sempre paira o perigo de se infectarem com o HIV. "A maioria das pessoas aqui tem medo de fazer o exame. Tem medo da doença. É um grande tabu. Elas têm medo de que os outros possam saber da sua doença. Preferem ir a uma cidade vizinha em busca da medicação antirretroviral a adquiri-la no distrito onde moram."

Nós nos detemos na casa do tio de Pholei, na esperança de conversar com ele. O homem é viciado em ópio. Era o presidente do conselho municipal, mas agora, diz Pholei, "ele foi relegado". O tio de Pholei não está disposto a conversar conosco, em suma, ele não quer contar sua história. Pholei me mostra um cachimbo de fumar ópio e explica o modo de usá-lo. Põem-se folhas secas da droga no cachimbo de bambu; em seguida, ao ser aquecido sobre uma lamparina a óleo, o ópio é vaporizado e, então, é aspirado. A maioria das pessoas não tem permissão para fumar em casa e, por isso, vão aos fumadouros de ópio. Algumas, como o tio de Pholei, têm um aposento privado na casa, onde não são incomodadas por ninguém.

Pergunto a Pholei se ele acalenta algum otimismo em relação a esta localidade. "Não", responde ele, calmamente. "Nada aqui se sustenta. A única fonte de estabilidade é conseguir um emprego público, e é impossível consegui-lo pelas vias normais. Não há transparência... Caminhamos a passos de tartaruga. E há um enorme desvio de fundos. Todos aqueles garotões ricos, em Dimapur, dirigindo carros de luxo."

Pholei admite que as coisas melhoraram um pouco desde que a MSF veio para Mon. Antes, disse ele, as mulheres grávidas costumavam vir de longe até o hospital, e o médico de plantão dizia que o ginecologista não estava e as encaminhava a uma clínica particular. Quando lá chegavam, davam de cara com o mesmo ginecologista, só que, agora, elas teriam de pagar um preço exorbitante, uma vez que se tratava de uma "clínica particular", e não de um hospital do governo. Essa é a maneira pela qual os pobres são explorados, continua Pholei. Tantas histórias de abortos malfeitos e gestações. Agora que a MSF está aqui, as coisas estão melhores, mais limpas, há mais transparência e controle. Os pacientes tinham de pagar os remédios, as seringas, as luvas. Acontecia de eles virem para o hospital e não terem o tratamento correto. Havia um desalentado sentimento de que as coisas jamais haveriam de mudar. Mas, segundo Pholei, também a mudança tem de ser acolhida: "Você tem de aprender a recebê-la com as duas mãos", ele diz. "Meu avô me ensinou que o respeito tem de ser merecido, como tudo o mais. Como a confiança, como o amor."

V. Ms. Monica e Papai Konyak

UMA NOITE, VOU COM A EQUIPE de MSF visitar os vizinhos deles, Papai e Mamãe Konyak. Papai e Mamãe Konyak são considerados membros da família. Eles celebraram o Natal e o Ano-Novo juntos, cantando e se banqueteando com churrasco de ratos e outras iguarias, até altas horas da noite. Alguns dos auxiliares de MSF sentem que a rotina diária está incompleta se não passam por lá para trocar algumas palavras. Papai Konyak é um homem mirrado, de idade indefinida. Ele não fala inglês, e nenhum dos auxiliares de MSF fala mais do que umas poucas palavras de nagamês. Mas, ainda assim, conseguem se comunicar com gestos e palavras na língua franca local. Papai Konyak diz ao chefão que ama Ms. Monica e gostaria de casar-se com ela. Diz isso diante da mulher e de cinco filhos. Todos riem, inclusive Ms. Monica.

A casa de Papai Konyak é um grande aposento, coberto de colmo. A cozinha fica num canto, a área de dormir em outro. A televisão ocupa o lugar mais proeminente, no centro da sala. Três dos filhos estão sentados numa esteira, vendo TV. Uma das crianças, uma menina autista, está sentada no chão, à entrada da choupana, sem saber se quer ou não vir ter conosco. Nós nos sentamos do lado de fora, em banquinhos de bambu postos ao redor de uma pequena fogueira, onde aquecemos as mãos. O filho mais velho, Mani (um pseudônimo), um vociferante indivíduo de 21 anos, declara-me que a causa do problema da irmã foi medicação inadequada. Quando a mãe estava grávida da menina, deram-lhe drogas cujo prazo de validade estava vencido. Segundo Mani, este é um dos grandes problemas em Mon. Mani está estudando belas-artes, mas diz que deseja lutar no exército indiano. Ele crê na grandeza da Índia, na grandeza de Rajinikanth e de Amitabh Bachchan.[3]

Mani está explicando as diferenças entre os vários problemas dos nagas. Por um lado, há os grupos de revoltosos – o NSCN-IM e o NCSN-K, ambos empenhados em estabelecer o Nagalim, uma grande Nagaland, separada da Índia. Por outro, há uma iniciativa política recente, a Eastern Nagaland People Organization (ENPO) [Organização do Povo do Leste de Nagaland], que está tentando obter a condição de Estado independente dos distritos de Nagaland ocidental, porque sentem que não estão sendo bem representados pela administração central em Kohima. "Irmã", ele me diz, "faça você o que fizer, é preciso escrever corretamente sobre esta questão. Você tem de contar esta história direito. Nós (a ENPO) queremos continuar fazendo parte da Índia, nós lutaremos para sermos indianos. O que não podemos é continuar a ser oprimidos por nosso próprio governo."

Quando fala de "governo", Mani está se referindo ao governo de Kohima, que compreende as tribos "dianteiras". A ENPO, que desfruta grande apoio em Mon, acredita que, enquanto o centro do poder permanecer em Kohima, a parte oriental de Nagaland continuará a ser negligenciada.

"Você acredita que isso vai acontecer?", pergunto. "Você acha que a ENPO será bem-sucedida?"

"É claro que vai acontecer", diz Mani. "Tem que acontecer."

VI. Phang Non: filha do solo

PHANG NON É UMA AMIGA DE INFÂNCIA de Pholei. Seu avô, Ching Ai, é considerado o pai dos konyaks. Ele era um *dobashi*, um chefe, que se mudou de Wakching para Mon. Segundo Phang Non, o avô não era um

3 N. do E: Dois atores do cinema indiano.

letrado, mas sabia muitas coisas. Ele foi um dos que concorreram para tornar ilegal a prática de caçar cabeças e, nos anos 1930, acompanhou o etnólogo austríaco Christoph von Fürer-Haimendorf, que escreveu um dos poucos estudos completos sobre a tribo konyak, *Os nagas nus*.

Pholei se refere a Phang Non como uma original filha do solo. E isso apesar de ela ter em seu computador um protetor de tela Louis Vuitton. Phang Non veio de uma família privilegiada, estudou no estrangeiro e teve mais oportunidades do que outros em Mon, mas, em 2005, ela voltou para casa a fim de trabalhar em prol dos demais. Com o marido e alguns amigos, ela dirige o Centro Walu, de atendimento sem hora marcada, em Mon, e outro centro em Abhoi. O Centro Walu dedica-se a vários programas de ativistas: promoção de preservativos em lojas de *paan*, troca de seringas, aconselhamento, conscientização de pastores. Phang Non acredita que a igreja ainda é a mais alta tribuna na sociedade naga e, para qualquer mudança que se almeje operar, é imprescindível que os próprios pastores não tenham preconceitos. O trabalho é difícil, mas compensador. Aonde quer que vá as pessoas contam histórias a respeito do avô dela. "Há muita aceitação", diz Phang Non, sorrindo. "Embora nós descendamos apenas da segunda mulher."

São múltiplos os problemas que afetam as mudanças em Mon. O primeiro passo, segundo Phang Non, é conquistar a confiança. "Precisamos ir atrás dos usuários de drogas, porque eles nunca virão até nós. É difícil promover uma causa numa cidade pequena. A coisa tem de ser feita de porta em porta. Nosso método consiste em identificar uma pessoa-chave – um parceiro com dotes de liderança, alguém que é um usuário, mas está recebendo aconselhamento, e o parceiro-líder identifica, então, outras pessoas na comunidade – usuários eventuais, mulheres profissionais do sexo, trabalhadores que recebem por jornada de trabalho, gente que abandonou os estudos, membros da comunidade de migrantes – e os traz ao centro para receber aconselhamento."

"Outro problema é a discriminação. As tribos da parte oriental de Nagaland não estão bem representadas na administração, de modo que é bastante exígua a esperança de obter recursos nessa área. A maior parte dos moradores precisa ir a pé aonde quer que seja, e não há estradas adequadas. Faltam condições básicas de conforto. É difícil construir, seja o que for, fazer uma construção residencial. Não há eletricidade, faltam trabalhadores da área da saúde."

Phang Non diz que os konyaks são os mais atrasados em matéria de educação. "Podemos ser os mais numerosos em termos de população, mas em alfabetização nosso nível é o mais baixo de todos. Algo em torno de 40%. Somos os mais distantes da capital, Kohima, e por isso não temos o poder de influenciar nas decisões. Na verdade, para simplesmente ir à capital, temos de atravessar o Estado vizinho, Assam, o que já diz muito. As pessoas daqui são, de longe, as mais marginalizadas. Até mesmo quando vamos morar em outro lugar somos vítimas de discriminação. Quando fui para Délhi todo mundo me chamava de "china". As pessoas da Índia continental não têm a menor noção acerca do que seja o nordeste da Índia. Um motorista em Délhi me deu um excelente conselho. Ele disse: 'Se a chamarem de nepalesa, chame-os de paquistaneses!'"

Para as mulheres é duas vezes pior. "Somos uma sociedade tribal", explica Phang Non, "e por isso não temos língua escrita. A lei consuetudinária dos konyaks não está escrita. E, em consequência, as palavras têm um sentido muito forte para nós, porque a nossa tradição é oral. Há uma frase em nossa língua – *shiku sheeshee* – que basicamente significa 'Não fale como mulheres e crianças'. Em qualquer situação, até mesmo a um homem mais jovem e com menos conhecimentos, simplesmente por ser homem, será atribuída maior importância. Assim, essa frase não é apenas depreciativa, ela implica desprezo. Na verdade, um desprezo colossal, com efeitos impactantes. O fato é que as mulheres têm menos acesso a qualquer seminário, função, decisão. Têm, simplesmente, menos acesso à informação. São os homens que vivenciam as coisas diretamente e nem sempre compartilham seu conhecimento."

Pergunto-lhe se a influência da TV a cabo agravou os problemas relacionados a drogas e sexo entre a população mais jovem. Phang Non ri: "Nós temos uma cultura coreana, não uma cultura de MTV... mas, falando sério, sexo pré-marital nunca foi um problema na sociedade konyak.

Sempre fomos abertos em relação a isso. O termo 'fornicação' só nos veio através da Igreja. Na verdade, temos um lindo conceito de *nai tam* – alguém por quem se sente carinho. O *nai tam* pode, ou não, ser um namorado. Em tempos idos eles costumavam se encontrar no campo e trocar presentes... e nem sempre aquela espécie de presentes. Coisas simples, como um abacaxi ou um pepino. Às vezes eles se viam só depois de muitos anos porque nós praticamos *jhum* – a agricultura que roça e queima e, por essa razão, cada um ia para o seu lado, percorrendo diferentes caminhos, passando de um lugar a outro, até que voltassem a se encontrar. Quando eu percorria as aldeias, conheci a *nai tam* de meu avô. Era uma velha que me contava histórias a respeito dele. Era encantador ouvi-las."

Tempos depois, li num livro cujo nome não lembro que, quando um konyak morre, é costume colocar pedrinhas ao lado de megálitos erguidos em honra dos mortos. As pedrinhas indicam o número de pessoas amadas que o morto teve em vida.

VII. Yumah, a líder das mulheres

NO MEU ÚLTIMO DIA EM MON, Pholei me levou para ver Yumah, a presidente da Associação de Mulheres Konyaks. A casa, de longe a mais opulenta que visitei em Mon, está fervilhante. A filha de Yumah está prestes a se casar, e por isso a cozinha está um caos, os corredores estão cheios de risos e ruídos. Yumah nos leva para uma sala de estar, na parte mais tranquila da casa. É uma sala grande com piso de ladrilhos, sofás com mantas, tapetes, cortinas rendadas de cor creme e grandes janelas envidraçadas, através das quais se veem as colinas verdes que rodeiam Mon. Há também quatro latinhas forradas de plástico, para as pessoas cuspirem o *paan*.

Yumah me diz que a KNSK (Konyak Nyupuh Sheko Khong) foi fundada por cinco membros, há 25 anos. Este ano é o jubileu de prata e, por isso, ela foi convidada a voltar para supervisionar as comemorações. A KNSK não é uma ONG, é uma organização de massas. Qualquer mulher konyak é, automaticamente, parte da organização. Seu lema é UNIDADE.

Yumah me diz que a maior ameaça às mulheres em Nagaland é a falta de conhecimentos. "Elas não sabem absolutamente nada sobre cuidados pré-natais. Dizemos a elas que devem se submeter a três exames completos, ao menos, e cem tabletes de ferro e ácido fólico, mas as estatísticas mostram que quase todas não recebem cuidados pré-natais de espécie alguma. Farão, talvez, um exame completo ao longo dos nove meses, mas algumas nem mesmo isso."

Conto-lhe a história que ouvi de uma mulher jovem, Nyah Poa, na aldeia vizinha de Shiyong. Quando estava grávida do segundo filho, convenceram-na a ir ao médico em Mon. Isso se passou em 2005. A mesma velha história do médico dizendo a ela que fosse a uma clínica particular. Quando chegou lá, o mesmo médico a examinou, fez-lhe uma tremenda barbeiragem no útero, causou um aborto e declarou-lhe peremptoriamente que ela não estava grávida. Ela foi enviada ao Hospital Shiv Sagar, em Assam. Lá não puderam fazer nada. Enviaram-na a Dibrugarh, e os médicos, ao verem o estado em que ela se encontrava, ficaram horrorizados. Disseram-lhe que nunca mais ela poderia ter filhos. O útero estava infeccionado, e durante algum tempo ela teve de usar um cateter. O marido teve de tomar emprestada uma dinheirama para pagar a conta do hospital. E, embora ela tenha sido ajudada pelo clã da aldeia e pelo pastor de Assam, eles ainda não acabaram de pagar todas as dívidas.

Nyah Poa me disse que era fisicamente penoso para ela evocar suas lembranças. Disse-me que, quando engole, ainda pode ouvir cada sensação em seu intestino. Não confia em mais ninguém e nunca mais voltará a pôr os pés num hospital.

Yumah me diz que há muitas histórias como essa. "Você tenta incutir a ideia de que o parto deveria ser feito num hospital, e não em casa, você tenta incentivar o nascimento no hospital. Elas vão e, quando chegam lá, não há recursos suficientes, ou as coisas dão errado, e elas acabam se indignando. E quem poderá censurá-las?

"Nas áreas rurais elas têm vergonha de ter filhos muito frequentemente. Nós falamos com elas sobre espaçá-los e de aconselhamento. Elas estão tendo uma média de seis filhos... Há dez anos era bem diferente a mentalidade a respeito de planejamento familiar. Era simplesmente impossível tocar no assunto. As coisas agora estão melhores, mas o nível de conhecimento ainda é bastante baixo... E há também o problema de ter filhos homens. Quando a mulher não tem meninos, o marido põe a culpa nela e procura outra. Se até uma pessoa como eu se sente triste por não ter um filho homem, imagine como não será numa aldeia! Muito pior!

"Saber as coisas pela metade é perigoso", prossegue Yumah. "Em certo sentido a educação escolar não é importante. Mas conhecimento é importante. Percepção das coisas é importante. Conhecimento das leis a respeito dos direitos relacionados com a reprodução, por exemplo, e estupro – soubemos de dois casos de estupro, ambos de menores, meninas de 8 e 9 anos, no espaço de dois meses. A maioria dos estupros não é levada ao conhecimento das autoridades. Quando um estupro é denunciado e discutido num tribunal de aldeia, o culpado recebe uma multa, e essa multa é dada aos moradores da aldeia, não à vítima. Quem se preocupa com a vítima? As mulheres deveriam saber que é melhor que esses casos sejam julgados pelo tribunal do governo, e não pelo tribunal da aldeia. Se as autoridades civis recebem um RPI (Relatório de Primeira Informação), podem manter secreta a identificação da vítima, sobretudo se é menor."

"O problema conosco", diz Yumah, suspirando, "é que estamos copiando errado. O problema é que pegamos a cultura americana e a misturamos com tudo que temos. Não conseguimos nem ao menos a copiar corretamente... Veja a igreja, por exemplo. Os batistas americanos entraram no nordeste da Índia através de Meghalaya, e, por isso, 95% dos nossos agora são cristãos. Eles nem sequer vieram diretamente a nós, mas nós abraçamos a coisa – a ideia do cristianismo tem pouco a ver com nossos modos de ser tribais. E por isso mudamos tudo – nossas tradições e costumes. Mas precisamos ter a capacidade de aclarar o que é religião e, ao mesmo tempo, de preservar a nossa cultura." Eu pergunto a Yumah se ela acha que as coisas mudaram desde que a MSF chegou a Mon. "É claro que a MSF mudou as coisas para melhor", diz ela. "Deixou de ser fácil empurrar para os outros as próprias responsabilidades. Mas como é que vai ser quando tiverem de partir? A maior preocupação deles é a não sustentabilidade. Eles assinaram um Memorando de Entendimento com duração de três anos. Durante três anos nós receberemos todas as vantagens de graça. Eles vão instruir a equipe, limpar as instalações, conquistar a confiança dos moradores locais. E depois? Quando eles se forem, a equipe que instruíram também vai querer ir em busca de melhores oportunidades... O governo estadual voltará a ser o que era, e nós possivelmente acabaremos de volta ao ponto de onde começamos."

Minha última imagem de Mon passou a ser a mais duradoura. Quando saio da casa de Yumah, o sol está se pondo por detrás das colinas, e a friagem noturna já se faz sentir. Não há iluminação nas ruas nem estrelas no céu. Vejo um ciclista carregando uma lanterna elétrica na boca. Um homem solitário, por uma trilha escura, tentando iluminá-la como pode.

TRADUÇÃO DE SERGIO PACHÁ

•

Índia

Na Índia, a MSF oferece gratuitamente cuidados médicos básicos e terapias contra tuberculose, malária, HIV/aids e calazar (leishmaniose visceral), além de assistência básica e especializada à população das regiões devastadas pela violência e por conflitos armados (Caxemira e Chhattisgarh).

Em agosto de 2010, a organização iniciou um novo projeto para o hospital distrital de Mon, no nordeste do Estado de Nagaland, fornecendo recursos humanos, treinamento, medicamentos, implementação de saneamento básico, eliminação de resíduos e recuperação de alguns departamentos. Até dezembro, a equipe médica da MSF realizou cerca de 6 250 consultas e mais de 150 pequenas cirurgias.

A MSF atua na Índia desde 1999.

Nhnirakiza Leochdie, 32.
Ela deu à luz seu quarto filho, Niyonzima Michel, no Centro de MSF para Emergências Obstétrica em Kabez (CURGO).
© Sune Juul-Sorensen

Wilfried N'Sondé

As alturas de Tanganica

NUVENS PESADAS, AMEAÇADORAS, mascaram a lua cheia e estendem um véu de trevas sobre Tanganica. O balanço de sua impressionante massa líquida se acelera, a planície ainda está calma e silenciosa quando o vento se levanta, sobe e aumenta sua velocidade sobre as alturas.

Numa choupana empoleirada a várias centenas de metros acima do lago, despertada por contrações cada vez mais fortes de seu ventre, Joséphine se levanta no leito de folhas e se debruça sobre o marido, que dorme profundamente, deitado de lado com as pernas dobradas. Com voz suave e cheia de carinho, várias vezes ela murmura ao ouvido dele que está na hora e espera para não o apressar. Ainda entorpecido pelo sono, com uma expressão rude, ele tosse fraca e repetidamente, resmunga alguma coisa e, em seguida, se apoia nos cotovelos. O casal se prepara para o trajeto tão esperado. O rapaz espera que a mulher acabe de se arrumar, o que ela faz rapidamente, antes de, por sua vez, lavar o rosto e o corpo com o resto de água da cabaça. Imersos na obscuridade, os movimentos de ambos são lentos e precisos.

Com pressa de chegar ao centro de saúde antes da chuva que ameaça cair, Minerve ajuda a mulher a instalar-se no banco de trás da bicicleta.

Apesar do nervosismo gravado em sua fisionomia, mas disfarçado pela escuridão noturna, seus gestos são carinhosos e comedidos. Ele espera não passar pelo mesmo pesadelo de antes, desta vez o parto há de correr bem, ele reza diariamente para que sejam três ao voltarem do posto médico. Joséphine se retorce e se curva; logo muda de posição, mas a dor não diminui. Uma de suas mãos aperta com força um dos rins e a outra agarra o bíceps de Minerve. Ela sofre o desconforto da almofada de folhas de bananeira amorosamente disposta pelo marido, alguns dias antes, na parte de trás da bicicleta. Joséphine não se queixa; reconhece a delicadeza do gesto e acaricia-lhe o ombro brevemente.

A união de Minerve e Joséphine venceu a provação daqueles três dias terríveis de dois anos antes. Grávida pela primeira vez, a jovem esposa fizera questão de dar à luz seu bebê com a ajuda da sogra e das tias do marido e esperava dar-lhes um menino. De acordo com o costume, o marido ficara na companhia dos outros homens, alheio à tarefa das mulheres, bebendo e fumando na choça de seu pai, para vencer a angústia da espera.

O calvário durou mais de três dias, dias de martírio insuportável no baixo ventre. Joséphine chorara muito, desmaiara várias vezes, e, esgotada, quase morta, as parteiras retiraram de suas entranhas um bebê cuja morte lhe reduzira o volume da cabeça e permitira sair do ventre da mãe. Aquela coisa acinzentada, com os olhos fechados, encolhida numa poça de sangue, fora estendida entre as pernas de Joséphine. Sem acreditar no que via, quase louca, os olhos arregalados, buscando uma explicação ou algum conforto nos olhares das pessoas ao seu redor, ela acabou por perder os sentidos. O mundo se calara. Pouco depois do drama e do silêncio, a urina da jovem começou a escoar pelas coxas abaixo, sem controle algum. As mulheres mais velhas, horrorizadas, constataram a presença de algo que é considerado uma terrível maldição nas colinas de Burundi, a doença incurável capaz de cobrir de opróbrio uma família inteira. Ela estava com uma fístula vesicovaginal, porque, durante as horas intermináveis do trabalho de parto, o bebê acabara por dilacerar suas partes mais íntimas na vizinhança da bexiga, cujo conteúdo passara a escoar pela vagina.

Quando recobrou a capacidade de avaliar as coisas, Joséphine mediu, apavorada, a extensão da catástrofe em seu corpo martirizado: ela sabia quais seriam as consequências e resignou-se a sua sorte. Poucas horas depois da tragédia, com a alma partida e as forças à beira do colapso, ela foi expulsa da aldeia e banida para um lugar a quilômetros de qualquer habitação, colina acima, onde havia uma choça de tijolos de terra recoberta de ramagens, à guisa de telhado.

Quando, ao cabo de quatro dias, a mãe anunciou-lhe o falecimento daquela que deveria vir a ser sua filha e falou sobre as excreções nauseantes correndo pelas pernas de sua bem-amada, que seria melhor ele esquecer, porque ela já não prestava para nada, Minerve achou que ia enlouquecer; a tal ponto a notícia da perda da criança o abalara. Seus joelhos se dobraram ao peso do corpo, ele caiu, esmurrou o solo com os punhos fechados, antes de rolar na terra, arrancar os cabelos e urrar um lamento que trovejou nos cumes, ressoou poderosamente na planície, assustando os animais e provocando uma veloz revoada dos pássaros. O eco de sua dor perdeu-se a dezenas de quilômetros e se extinguiu nas ondas calmas do lago Tanganica.

Ele permaneceu prostrado minutos intermináveis, soterrado nas ruínas de sua felicidade e perdido nos abismos glaciais da terra aberta sob seus pés, num abismo sem fundo. Surdo às advertências da família, pai e mãe aí compreendidos, seus pensamentos se condensaram em torno da imagem de sua mulher, que ele deveria consolar o mais rápido possível, pois a pobrezinha haveria de estar vivendo um martírio indescritível. Minerve saiu em busca de Joséphine, que ele jurara amar por toda a vida, no dia de seu casamento. Foram-lhe necessárias 48 horas para encontrá-la, dobrada sobre si mesma, no chão do casebre abandonado na solidão de uma clareira. Ela jazia muito enfraquecida no meio da própria urina, doente e desesperada, pouco menos que morta.

Ele se apressou em buscar água na fonte para limpá-la e para cuidar dela. Uma vez alimentada e restabelecida, seu amor suplicou-lhe de joelhos, durante uma semana, que a abandonasse a seu infortúnio. Minerve, inabalável em sua decisão, cobriu-a de beijos à guisa de resposta.

Consertou o teto, a parede e o chão da pobre morada e, pouco a pouco, habituou-se ao odor acre, onipresente ao redor de sua mulher. Juntos aprenderam a se amar, habituando-se aos escoamentos quentes que garantiam uma umidade constante, surpreendentemente favorável aos jogos amorosos. Minerve e Joséphine viviam na rejeição e no desprezo dos demais, excluídos mas felizes, apesar da dureza da vida rural exacerbada pelas necessidades decorrentes da doença, com o penoso trabalho de transportar água transformado num suplício diário, ao longo dos quilômetros a subir e a descer, com sol ou com chuva, a fim de garantir a higiene corporal.

O ar quente, úmido e pesado da tempestade que se anuncia fustiga o rosto do casal, que empreende a descida para o centro de saúde na noite negra, ela com a face contraída, sentada em seu assento improvisado, encharcado. Ele, de pé, com uma das mãos firmemente pousada sobre o selim, para garantir o equilíbrio de Joséphine, e a outra agarrando o guidão, sobre o qual se balança uma lâmpada protegida do vento, que ilumina debilmente o caminho e o precipício ao lado deles. Os músculos das pernas do homem estão tensos, é preciso resistir à tempestade e, num único movimento, amortecer os choques causados pelas irregularidades da vereda e controlar a velocidade imposta pela inclinação do terreno. Seus pés descalços sofrem e afundam na lama. Eles avançam em completo silêncio, imerso cada qual em lembranças dolorosas, no medo: e se a esperança de vida, uma vez mais, terminasse em morte?

O ruído do trovão os assusta e os traz de volta ao momento presente, e um relâmpago no céu ilumina a entrada da aldeia, cujas ruelas, imersas na penumbra, eles atravessam, até a porta do centro de saúde, na orla da comuna, um prédio de paredes sujas, que data da era colonial. A enfermeira, que fuma descuidadamente um cigarro no patamar da escadinha de acesso, percebe-os, assusta-se por um momento e, logo em seguida, corre em sua direção, para dar uma mão a Minerve, que ajuda a mulher a descer da bicicleta, antes de chegar à maternidade. O ventre proeminente impressiona a jovem profissional, parece que ele ocupa a totalidade de sua estatura exígua. Levando em conta a dureza da vida nas colinas e a má nutrição, aos 18 anos Joséphine é uma mulherzinha de 1,35 metro.

Já chove a cântaros quando Joséphine é estendida no único leito ainda livre no aposento comum, que, ao todo, tem sete leitos, nos quais gemem outras jovens, algumas das quais mal completaram 15 anos. Seus olhares de crianças que cresceram depressa demais refletem uma mescla de sofrimento e surpresa, elas parecem demasiado frágeis e desamparadas diante da imensa provação que as aguarda. Arquejam profundamente e ora rolam olhos que parecem sair-lhes das órbitas, ora os fecham, soluçando baixinho, resignadas. A sala se enche dos ruídos do atrito desses corpos adolescentes com os colchões sem lençóis, quando elas tentam, em vão, escapar ao desconforto e à tortura intolerável no baixo ventre.

Minerve, que fazia menção de sair, é solicitado a permanecer; a parteira, uma religiosa corpulenta de uns 50 anos, acaba de se deter à cabeceira da recém-chegada e explica a ele que a falta de pessoal impõe que os pacientes sejam acompanhados por familiares e que os maridos também são muito bem-vindos. Pouco à vontade em seu papel, ele se mantém de pé ao lado da mulher, os braços pendentes, sem ter noção do que fazer. Aguarda e contempla o céu que se dilacera através da janela suja, com as vidraças partidas, que a tormenta faz assoviar.

Durante a auscultação e a série de perguntas de rotina, a obstetra nota a pele corroída pelo fluxo incessante de urina na parte interna das coxas da futura mamãe, sintoma inequívoco da presença de uma fístula. Ela franze o cenho, ao retirar as luvas de plástico, depois de se informar com precisão do grau de adiantamento do trabalho de parto e da posição do bebê. Alguma coisa está errada! O caso parece ultrapassar sua competência. A responsável pelo serviço troca um olhar inquieto com a jovem enfermeira que a assiste, antes de se dirigir rapidamente a seu escritório. Para evitar uma catástrofe, esse nascimento tem de ter assistência médica, e o tempo urge. A quinquagenária entra em contato com o posto avançado de obstetras da Médicos Sem Fronteiras a várias dezenas de quilômetros, na planície, à beira do lago Tanganica.

Karim e Boniface acabam de tomar lugar na fila de espera do jantar quando toca um celular. Antes de atender, Boniface, o enfermeiro, volta-se para o colega motorista com um sorriso significativo. Karim responde ao parceiro com um profundo suspiro de decepção, pois já sabe que vai deixar de fazer a refeição da noite, de arroz, feijões vermelhos e carne bovina; terá de contentar-se com um pouco de leite e biscoitos, a ração das missões de urgência. Uma vez mais, o repouso deles terá sido de curta duração. Enquanto voltam atrás, pelo caminho pouco antes percorrido, e se dirigem às pressas para a garagem, Boniface se inteira da situação. Com o aparelho colado à orelha, escuta atentamente as indicações, aquiescendo com gestos da cabeça, desligando-o no fim. Dez minutos mais tarde a ambulância deixa o hospital de Kabezi. Sobre o capô, à direita e à esquerda do teto, estão plantadas bandeiras brancas nas quais se lê em letras vermelhas: "Médicos Sem Fronteiras".

Os dois homens já tinham percorrido alguns quilômetros quando a chuva que ameaçava se põe a cair, reduzindo consideravelmente a visibilidade da estrada asfaltada, sem iluminação, que eles devem seguir por quase meia hora, antes de tomar um caminho de terra e subir uma encosta até o centro de saúde. Aguarda-os lá uma mulher que sofre, a criança em seu ventre se apresenta mal, os riscos parecem sérios. A parteira, que se pusera em contato com a central telefônica da MSF, havia dito que estava muito preocupada e carente em termos de pessoal e material para enfrentar aquele caso; temia o pior, e aquelas vidas corriam perigo.

Há três anos já que, noite e dia, Karim e Boniface sulcam as rotas de Burundi e sobem e descem suas encostas escarpadas, por conta da organização humanitária. Os dois congoleses refugiados do Kivu vizinho se especializaram em perigos, em emergências, frequentemente em dramas, por vezes em milagres. Karim prefere, de longe, as missões noturnas, quando as artérias da região estão vazias, porque, a partir das 18 horas somente os veículos dos serviços de saúde, os da polícia e os do exército estão autorizados a circular. Mas, quando uma intempérie se soma a tudo o mais, uma subida de uma hora no escuro passa a ser um exercício perigoso, nos estreitos caminhos enlameados, escorregadios, entre poças d'água e buracos com diâmetro de alguns decímetros e uma dezena de centímetros de fundura. Praticar proezas é um estímulo para o motorista: Karim se orgulha de ir a lugares aonde só a MSF ousa ir. Ele pronuncia essas palavras com dignidade, faz delas seu *slogan*, o sentido profundo de sua profissão, e o proclama alto e em bom som a quem quiser ouvi-lo. Seu olhar se ilumina, ele observa Boniface e o interpela com uma piscadela cúmplice, tira a mão do câmbio e a leva à longa barba, que alisa lentamente, de alto a baixo. Sua voz mascara, por um momento, o barulho da água que se choca ruidosamente contra o teto metálico do veículo e afirma, por fim, que esta noite ele sente que Deus misericordioso está com eles e que tudo correrá bem... *Inch'Allah!*

Boniface concorda em silêncio, faz que sim com a cabeça, engole uma bolha de saliva para esvaziar a tensão e liga o rádio, sintonizando-o num programa musical, transmitido do outro lado do lago. Ritmos e sons alegres cobrem de súbito a monotonia das gotas sobre o metal e os vidros, sons agudos de guitarra e a voz suave de uma mulher enchem o interior do 4×4. O enfermeiro reconhece uma canção familiar, aumenta o volume e se põe a cantarolar a melodia em voz baixa, com os olhos fechados e a cabeça se movendo, de acordo com o ritmo, da direita para a esquerda. Karim, de brincadeira, pede-lhe que dance; Boniface aperta então os lábios, marca o ritmo com as palmas das mãos e se abandona a um movimento redondo e ágil, da frente para trás, no espaço exíguo entre o encosto do assento e o para-brisa encurvado. A letra da canção fala de amores contrariados, de amantes que cobrem suas bocas de beijos secretos e furtivos, escondidos ao luar numa ribanceira florida, bem longe, à margem do rio Congo.

De súbito, porém, o medo se instala no ventre de um e outro e quebra o momento de alegria, quando a luz dos faróis ilumina uma barreira de homens armados de fuzis, a cerca de 20 metros, e o Toyota reduz a marcha. A última estrofe mal tinha acabado quando um militar, coberto com um saco plástico azul, desses que se usam para recolher o lixo, avança rapidamente em direção a eles. Karim logo desliga o rádio, e o tremor de seus dedos denunciam o pânico. O oficial, que se aproxima com ar autoritário, agita um lampião de querosene portátil e faz-lhes um sinal para que estacionem ao lado da estrada, onde quatro ou cinco adolescentes vestidos com trajes de camuflagem demasiado grandes e calçando sandálias de plástico de cores fosforescentes tiritam sob um abrigo improvisado, feito de quatro paus que sustentam uma cobertura produzida com o que tinham à mão: plástico e longas folhas de bananeira. Os socorristas se tranquilizam, pois reconhecem uma unidade do exército regular.

Karim e Boniface jamais esquecerão a emboscada de um ano antes, na saída de Bujumbura. Eles transportavam uma mulher agonizante quando antigos milicianos embriagados, 20 deles, surgiram do barranco ao lado da estrada, em desordem, armas na mão, e obrigaram-nos a parar com uma descarga de metralhadora contra a dianteira do veículo. As negociações se desenrolaram sob uma tensão intolerável. Boniface, desejoso de convencê-los a poupá-los e salvar a enferma, foi espancado por não fazer imediatamente o que os assaltantes queriam, perdeu os sentidos na estrada e foi dado por morto. O choque e o tempo perdido foram fatais para a paciente e seu bebê. Os celulares, o dinheiro vivo e todo o material foram levados. Inquieta com o silêncio do rádio, uma equipe da MSF chegou ao local uma hora depois do ataque. Encontraram Karim em estado de choque na beira da estrada, o corpo convulsionado por espasmos nervosos, soluçando, com o colega desacordado a seus pés. Ao cabo de um mês de convalescença, Boniface se recusara a deixar de atender a chamados urgentes e retomara o trabalho.

Discretamente Karim mete um envelope na mão do soldado mais graduado, que, munido de uma lanterna de bolso, o semblante severo e concentrado, acaba de se dar ares de quem vai proceder a um interrogatório seguido de inspeção. O soldado mete o dinheiro no bolso da frente do uniforme de campanha e ladra uma ordem na direção dos jovens recrutas, que se apressam em remover o tronco de árvore deitado perpendicularmente à estrada. O motorista agradece e saúda com um gesto de cabeça, enquanto, à sua direita, Boniface se mantém de cabeça baixa; durante o desenrolar de toda a ação ele se mantivera num estado de imobilidade tetânica, evitando fitar o interlocutor. A ambulância pode retomar seu caminho, mas as imagens da emboscada não querem sair da lembrança.

O 4×4 chega ao sopé da colina e empreende a subida pela pista lamacenta, com o solo todo gretado pelas águas. No terreno acidentado, a potência do motor é submetida a uma dura prova. A chuva açoita o para-brisa sujo de respingos de lama, os limpadores funcionam com dificuldade, com as borrachas produzindo um rangido regular, ao moverem-se sobre o vidro. O jipe se inclina para os lados; e, por vezes, as rodas giram em falso alguns segundos, deslizam e se põem de novo em movimento com renovada força. Karim aperta os lábios, franze os olhos, volta e meia repõe no lugar os óculos sem aro, pede ao colega que abaixe o volume da música. Apesar de sua grande experiência, ele compreende que, desta vez, precisa concentrar-se um pouco mais. Diante deles a estrada serpenteia, com o barranco à esquerda, cada vez mais profundo, a dois metros, se tanto, da porta do motorista. A cada curva os faróis do jipe iluminam a encosta das colinas distantes, cobertas de uma vegetação cerrada, própria da estação das chuvas. As palmeiras e as bananeiras parecem lutar sob as rajadas de vento e as densas cordas de chuva que caem do céu, obscurecendo a diferença de níveis em relação à planície. Na parte mais profunda das trevas que os rodeiam, Boniface adivinha a massa imponente do lago, uma maravilha de beleza e poder à luz do dia, quando os raios do sol cintilam sobre a superfície líquida, uma enorme abertura de contornos imprecisos que, de noite, lembra um abismo. O enfermeiro se volta e imagina clarões na margem congolesa, ao longe, no mais negro do horizonte, na direção de seu país natal. E a saudade inunda-lhe a memória.

Lembra-se de sua juventude feliz e descuidada, dos estudos antes que a guerra civil irrompesse. A partida às pressas, ao se aproximarem os combates. A selvageria erigiu-se em senhora absoluta e mergulhou o leste do Congo num caos de sangue, numa embriaguez de estupros e assassinatos, num pesadelo de trucidações: o fogo lavrando em aldeias onde ninguém foi poupado, todo o povo convertido em reféns, sob a bota de gente sanguinária e sem escrúpulos, cegada pela fúria destruidora. Seguiu-se a fuga sem destino, o salve-se quem puder, a urgência pura e simples. Em sua fuga, Boniface errou bastante tempo numa embarcação improvisada, até a outra margem do Tanganica, antes de chegar a pé a um campo de refugiados em Burundi, onde outro conflito o aguardava. Foi imediatamente recrutado por uma organização humanitária e pôde fazer bom uso de sua formação médica. Foi provavelmente daí que lhe veio a vocação de oferecer seu comprometimento e sua competência onde cruelmente fazem falta.

A subida continua, e Boniface se agarra ao puxador da porta, pois a ambulância balança perigosamente, as condições meteorológicas pioram e, ao longe, ribomba o trovão. No momento em que informam sua posição à central telefônica de Kabezi, o operador o informa de que o estado da paciente se agravou e é preciso correr. Sem hesitar, reduz a marcha e acelera. Por um instante, o Toyota gira em falso e adquire velocidade: haja o que houver ele tem de levar a cabo sua missão, as vidas em perigo não esperam!

Boniface passa em revista seu material, antes de penetrar na aldeia de modestas moradias de tijolos de terra imersa na escuridão, pois a eletricidade, assim como a água corrente, não chega às colinas. Aliviado, o motorista estaciona em marcha a ré, diante do centro de saúde, na outra extremidade do lugar. O enfermeiro desce, carregando uma maleta com o necessário para os primeiros socorros. A parteira que o recebe saúda-o rapidamente. A gravidade da situação está estampada em seu semblante, e ela começa se queixando da demora em chegarem. Boniface se desculpa, sem se referir às dificuldades encontradas no caminho. Ele a segue de perto e entra com ela na construção mal iluminada pela pouca potência do gerador elétrico. Enquanto caminham ao longo do corredor de paredes descoloridas, com a pintura faltando em certos trechos, ele se informa do estado da paciente. Ela está com muitas dores e precisa ser transportada o mais rapidamente possível, pois sua vida e a da criança correm perigo, a posição do bebê está difícil de ser definida claramente e, de resto, é possível que sejam gêmeos.

Minerve ajoelhou-se junto ao instável leito de sua mulher. Segura-lhe a mão, sobre a qual pousou a cabeça, e, com a outra, acaricia-lhe brandamente o antebraço, sem conseguir reter as lágrimas. Arrisca, vez por outra, palavras doces para consolá-la, murmura-lhe acalantos ao pé do ouvido e em seguida se cala. Joséphine geme profundamente, a face deformada por um ricto doloroso.

Ao redor deles, entre esperança e dor, outros partos esperam sua hora. Absorto na sua salmodia, o rapaz nem notou a chegada dos dois obstetras, que, no entanto, conversam em voz alta. A parteira toma-o pelos ombros e afasta-o da esposa, enquanto Boniface põe luvas de plástico e dá início ao exame. Joséphine responde como pode às perguntas dele, empina o corpo, ao sentir o toque em suas partes íntimas, dá um grito agudo que lhe escapa da garganta. O enfermeiro ergue sua tanga suja de urina e embebida de sangue e o diagnóstico não se faz esperar: ela precisa ser removida de lá, um dos bebês está firmemente preso na bacia da mãe e não nascerá sem que se recorra à cirurgia.

Ajudado por Minerve, Boniface leva Joséphine para o leito na parte de trás da ambulância e, em seguida, informa o hospital de sua partida iminente. Karim já pôs o motor em funcionamento. Ele sorri confiante; afastam-se as nuvens, a chuva parou de cair.

Na descida que leva à estrada principal, Karim dirige rápido, mas prudentemente. Ele sabe que a eficácia dos amortecedores não elimina de todo os sacolejos causados pelas irregularidades do caminho, o estado da paciente é crítico e requer o maior conforto possível. Minerve, agachado ao lado da mulher, ajuda como pode Boniface, que lhe ministra cuidados preventivos. Seu rosto reflete a esperança: ele observa atentamente o material sofisticado que se acumula na cabine exígua do veículo; os aparelhos de alta tecnologia que o rodeiam o tranquilizam e lhe dão a certeza de que seus filhos e sua esposa desta vez estão em boas mãos, muito mais, ao menos, do que quando ocorreu o drama. Ele sentira certo orgulho quando soube por Boniface que realmente se tratava de um nascimento duplo; e também alguma inquietação, pois os riscos eram maiores. O trajeto continua sem obstáculos, pela estrada asfaltada, e o motorista aciona as sirenes, na esperança de desencorajar ou, ao menos, de impressionar assaltantes eventuais. Os violentos mergulhos do veículo nas poças d'água provocam subidas e descidas de líquido que parecem responder aos turbilhões do lago, e, juntos, formam um inédito balé aquático. A ambulância vai agora a toda velocidade, através do azul opaco da noite equatorial, e desenha um estranho rastro de luz branca no campo adormecido, com seu ruído mascarando o eco atormentado do fluxo e refluxo das águas ainda agitadas do Tanganica.

Os obstetras de Kabezi há muito foram alertados, e a equipe aguarda na porta do pavilhão principal. Reina a calma sobre o conjunto do estabelecimento especializado no tratamento de gestações consideradas de risco e nos partos complicados. A direção trabalha em estreita colaboração com os centros de saúde disseminados pelos rincões mais distantes do distrito. De acesso difícil para os moradores das zonas rurais, estes últimos são também mal equipados e desprovidos de assistência cirúrgica. O hospital é o último recurso, a derradeira oportunidade para os casos desesperados.

O movimento constante sobre o fio frágil que separa a vida e a morte tornou-se uma verdadeira razão de ser para Jenny, a parteira expatriada, originária da Suécia. Ela desempenha sua quarta missão para a MSF, e ainda se alimenta dos calafrios da urgência: a jovem de 30 anos sente-se reviver cada vez que uma criança é salva e se emociona com as centelhas de felicidade que brilham nos olhos de uma mamãe aliviada. O combate cotidiano contra a morte, ela o transforma em motor de sua existência, uma dinâmica, uma inspiração que varre o *spleen* de sua vida baça e do conforto estressante dos anos passados em Estocolmo. Ela nisso encontrou um sentido, um remédio para o tédio que a corroía nas maternidades suecas.

Jenny está feliz de haver retornado à ginecologia, após uma breve estada no Haiti, depois do terremoto: uma hecatombe, três semanas de amputações, um mal-estar em todos os momentos. Com os punhos metidos nos bolsos e com arrepios sob a blusa branca, seu corpo é percorrido por pequenas picadas, e a adrenalina enlouquece em suas artérias, pois a sirene do 4×4 é cada vez mais audível.

A seu lado, Arthur, o médico belga de 29 anos, esforça-se por disfarçar o nervosismo crescente, empalidece um pouco ao mesmo tempo que tenta manter a compostura. Ele começou sua primeira missão para a organização humanitária apenas três semanas antes, depois de passar por um severo processo de seleção, e, desde que chegou, as dificuldades se acumulam. Na própria manhã em que ocorreu a reunião de transferência de responsabilidades entre as equipes que chegavam e as que partiam, ele relatou o caso, ainda inexplicado, de um bebê natimorto. A imagem do corpo sem vida que foi preciso auscultar por longos minutos talvez tenha deitado raízes duradouras em sua memória, causando-lhe uma dor e uma amargura até então desconhecidas. Diante de uma audiência silenciosa e solene, com a boca seca e o olhar úmido, ele se contentara em ler seu relatório em voz lenta e monocórdica, lutando para não sucumbir à comoção. Seu corpo também sofre para adaptar-se ao clima, a viscosidade do equador o impede, às vezes, de adormecer. Isso sem esquecermos a impossibilidade de sair da residência dos expatriados a partir das 18 horas, por razões de segurança. A ideia de viver num meio hostil, onde sua vida pode correr perigo, oprime-o profundamente.

No momento em que a angústia faz com que ele se curve um pouco, ele sente a mão de Jenny pousar-lhe no ombro, docemente, enquanto ela sussurra que eles estão ali para fazer tudo que puderem, porque milagres só Deus, se acaso ele existe, é capaz de fazer. Arthur sorri e se endireita. Ele gosta da companhia de seus colegas, dos serões que passam juntos, rindo ou escutando CDs de música pop inglesa ou de inverossímeis grupos de rock vindos diretamente das cenas do *underground* de Berlim ou de Bruxelas, bebendo uma cerveja ou fumando um cigarro, para matar o tempo e impregnar-se, por um momento, do vago perfume do carinho e do calor humano, antes de voltar aos pacientes e aos deveres a cumprir, de manhãzinha.

A grade que rodeia o hospital se abre, o Toyota entra no pátio e diminui a velocidade até parar junto dos padioleiros. Karim reclina a cabeça no volante por alguns minutos, antes de sair para desentorpecer as pernas: a quarta saída em serviço terminou sem maiores problemas. Dá uns poucos passos desajeitados em direção ao lago, que ele distingue vagamente. Da superfície do Tanganica se ergue uma brisa fresca que pacifica a planície, se insinua por entre os juncos, faz cantar as margens escarpadas e serve de acalanto ao motorista. Uma melodia de marulho e vento para esquecer o cansaço e distender-se um pouco, enquanto não vem outro chamado para retornar à estrada, rumo a outra emergência nas colinas.

A sala de parto está funcionando há várias horas, e, além de Jenny e Arthur, duas enfermeiras burundienses estão presentes. Joséphine está estendida sobre o leito de parto, e, ao cabo de um breve exame, a parteira julgou restar uma pequena possibilidade de extrair os bebês pela vagina. Na sala ao lado, a sala de cirurgia, a equipe do cirurgião está alerta, pronta para intervir a qualquer momento e realizar uma cesariana. Jenny não para e aplica energicamente as palmas das mãos sobre o ventre da paciente. Seus gestos são firmes e precisos. O rosto, muito sério, parece ainda mais pálido que de costume, e os olhos azuis, ainda mais azuis pela concentração, parecem sondar o interior do abdome que ela manipula. Joséphine soluça, se contrai, em certos momentos empina o corpo, aperta os rins com as mãos. Ela está sofrendo. A enfermeira, a seu lado, convida-a a controlar a respiração ofegante, e ela faz um esgar. Arthur avalia constantemente as condições dela. O ritmo se acelera nas veias de Joséphine, e o rapaz está receoso, ainda mais porque ele julga ter distinguido as batidas de um terceiro coração, mas, ainda incerto, se cala. Sucedem-se os minutos, até aqui tudo bem!

Lá fora volta o trovão a ribombar. Vários relâmpagos dilaceram o negrume da noite, a luz elétrica vacila por um instante, o nervosismo aumenta. Jenny expira longamente, dilatando as narinas e, maquinalmente, afasta uma melena loura colada à fronte. Sem levantar a cabeça, ela retoma as massagens com maior determinação. Seu colega médico não ousa dizer-lhe que pare; mas ele gostaria de abreviar a expectativa, que lhe contrai o estômago, e recorrer à cirurgia. O medo de diagnosticar outro óbito o paralisa.

Abatido pela impossibilidade de fazer alguma coisa, Minerve ficou sozinho, do lado de fora, rezando mansamente à luz de um lampadário, com os pensamentos postos, sobretudo, em Joséphine e nos padecimentos por que ela passa. Jenny recobra seu sorriso e se desloca para colocar-se diante das pernas entreabertas e ensanguentadas da futura mãe, a quem ela pede que faça força para expelir, o mais que puder. Seus dedos penetram na ferida e logo agarram e acompanham o pequeno crânio que conseguiu encontrar seu caminho para o mundo. O bebê desliza para fora do ventre materno, jorram matérias orgânicas e sangue contra a blusa da sueca. Jenny exulta, relaxa enfim e recebe o recém-nascido em seus braços abertos. Rapidamente ela intercala o anular entre o frágil pescoço e o cordão umbilical, que está enrolado nele, livra a criança de seu tornilho e delicadamente a deposita sobre uma toalha posta diretamente no chão. É urgente, em seguida, desimpedir-lhe o nariz e a boca com um jato d'água. Os segundos se escoam, uma eternidade, na atmosfera pesada. Todos se calam, ninguém ousa olhar. E, de súbito, um grito! Uma festa, um hino à vida, um alívio. Um pequeno ser vivo, uma menina acaba de nascer e é entregue ao médico, para que este faça os exames habituais e se pronuncie sobre seu estado de saúde. A jovem mãe continua a esforçar-se, e um segundo rosto aparece entre as coxas abertas. Jenny aplaude e entrega o menino a Arthur. Quando Joséphine relaxa um pouco e tenta se levantar, é surpreendida pela chegada de um terceiro, e o novo choro provoca uma aclamação na sala e abraços entre risos de alegria. A equipe da sala de operações vem juntar-

-se à da sala de parto para os abraços, os tapas nas costas, os apertos de mão e os beijos nas faces, para festejar o milagre, numa euforia de carne, de convicções e de esforços conjugados.

O anúncio do nascimento de trigêmeos em Kabezi se espalha pelo hospital e pela cidade, as autoridades políticas em Bujumbura são informadas, o Ministério de Negócios Familiares enviará um representante oficial, cheio de elogios na boca e de presentes na bagagem para Joséphine.

Minerve é convidado a ir ver a esposa, corre e a encontra exausta, mas muito feliz de, desta vez, ter conjurado a má fortuna. Um sorriso tímido atravessa-lhe o semblante, e, ao se encontrarem, seus olhos oscilam entre a delícia infinita de ter pregado uma peça na morte e a angústia de não saberem o que farão para alimentar os filhos na pobreza das colinas. Mas essas preocupações podem esperar. Agora o marido se aproxima e murmura uma boa notícia no ouvido de sua bem-amada: um enfermeiro disse-lhe há pouco que, mais para o norte, em Gitega, um cirurgião europeu, um dos poucos no mundo que se dedicam a isso, trata de fístulas num estabelecimento da MSF e vai pôr fim ao seu calvário. Em breve Joséphine estará curada e reencontrará seu lugar no seio da comunidade. Uma lágrima lhe escorre pela face.

Arthur jamais esquecerá essa noite de tempestade que, sozinha, simboliza o sentido de sua presença em Burundi. Poucas horas depois ele não sentirá cansaço algum no momento da reunião das oito horas, quando, radiante e orgulhoso, ler o relatório do triplo nascimento.

Jenny, por seu lado, dormirá o dia inteiro, feliz de ter, uma vez mais, participado do ato de dar a vida e de ter se sentido viva e palpitante, bem longe do tédio de sua juventude em terras distantes, sob os céus cor de cinza da Escandinávia.

O operador da central de comunicações acaba de sair de sua cabine, à procura de Boniface, mal refeito das emoções que partilhou com Karim. Deus é grande, mas outra emergência os aguarda, no alto de outra colina.

Sempre imenso, onipresente e impassível, o Tanganica continua a executar tranquilamente seu movimento monótono, indiferente às intempéries e aos imprevistos dos tempos humanos. As águas se acalmaram e esperam a hora de brilhar à luz do dia, que já vem, pois alguns raios de sol já abrem caminho por entre as nuvens e aquecem as alturas. O céu cinza e azul vai surgindo lentamente e desvenda, até onde a vista chega, uma paisagem magnífica, composta do verde intenso das plantas nas encostas e, mais abaixo, na planície, do tom vermelho-escuro da terra molhada de chuva, que confere ao grande lago sua tonalidade de aquarela.

TRADUÇÃO DE SERGIO PACHÁ

•

Burundi

Embora Burundi ofereça assistência médica gratuita a crianças e mulheres grávidas, o acesso a ela é limitado, principalmente pela falta de pessoal. Esse cenário é particularmente nocivo às mulheres. Segundo a Organização Mundial da Saúde, a cada ano 4 mil mulheres morrem no parto, enquanto cerca de mil desenvolvem fístulas obstétricas, lesões no canal entre o reto e a vagina, causando incontinência urinária e fecal, o que muitas vezes leva à sua exclusão social.

Em julho de 2010, a MSF abriu o centro de Urumuri, na cidade de Gitega (região central de Burundi), para tratar mulheres que sofrem de fístula obstétrica. O único centro no país a oferecer assistência gratuita 24 horas por dia, no qual a MSF pretende operar 350 mulheres anualmente nos próximos três anos e formar médicos locais para realizar as intervenções cirúrgicas em fístulas.

Na cidade de Kabezi, província rural de Bujumbura, a MSF tem um centro que presta assistência obstétrica e ginecológica de emergência.

No país, a malária é a principal causa de doença e morte. Em 2010, a MSF tratou 175 mil pacientes que sofrem de malária e distribuiu 134 mil mosquiteiros nas províncias de Kayanza, Ngozi e Karuzi.

A MSF atua em Burundi desde 1992.

BIOGRAFIAS

Mario Vargas Llosa

É um dos principais expoentes do renascimento da ficção sul-americana ao lado de Gabriel García Márquez. Iniciou sua carreira literária em 1959 com a coletânea de contos *Os chefes*. Mas atingiu o sucesso em 1963 com o romance *A cidade e os cachorros*. Em 2010 foi laureado com o Prêmio Nobel de Literatura e no mesmo ano publicou seu livro mais recente, *O sonho celta*.

Eliane Brum

Nascida em 1966, no município gaúcho de Ijuí, Eliane Brum é uma das mais premiadas jornalistas brasileiras. Tem mais de 40 prêmios nacionais e internacionais de reportagem. E quatro livros publicados: entre eles, o ganhador do Prêmio Jabuti de melhor livro de reportagem, *A vida que ninguém vê* (Arquipélago, 2006), *O Olho da Rua* (Globo, 2008) e o seu elogiado romance de estreia *Uma Duas* (Leya, 2011). Vive atualmente em São Paulo e é colunista do site da *Revista Época*.

Paolo Giordano

Nasceu em Turim, em 1982. Com *A solidão dos números primos*, seu romance de estreia, ganhou os prêmios Strega e Campiello, este na categoria revelação. Durante a 67ª Mostra Internacional de Veneza foi lançada a adaptação cinematográfica de seu livro.

Catherine Dunne

Nasceu em Dublin, em 1954, onde reside. Estudou língua e literatura inglesa e espanhola no Trinity College e iniciou sua carreira como professora de língua na Greendale Community School die Kilbarrack, no subúrbio da capital irlandesa. Estreou na literatura em 1997 com o romance intitulado *In the beginning.* Seu último romance, *Missing Julia*, foi lançado em 2011.

Alicia Giménez Bartlett

Nasceu em Almansa, Espanha, em 1951. Iniciou sua carreira com um estudo sobre o escritor espanhol Gonzalo Torrente Ballester, publicado em 1981. *Exit*, seu primeiro romance, veio a público em 1984. Com *A casa de Virginia W.* ganhou, em 1997, o Prêmio Feminino Lumen de melhor escritora espanhola. Mas consagraria-se como uma das escritoras mais populares e queridas de seu país com a série de romances policiais da inspetora de polícia Petra Delicado, que, com o seu parceiro Fermín Garzón, resolve homicídios complicados. Seu último livro, *Donde nadie te encuentre*, foi lançado em 2011.

James A. Levine

Vive atualmente em Minnesota, nos Estados Unidos. É médico na Clínica Mayo, uma das principais instituições médicas sem fins lucrativos do mundo, e cientista de renome internacional. Em colaboração com a Organização das Nações Unidas para a Agricultura e Alimentação, participou de diversos projetos internacionais de solidariedade. Seu primeiro romance, *O caderno azul*, traduzido para diversas línguas, nasceu de um fortuito encontro com uma menina no distrito vermelho de Mumbai, que o inspirou a criar a personagem Batuk. Com os lucros gerados pela venda do seu livro, ele criou uma fundação de apoio às crianças exploradas.

Esmahan Aykol

Nasceu em 1970 na cidade de Edirne, Turquia, e atualmente vive entre Berlim e Istambul. Durante o seu curso universitário em Direito, trabalhou como jornalista no rádio e na imprensa turcos. Hoje, após uma temporada como *bartender*, dedica-se completamente à literatura. *Hotel Bosphorus* é o seu primeiro romance da série com o personagem Kati Hirschel.

Tishani Doshi

Poetisa e jornalista indiana, nasceu em Madras, em 1975. Sua coletânea de poemas *Countries of the Body* venceu o Foward Poetry Award de 2006, na categoria revelação. Em 2010, publicou o livro *The Pleasure Seekers*.

Wilfried N'Sondé

Nasceu em Brazzaville, capital da República do Congo, em 1968. Músico e escritor, em 1973 mudou-se para Paris e atualmente vive em Berlim. Seu primeiro romance, *Le coeur des enfants léopards*, obteve o Prêmio RFO em 2007.

APRESENTAÇÃO DE MÉDICOS SEM FRONTEIRAS

EM 2011, MÉDICOS SEM FRONTEIRAS, a grande organização médico-humanitária independente, completou 40 anos. Quarenta anos de ações humanitárias independentes e assistência médica a mulheres, homens e crianças vítimas da fome, da guerra, de catástrofes naturais e epidemias.

A organização MSF foi fundada em 1971, na França, por um grupo de jovens médicos e jornalistas; e em todos esses anos ficou conhecida por levar assistência médica às populações necessitadas, mas também por testemunhar e reportar as crises ignoradas pelas mídias internacionais, os abusos e as violências que ocorrem diante da indiferença da opinião pública, a insuficiência do modelo atual de ajuda humanitária e o aumento perigoso da sua manipulação por interesses políticos ou militares.

Em reconhecimento a esses esforços, a organização MSF foi laureada com o Prêmio Nobel da Paz em 1999.

No ano de 2010, a MSF tratou mais de 7,5 milhões de pessoas, realizou mais de 58 mil intervenções cirúrgicas, assistiu a 10 mil mulheres vítimas de abusos sexuais, auxiliou no parto de mais de 150 mil crianças e vacinou mais de 1,3 milhão de pessoas contra a meningite. Seus membros podem intervir de modo rápido, eficaz e independente graças aos doadores, o que permite operarem onde sua intervenção é mais urgente e indispensável. Do fundo com que financia seus projetos, 91% são de doadores privados e empresas, garantindo a MSF o máximo de independência de qualquer poder político ou econômico.

São 3 mil funcionários internacionais, das mais diversas nacionalidades, e 25 mil funcionários regionais trabalhando em mais de 60 países, nos quais a MSF atua intervindo em todo cenário de crise, sem discriminar etnia, religião ou ideologia política.

CARTA DE PRINCÍPIOS

"A organização Médicos Sem Fronteiras leva socorro às populações em perigo e às vítimas de catástrofes de origem natural ou humana e de situações de conflito, sem qualquer discriminação racial, religiosa, filosófica ou política."

"Trabalhando com neutralidade e imparcialidade, os Médicos Sem Fronteiras reivindicam, em nome da ética médica universal e do direito à assistência humanitária, a liberdade total e completa do exercício da sua atividade."

"Eles se empenham em respeitar os princípios deontológicos da sua profissão e em manter total independência em relação a todo poder, bem como a toda e qualquer força política, econômica ou religiosa."

"Voluntários, eles medem os riscos e perigos das missões que realizam e não reclamam qualquer compensação que não seja aquela oferecida pela organização."

Este livro foi composto
em Nexus para a Leya em maio de 2012